아픔을 딛고 안전 사회로

아픔을 딛고 안전 사회로

발행일   2022년 06월 30일

지은이   조성일
펴낸이   손형국
펴낸곳   (주)북랩
편집인   선일영   편집   정두철, 배진용, 김현아, 박준, 장하영
디자인   이현수, 김민하, 김영주, 안유경, 최성경   제작   박기성, 황동현, 구성우, 권태련
마케팅   김회란, 박진관
출판등록   2004. 12. 1(제2012-000051호)
주소   서울특별시 금천구 가산디지털 1로 168, 우림라이온스밸리 B동 B113~114호, C동 B101호
홈페이지   www.book.co.kr
전화번호   (02)2026-5777   팩스   (02)2026-5747

ISBN   979-11-6836-375-5 03360 (종이책)   979-11-6836-376-2 05360 (전자책)

(주)북랩 성공출판의 파트너

북랩 홈페이지와 패밀리 사이트에서 다양한 출판 솔루션을 만나 보세요!

홈페이지 book.co.kr • **블로그** blog.naver.com/essaybook • **출판문의** book@book.co.kr

작가 연락처 문의 ▸ ask.book.co.kr

작가 연락처는 개인정보이므로 북랩에서 알려드릴 수 없습니다.

중대재해처벌법의 개선을 위한 제언

아픔을 딛고 안전 사회로

조성일 지음

북랩

감히 풍당(馮唐)을 흉내 내서라도

풍당은 사마천의 사기 「장석지풍당열전(張釈之馮唐列伝)」에 나오는 인물로, 한(漢)나라 5대 황제인 문제(文帝)에게 직언을 서슴지 않았던 것으로 유명하다. 문제는 6대 황제인 경제(景帝)와 함께 문경지치(文景之治)의 태평성대를 이룬 인물이다. 그런데 풍당이 문제에게 "상은 가볍게 행하고 벌을 주는 일은 지나치게 중하게 해서 인재가 있어도 쓰지 못할 것"이라고 무안스러울 정도의 직언을 한 일이 있다. 당시 한나라는 북방의 흉노족이 국경을 침범하여 큰 골칫거리였는데, 운중(雲中) 군수였던 위상(魏尚)이라는 사람이 사졸들을 이끌고 흉노족을 물리치는 공을 세웠음에도 상부에 보고하면서 적의 수급과 포로의 수가 6명 차이가 난다는 이유로 오히려 위상의 작위를 깎고 벌을 내린 일이 있었는데, 이러한 문제의 처사가 사리에 맞지 않음을 지적하여 간언한 것이다.

옛날이든 지금이든 직언은 쉬운 게 아니다. 필자는 '중대재해처벌법'이라는, 사회적으로 민감한 문제에 대한 생각을 밝혀 책으로 내기까지 적지 않은 시간을 고민했다. 이 글을 쓰는 지금도 새로 출범한 정부는 경영계의 '과도한 규제'라는 요청을 고려하여 시행령과 법 개정을 검토한다는 보도가 나오고 있고, 반면에 노동계는 법을 무력화시키는 법의 개악을 중단하라고 촉구하고 있다.

필자는 젊은 시절, 서울시청에서 기술직 공무원으로 근무할 때 성수대교와 삼풍백화점 붕괴사고를 현장에서 직접 봤다. 당시에는 보도를 통해 성수대교가 대형 교량으로는 세상에서 처음으로 무너진 것으로 알았는데, 문헌 조사를 통해 미국, 유럽, 일본 등의 사례를 공부하면서 경제 발전 시기에 새로 건설하는 데에만 집중하고 이미 만들어진 인프라 관리에 소홀했던 선진국들이 인프라 노후화 문제로 많은 어려움을 겪고 있다는 사실을 알게 되었다. 그리고 이처럼 인프라 노후화 문제로 골치를 썩이고 있는 선진국들의 믿을 수 없는 현실이 우리에게도 곧 들이닥칠 숙명이라고 생각해서 이에 대비하는 일을 해왔다.

2015년 6월 서울시청 퇴직 후에는 서울시립대학교 도시과학대학원에서 석·박사 학생을 대상으로 각종 재난·사고를 주제로 강의해왔고 헤럴드경제에 안전 사회 건설을 내용으로 꾸준히 칼럼을 쓰기도 하였다. 2019년 7월부터는 서울시청 산하 서울시설공단 이사장으로 근무하면서 PSC 교량[1]의 점검 기술을 국내 최초로 개발하고, 오픈이노베이션을 통해 이를 국내학회, 민간업체, 공공기관 등에 공개·공유하는 등 적어도 일부지만 안전 분야에서 쌓은 경험으로 나름대로 우리 사회의 안전 역량 증진을 위해 노력도 해왔다. 중대재해처벌법이 시행되기 전에

---

1) PSC 교량(Pre-Stressed Concrete Bridge): 철근콘크리트 구조물에 강선(鋼線) 다발을 넣어 미리 당겨 압축력을 가한 교량. 1990년대 유럽을 시작으로 미국, 일본 등 선진국에서 이 형태의 교량이 무너지거나 내부의 강선 다발이 녹슬어 끊어지는 등 각종 사고가 지금까지 잇따르고 있으며, 서울도 2016년 2월에 내부순환도시고속도로 정릉천 구간에서 강선 다발이 끊어지는 사고가 발생하였다. 콘크리트 속에 매립된 강선 다발은 육안 점검도 비파괴검사도 안 되고, 오로지 드릴로 구멍을 내어 내시경으로 조사하는 방법 외에는 다른 방법이 없어 기술을 확보하고 있지 않은 국내에서는 최근까지도 조사를 못하고 있었다. 최근 서울시설공단이 검사 기술을 개발하여 공개하고, 발견된 결함 유형과 상태까지 국내 산학관민에 공개·공유하였다.

아픔을 딛고 안전 사회로

소속 직원이 위험작업을 거부할 수 있는 '위험작업 거부권'을 공공기관 최초로 시행한 바도 있다.

인프라 분야이기는 하지만 안전에 관심을 두고 이론 공부와 현장 경험을 쌓은 필자로서는 지금의 문제를 풀어가는 우리 모습이 보기에 안타깝다. 필자는 처벌만으로는 근로자와 시민의 억울한 죽음을 막아낼 수 없다는 생각이다. 그래서 감히 풍당을 흉내 내서라도 의견을 내야겠다는 결심을 하기에 이르렀다.

이 책은 필자 개인의 지식과 경험을 바탕으로 일부 국내외 사례와 정책에 대한 문헌 조사 등을 통해 일부 대안을 제시하고 있지만, 내용 중에는 사실과 다른 오류도 있을 수 있다. 특히 법률전문가가 아니라서 법리에 대한 논의를 자제하겠지만, 부득이 다룬 내용 중에도 오류가 있을 수 있다. 사례도 주로 건실과 인프라 관리 분야에 편중될 수밖에 없음은 필자의 경력상 한계로 양해 바란다. 특히 가습기 살균제 참사와 같은 화학물질 등에 의한 시민 재해는 필자의 지식·경험이 짧아 안전 사회 건설을 위한 대책 분야에서 거의 다루지 못했다. 다만, 재난·사고와 산재의 발생 기저와 맥락은 크게 상이하지 않을 것으로 생각해서 용기를 냈음을 널리 양해 바란다. 이런 한계에도 불구하고 이 책이 우리 사회의 안전 역량 증진에 다소라도 이바지할 수 있다면 그 이상 바랄 게 없다. 독자 제현의 아낌없는 질정(叱正)을 바란다.

2022년 6월

조성일

차례

PART 1

절규 속에 쫓기듯 만들어진 법

잇따른 대형 참사와 산업재해로 수많은 생명이 억울하게 목숨을 잃었음에도 그 원인을 제공한 기업과 기업주들은 가벼운 벌금형이나 집행유예로 풀려난 것으로 드러났다. 이들을 제대로 처벌해야 안전이 확보될 수 있다는 사회적 공감대가 확산하였고 이를 통해 중대재해처벌법이 제정되었다. 그러나 법의 취지와 중요성에 비해 너무 쫓기듯 졸속으로 만들어졌다는 아쉬움이 크다.

1.
잇따른 대형 참사

그치지 않는 재난·사고

필자는 젊은 시절 서울시청 공무원으로 재직하면서 성수대교 붕괴, 삼풍백화점 붕괴 등 대형 참사를 현장에서 직접 눈으로 봤다. 다리가 무너지고 건물이 폭삭 주저앉은 사고 현장은 말 그대로 아비규환 지옥이었다. 다시는 이와 같은 비극을 겪지 않도록 노력하겠다고 다짐했지만, 대형 재난·사고는 그 이후에도 끊임없이 이어졌다.

약 반세기 전인 1970년 이후의 주요 재난·사고와 산업재해를 이 책 뒷부분에 연보 형식으로 첨부했지만, 씨랜드 청소년수련원 화재(1999년, 23명 사망), 인현동 호프집 화재(1999년, 23명 사망), 대구 지하철 방화 참사(2003년, 192명 사망), 상주 콘서트 압사사고(2005년, 11명 사망), 이천 냉동창고 화재(2008년, 40명 사망), 경주 오션리조트 붕괴사고(2014년, 10명 사망), 세월호 침몰(2014년, 299명 사망), 판교 공연장 환풍구 붕괴(2014년, 16명 사망), 제천 스포츠센터 화재(2017년, 29명 사망), 밀양 세종병원 화재(2018년, 46명 사망), 이천 물류센터 화재(2020년, 38명 사망), 광주 철거건물 붕괴사고(2021년, 9명 사망), 광수 공사 중 아파트 붕괴(2022년, 6

명 사망) 등 일일이 열거하기가 힘들 정도로 대형 참사들은 우리 주변에서 일상처럼 일어나고 있다.

더구나 아직도 지구 전체가 몸살을 앓고 있는 COVID-19 같은 감염병과, 기후변화로 인해 더 강력해진 태풍과 집중호우, 가뭄과 폭염이 우리의 생활을 위협하고 있다. 언제 또다시 우면산 산사태(2011년, 18명 사망) 같은 자연재해나 COVID-19보다 더 무서운 '질병 X'[2)]가 우리에게 닥칠지 모를 일이다.

해방 이후 전쟁을 치르면서 인구의 급격한 도시 유입과 고도 경제성장기에 급속 팽창하면서 각종 인프라를 빠르게 확충해야 했던 우리나라는 재원이 부족한 상황에서 질보다는 많은 물량을 빠르게 공급하는 것이 우선시되면서 '빨리! 싸게! 많이!'가 미덕으로 자리 잡게 되었다. 이를 통해 나라 경제를 일군 관료들과 기업인들은 법령과 계약문서에 근거해서 일하는 방식보다는 그때그때 순발력 있게 문제를 해결하는 방식을 선호하였고, 이 과정에서 원칙보다는 '대충대충'과 '편법'이 우위를 점하게 되었다. 품질 확보를 위한 검사나 시험, 인증 등의 과정은 요식행위로만 자리 잡았고 때로는 무시되기도 하였다. 요컨대, 안전은 외면당하기 일쑤였다. '안전불감증'으로 표현되기도 하는 이런 행태가 여전히 뿌리 깊게 우리 사회에 잔존하고 있고, 이것이 여러 분야에서 대형 참사로 나타난 것이다.

그 수많은 재난·사고 중에서 이 책에서는 '중대재해 처벌 등에 관한

---

2) 2018년 세계보건기구(WHO)가 '2018 연구개발 청사진(blueprint priority diseases)'을 발표하면서 에볼라, 사스, 지카 바이러스 등과 함께 포함한 미지의 가상 바이러스

법률(이하 중대재해처벌법이라고 한다)'의 제정 배경에 대한 이해를 넓히기 위해 2017년 4월 고(故) 노회찬 의원이 발의한[3] 속칭 '기업살인법'의 배경이 된 '가습기 살균제 참사'와 '세월호 참사'를 살펴본다.

안전을 위해 구매한 살균제가 목숨을 빼앗다

우리나라 겨울은 그 기후가 건조하다. 난방으로 더 건조해진 방에서 자고 일어나면 목이 뻑뻑하고 아프기까지 하다. 이 때문에 예전에는 방에 빨래를 걸어두기도 했는데, 2000년대 들어 시중에 가습기가 나오면서 그 편리함 때문에 사용자가 빠르게 늘어났다. 가습기의 종류는 다양하지만, 주전자에 물을 끓이는 것처럼 물을 가열하여 수증기 형태로 방출하는 '가열식'과 초음파진동자로 물을 작은 물방울로 쪼개 물안개(미스트, mist)처럼 분무하는 '초음파식', 그리고 이 둘의 혼합형 등으로 크게 분류할 수 있다. 우리나라에서는 초음파식이 가장 많이 사용되었다.

초음파식은 자주 세척하지 않으면 필터 등에 곰팡이가 발생하기도 한다. 이런 곰팡이나 세균이 분무된 물안개와 함께 방 안 여기저기를 떠다니면서 호흡기를 통해 폐로 흡수되어 가족의 건강에 해를 끼칠 수

---

3)   '재해에 대한 기업 및 정부책임자 처벌에 관한 특별법안', 2017년 4월 14일, 고 노회찬 의원 등 11인이
      법안 발의, 20대 국회 임기 만료로 자동 폐기

도 있다. 이 때문에, 물속의 세균을 모두 제거할 수 있는 가습기 살균제는 가습기의 위생관리를 우려하는 소비자들의 심리를 파고들면서 출시와 함께 빠르게 판매가 늘어났다.[1]

1994년 11월 유공(油公) 바이오사업팀에서 '가습기메이트'란 상품명으로 가습기 살균제를 처음 개발하였고, 이후 여러 회사에서 이를 벤치마킹한 유사 제품들을 출시했는데, 제품은 살균제로 무엇을 사용했느냐에 따라 〈표 1-1〉처럼 PHMG와 PGH를 따로 사용한 제품과 CMIT와 MIT를 3:1의 비율로 섞어 사용한 제품 두 가지로 구분된다. 이 책에서는 편의를 위해 사용된 살균 성분의 첫 글자를 따서 P그룹, C그룹, 기타 그룹으로 구분하고, 각 살균 성분의 정식명칭이나 특성 등 이 책의 저술목적을 넘어서는 전문적인 내용은 생략한다. 다음 내용은 백서[1]와 언론보도 내용을 참고해서 요약·정리한 것이다.

〈표 1-1〉 주요 가습기 살균제 유형

그룹	살균 성분	제품(회사)
P그룹	PHMG	옥시싹싹(옥시), 와이즐렉(롯데마트 PB), 좋은상품(홈플러스 PB), 가습기클린업(코스트코 PB)
	PGH	가습기 살균제(세퓨, 아토오가닉)
C그룹	CMIT+MIT	가습기메이트(SK케미칼 제조, 애경산업 판매) 가습기 살균제(이마트 PB)
기타	에탄올 등	가습기 항균제(아토세이프)

아픔을 딛고 안전 사회로

옥시[4], LG생활건강, 애경산업 등에서 약 20여 종의 제품이 출시돼 매년 약 60만 개 정도가 팔렸을 정도로 인기를 누렸는데, 가장 많이 사용된 것은 옥시에서 만든 '옥시싹싹 가습기당번(이하 옥시싹싹)'이고, 다음이 SK케미칼[5]이 만들고 애경산업이 판매한 '가습기메이트', 그리고 유통업체의 자체 브랜드 상품으로 이마트, 홈플러스, 롯데마트 등의 제품이 팔렸다.

유공에서 출시한 첫 제품부터 언론을 통해 가습기 살균제가 인체에 조금도 해가 없다고 광고하였다. 물에 0.5%의 농도로 살균제를 탔더니 약 3시간 후에 90%, 하루 뒤에는 100%의 살균율을 보이고 독성 실험 결과도 인체에 전혀 해가 없는 것으로 나타났다고 홍보하였다. 기업들은 "아이들에게도 99% 안전", "마셔도 안전", "흡입 시에도 무해"라고 광고하였다. 그런데 사실은 이들 살균 성분이 사람의 호흡기를 통해 인체에 유입되었을 때 안전한지 흡입 독성 실험을 하지 않았다.[2]

가습기가 물과 함께 공기 중으로 뿜어낸 살균 물질은 수십㎚(나노미터, 10^{-9}m, 10억 분의 1미터) 크기의 에어로졸 형태로 분무액에 포함되어 폐 속 깊이 들어가 말단 세기관지(細氣管支)[6] 주변에 쌓여 폐 손상을 일으킨다. 이 때문에 폐가 딱딱하게 굳는 섬유화(繊維化) 현상이 진행되면서 폐가 혈관에 공기를 공급하지 못해 숨을 쉬지 못하고 결국 죽게 된

---

4) 2001년 3월, 영국계 다국적기업 레킷벤키저에 매각, 옥시레킷벤키저(Oxy Reckitt Benckiser)로 회사명 변경
5) 현 SK디스커버리, 2017년 12월 SK케미칼이 지주회사(SK디스커버리)와 사업회사(SK케미칼)로 인적 분할
6) 세기관지는 폐 내에 갈라져 나뉜 기관지의 맨 끝에 있는 가장 가느다란 공기 통로를 말함(네이버 동영상 백과 인용)

다. 2000년대 들어 가습기 살균제가 생활필수품처럼 널리 사용되면서 어린이와 임산부 등을 중심으로 피해자가 발생하기 시작하였다.

2006년 3월 서울아산병원 소아 중환자실에 호흡부전증 환자 3~4명이 입원했고, 서울대학교병원에서도 유사한 환자가 확인되었다. 의료진들은 정확한 원인을 찾지 못하고 이를 '신종 폐 질환', '신종 호흡기 전염병'으로 간질성(間質性)[7] 폐렴이나 바이러스에 의한 급성 폐렴으로 의심했다. 2008년 4월 대한소아과학회지에 「2006년 초에 유행한 소아 급성 간질성 폐렴」 논문을 발표하여 이 질환의 발생을 알리기도 하였다. 늦겨울부터 초여름 사이에 발병했는데, 이들 소아 환자에게서 다양한 바이러스와 세균이 검출되었지만, 서로 달라 호흡기 감염 때문은 아닌 것으로 판단하였다.

원인이 밝혀진 것은 첫 상품 출시로부터 17년이나 지난 2011년 5월이었다. 2011년 2월 말 호흡부전으로 서울아산병원에 입원한 출산 직후의 젊은 임산부가 집중적인 치료에도 3월 초에 사망하였다. 한 달 뒤에 서울아산병원에 출산 전후의 젊은 임산부 4명이 비슷한 중증 폐 질환으로 입원했는데, 기존의 치료 방법이 듣지 않는 원인 모를 폐 질환이었다. 무슨 질병인지도 모르는 상황에서 다른 병원에도 비슷한 환자가 있다는 것을 확인한 의료진은 2003년 사스와 2009년 신종플루 사태를 떠올려 질병관리본부[8]에 신종 질환 여부를 조사 요청하였다.

---

7) 간질(間質, interstitium)은 폐에서 산소의 교환이 일어나는 허파꽈리의 벽을 구성하는 조직을 총칭(네이버 건강백과, '간질성 폐 질환'에서 인용)

8) 방역·검역 등 감염병에 관한 사무 및 각종 질병에 관한 조사·시험·연구에 관한 사무를 관장하기 위한 보건복지부장관 소속기관으로, 2020년 9월 12일 질병관리청으로 승격되었음

아픔을 딛고 안전 사회로

신종 감염병 여부 확인이 시급하고 중요하다고 판단한 질병관리본부
는 즉각 역학조사와 함께 실험실 감시와 능동감시[9]체계를 가동하였
다. 서울아산병원과 같이 실시한 조사 결과 환자들 사이에 공통되는
병원체가 확인되지 않았고, 발열 같은 감염질환의 증세도 미약하였다.
항바이러스제 등 감염질환 약물에 반응도 없는 등 감염성 질환은 아
닌 것으로 추정할 수 있었다.

　질병관리본부가 환자들의 병력을 조사한 결과 이들이 모두 겨울철
에 가습기와 가습기 살균제를 사용한 사실이 확인됐다. 2006년의 영
유아들이나 2011년의 임산부 모두 주로 실내에서 지내고 질환이 늦겨
울부터 봄에 집중된다는 점에 착안해 질병관리본부가 '환자-대조군 역
학조사'를 시행했다. 2011년 8월 31일 가습기 살균제가 폐 손상의 위험
요인인 것으로 중간 발표하였다. 동년 11월 11일 보건복지부가 이를 뒷
받침하기 위해 쥐를 이용한 1차 동물실험 결과를 발표하면서 원인 미
상 폐 손상 환자와 부합하는 섬유화 소견이 확인된 6종의 가습기 살균
제에 대해 수거 명령을 내렸다. 수거 대상 가습기 살균제는 〈표 1-1〉
의 P그룹에 속하는 6개 제품이었다. 이 제품에 사용된 물질들은 독성
이 낮아 물티슈나 부직포 등에도 사용되었지만, 가습기 살균제처럼 흡
입하였을 때 어떤 위험이 있는지 기업들이 검증하지 않은 것으로 확인
됐다. C그룹의 살균제를 흡입한 쥐는 흡입하지 않은 대조군처럼 이상
증세가 없어 수거 대상에서 제외되었고, 질병관리본부는 제외된 살균

---

9)　　능동감시(active surveillance): 부작용이나 잘못된 치료를 방지하기 위해 검사 결과 상태가 나빠지지
　　　않는 한 치료 없이 환자 상태를 관찰하는 방법(네이버 건강백과 인용)

제도 사용중단을 권고하였다.

발표 과정에서 정부 관계자는 피해자들의 보상 요구에 배상 문제는 피해자와 제조사 사이의 개별 소송에 의해 해결되어야 한다는 태도를 보여 피해자들의 반발을 샀다. 언론은 정화조 청소용으로나 쓰이는 물질을 가습기 살균제로 용도를 바꾸어 사용하면 인체에 미치는 영향을 검증하는 시스템이 있어야 함에도 국가도 기업도 눈을 감았다고 비판하였다.[3]

2012년에 일부 피해자가 업체와 국가를 상대로 손해배상 소송을 제기하고 옥시 등 17개 기업 대표자를 과실치사 혐의로 고발했는데, 2013년 검찰은 질병관리본부의 역학조사 결과가 나올 때까지 시한부로 기소를 중지했고, 2015년 국가를 상대로 한 손해배상 소송은 피해자들이 패소하였다. 피해자의 고발 후 무려 4년이 지난 2016년 1월에서야 검찰이 전담팀을 꾸려 수사에 착수해 관련자들을 기소하였다. 2017년 1월 1심, 2017년 10월 2심을 거쳐 2018년 1월 25일 상고심에서 신모 전 옥시 대표는 징역 6년, 존 리 전 대표는 무죄가 확정되었다.[4] 많은 사망자가 발생한 참사의 관련 기업주가 무죄 처분을 받은 것이다.

2011년 8월 질병관리본부의 역학조사 결과 발표 후 옥시가 이에 대응할 목적으로 서울대 산학협력단과 '가습기 살균제의 안전성 평가' 연구 계약을 맺었다. 그런데 이 연구의 책임자였던 조모 교수가 옥시가 서울대에 지급한 용역비 2억 5,000만 원과 별도로 1,200만 원을 자문료 명목으로 받아 챙기고 옥시에 불리한 데이터를 조작하거나 빠뜨린 보고서를 써준 혐의로 구속됐다. 2016년 9월 1심에서 징역 2년의 실형

아픔을 딛고 안전 사회로

이 선고되었지만, 2017년 4월 항소심에서 핵심 공소 사실인 '수뢰 후 부정처사·증거 위조 혐의'에서 모두 무죄 판결을 받고, 서울대 산학협력단 연구비 유용 혐의만을 적용하여 징역 1년에 집행유예 2년으로 형량이 낮아졌다. 대법원은 2021년 4월 29일 "검사가 제출한 증거만으로는 자문료가 연구와 관련된 직무 행위 대가로서의 성질을 가진다고 인정하기에 부족하다"라며 무죄를 선고하였다. 판결 결과에 대해 참여연대는 사법부의 책무를 내던진 무책임한 판결이라고 비판하였다.[5]

한편, 피해자들은 C그룹의 제품을 만든 회사도 2016년 고발했는데 사용된 살균 성분의 인체 유해성이 확인되지 않았다는 이유로 기소 중지됐다. 그런데 2018년 11월, 환경부에서 검찰에 C그룹의 살균 물질의 유해성을 입증하는 연구 자료를 제출했다. 이에 가습기넷[10]이 1994년 최초로 개발된 살균세의 원료 물질을 개발한 SK케미칼과 1997년 '가습기메이트'를 출시해 2011년까지 판매해온 애경산업을 검찰에 고발했고, 2019년 초 C그룹 제품 회사에 대한 수사를 재개하였다. 2021년 1월 12일 서울중앙지법은 업무상 과실치사 혐의로 기소된 홍모 전 SK케미칼 대표와 안모 애경산업 대표 등 13명에 대해 무죄를 선고하였다. 쥐를 이용한 여러 차례의 동물실험 결과, 후두 등 상부 호흡기 부위에 일부 염증이 발견되기도 했지만, 폐 섬유화 등 질환이나 천식을 유발하는 사실이 입증되지 않았다는 것이다. 환경부 보고서도 전문가

---

10) 가습기 살균제참사 '전국네트워크', 2016년 6월 20일 출범, '제2의 옥시 참사' 방지를 위해 ▲옥시의 완전 퇴출 ▲가해 기업과 정부의 책임자 처벌 ▲옥시 재발 방지법 제정 (책임자 처벌, 피해구제, 징벌적손해배상제·집단소송법·중대재해기업처벌법·화학물질관련법 등 관련 예방법제의 제·개정)을 관철을 내세움

들의 의견서에 불과하여 합리적인 의심의 여지 없이 인과관계가 입증될 것을 요구하는 형사재판에서 이를 인정할 수는 없다고 하였다.[6] 1심 판결 직후 환경보건·환경법·의학 등 6개 학회는 과학적 사고방식 및 연구방법론에 대한 재판부의 이해가 부족하고 인과관계에 대한 법리를 오해한 판결이라고 비판하였다.[7]

'사회적참사 특별조사위원회'의 2022년 4월 29일 기준 집계에 따르면, 환경부에 피해 신고한 사람이 7,712명이고 사망자가 1,773명이고 제품 사용자는 350~400만 명, 건강 피해자는 49~56만 명에 이른다. 대한민국 수립 이후, 전 세계적으로 유행하고 있는 COVID-19 팬데믹을 제외하고는 대한민국에서 가장 사상자가 많이 발생한 대참사일 뿐 아니라, 대한민국에서 일어난 세계 최초이자 최악의 살생물제(殺生物劑, bioc-ide) 참사이기도 하다. 사람에게 피해를 주는 세균이나 해충을 죽이거나 무력화시켜 건강을 지키려고 사용한 제품 때문에 오히려 사람이 죽거나 치명적으로 건강을 해치게 된 안타까운 사고가 발생했고, 그 정확한 원인과 피해구제는 여전히 진행 중이다.

〈표 1-2〉 가습기 살균제 피해 규모(2022. 4. 29. 기준)

피해 사망자	피해 신고자	제품 사용자	건강 피해자
1,773명	7,712명	350~400만 명	49~56만 명

아픔을 딛고 안전 사회로

2016년 국회 국정조사를 거쳐 2017년 2월 8일 살균제 피해자와 유족을 돕기 위한 '살균제 피해구제를 위한 특별법'을 제정했고,[8] 2017년 대통령이 피해자와 만나 공식적으로 사과하고 정부도 지원할 것임을 밝혔다. 동년 11월에는 '사회적 참사의 진상규명 및 안전 사회 건설 등을 위한 특별법(이하 사회적참사진상규명법이라고 한다)'을 제정하고 2018년 12월 '사회적참사 특별조사위원회'가 출범하여 세월호 참사와 함께 그 진상조사를 진행하고 있다.

부실과 무능 속에 가라앉은 아이들의 꿈

2014년 4월 16일 발생한 세월호 참사는 여전히 대한민국이 안전불감증에 빠져 있다는 것을 보여주는 단적인 사례로, 수학여행을 가던 단원고 학생과 교사 250여 명을 포함하여 모두 304명의 희생자를 낸 최악의 해난사고 중의 하나다. 특히 이 사고는 사고 발생 초기부터 배가 완전히 가라앉을 때까지 모든 과정이 언론을 통해 국민에게 그대로 노출되었다. 무기력한 정부의 대응을 지켜보았던 국민의 가슴에 엄청난 상처와 공분을 불러와 대통령의 7시간 동안의 석연찮은 행보와 함께 탄핵 여론 형성의 시발점이 되기도 하는 등 정부도 엄청난 후폭풍에 시달렸다. 이후 우리 사회에 미친 영향은 일일이 열거할 수 없을 정도다.

승객들을 대피시키지 않고 선실에 가만히 있으라고 버려둔 채 선장이 팬티만 입고 도망친 일과 함께 청해진해운의 무리한 선박 증축과 과적, 부실한 선박 관리 등이 밝혀져 이들은 2015년 11월 대법원에서 무기징역[11] 등의 형벌을 받았다.[9] 수사 과정에서 전 세모그룹 회장(청해진해운 회장) 유병언이 청해진해운 경영에 관여한 정황과 무리한 증축을 지시한 것으로 파악하여 구속영장 발부와 함께 현상금까지 걸고 공개 수배까지 했다. 그러나 2014년 7월 22일 길거리에서 시신으로 발견되어 사건이 '공소권 없음'으로 종결되었다.[10]

정부가 2015년 9월 유병언의 장남인 유대균 씨를 상대로 세월호 참사에 소요된 1,878억 1,300여만 원을 부담하라며 소송을 제기했다. 2019년 2월 대법원에서 최종적으로 "유 씨가 세월호를 운영한 청해진해운의 경영에 관여하며 세월호의 수리, 증축, 운항 등과 관련해 업무 집행을 지시하거나 가담하였다고 볼 증거가 부족하다"라며 세월호 배상 책임이 없다고 판결하였다. 이로써 약 4,000억~6,000억에 달하는 세월호 참사에 따른 보상비와 구조·인양에 든 비용은 사실상 구상할 수 없게 되었다. 2015년 11월 청해진해운은 해양에 기름을 유출하여 해양환경관리법을 위반한 죄로 고작 1,000만 원의 벌금형만 받았다.

이례적으로 법인 대표이사와 선장이 실형을 받기는 했지만, 법인은 솜방망이 처벌에 그친 이 판결이 이후 세월호 3주기를 앞둔 2017년 4월 14일 고 노회찬 정의당 의원이 '재해에 대한 기업 및 정부 책임자 처벌

---

11)　　[대법원 2015. 11. 12., 선고, 2015도6809, 전원합의체 판결] 청해진해운 대표이사 김한식(징역 7년), 선장 이준석(무기징역), 일등항해사 강원식(징역 12년) 등

　　　　　　　　　　　아픔을 딛고 안전 사회로

에 관한 특별법안(이하 노회찬 법안이라고 한다)'을 제출하게 된 배경이 되었다.[11]

고(故) 노회찬 의원, 중대재해 기업과
정부 관계자 처벌법안 발의

　가습기 살균제 참사와 세월호 참사 등 기업의 잘못 때문에 다수의 인명이 억울하게 목숨을 잃는 재난·사고와 산재가 발생하면서 기업 활동으로 인한 각종 재해를 제어해야 한다는 목소리가 커졌다. 대형 사고가 근로자 개인보다는 기업의 허술한 위험관리시스템이나 잘못된 안전관리 문화에 기인하는 바가 크다. 그런데 실질적으로 기업의 주요 의사를 결정하는 경영책임자는 처벌하기 어렵고 일선 근로자나 중간 관리자만 형사 처벌하거나 낮은 벌금형 등 솜방망이 처벌에 그치기 때문에 대형 사고가 반복된다는 인식이 높아졌다. 세월호 선사(船社)인 청해진해운이 불과 벌금 1,000만 원을 선고받고 해양수산부 공무원들이 정직·감봉에 그친 것과 2017년 1월에 1심, 10월에 항소심 과정에서 가습기 살균제 존 리 전 옥시 대표가 무죄를 받은 것 등이 이 법의 제안 배경이 되었다.

　노회찬 법안은 특별법으로 사업주와 경영책임자 및 기업 자체를 형사 처벌함으로써 시민의 안전권을 확보하고 중대재해를 방지하겠다는 뜻을 제안 이유로 분명히 하였다. 기업이 불특정 다수의 시민이 이용하는 시설에 대한 안전·보건 의무를 위반하거나, 위험한 원료 및 제조물을 취급하면서 의무 위반으로 인명사고가 발생하는 경우 등을 그 예로 들었다. 또한 원청이 하청 근로자의 안전과 보건을 책임지도록 함으로써 '위험의 외주화'를 막기 위한 조항도 삽입하였다.

노회찬 법안은 민주노총과 22개 단체로 구성된 '중대재해 기업처벌법 제정연대' 등 노동계의 지지를 받으며 발의됐지만, 2017년 9월 19일 국회 법제사법위원회에 상정된 후, 기업에 부담을 준다는 이유로 제대로 논의되지 못하고 방치되고 있다가 2020년 5월 29일 20대 국회 임기 만료로 자동 폐기되었다.

아픔을 딛고 안전 사회로

2.
일터에서 목숨을 잃는 젊은이들

네 시간마다 한 명이 일터에서 목숨 잃어

2022년 3월에 고용노동부가 발표한 2021년 12월 말 기준 우리나라 산업재해 현황을 살펴보면 사망자 수는 2,080명으로, 이는 4시간 13분마다 한 명꼴로 죽는다는 것이다. 이 중에 사고로 목숨을 잃은 사람은 828명이고, 질병으로 사망한 사람이 1,252명이다.

인터넷을 검색하면 최근까지도 이런 산재 사망률이 경제협력개발기구(OECD) 국가 중 우리나라가 21년째 연속 1위를 차지하고 있다는 보도가 많다. 한편 이런 통계는 국제노동기구(ILO)의 '10만인 치명률'[12] 기준과 다른 노동부의 사망만인율[13]을 기준으로 잘못 적용한 오류로 지적받기도 한다.[12] 그러나 설령 10만인 치명률을 기준으로 적용하여도 OECD 국가 중 상위권을 차지하고 있는 것은 틀림없는 것 같다.

2021년 통계를 보면, 매일 2~3명이 사고로 일터에서 목숨을 잃고 있

---

12)   10만인 치명률(fatal occupational injuries per 100,000 workers): 업무로 인한 사고가 원인이 되어 사고 발생 1년 이내에 사망한 경우로, 업무로 인한 질병 사망자 수 미포함

13)   근로자 10,000명당 발생하는 사망자의 비율, 질병 사망자 수 포함

다. 결코 적은 숫자가 아니다. 필자는 강의 등 여러 가지 목적으로 출근하면 그 전날 발생한 국내외 재난·사고를 검색해서 살펴본다. 각종 재난·사고와 산재가 하루도 그치는 날이 없다. 우리 이웃이 갑작스레 목숨을 잃어 가정이 무너지고 남은 가족들은 평생을 고통 속에서 살아가고 있다.

이 중에서 중대재해처벌법의 제정에 영향을 미친 몇몇 산업재해 사고를 살펴본다.

구의역 스크린도어 사고

2016년 5월 28일 오후 5시 57분, 서울 지하철 2호선 구의역 승강장에서 스크린도어를 수리하던 근로자가 사망하는 사고가 또 일어났다. 비슷한 사고가 2012년 5월과 2013년 1월에 성수역에서 일어났고, 불과 사고 9개월 전인 2015년 8월에 강남역에서도 발생했는데, 똑같은 사고가 또 일어난 것이다.

용역업체 은성PSD[14] 직원이었던 김 군이 고장 신고가 접수된 스크린도어를 고치려 도어를 열고 들어간 지 불과 2분 만에 스크린도어와 열차 사이에 끼어 숨졌다. 은성PSD는 당시 서울 지하철 1~4호선을 운

---

14)   PSD(Platform Screen Doors)는 스크린도어의 영문 약자

영하던 서울메트로[15]의 협력업체로 지하철역의 스크린도어 유지보수를 담당하고 있었다. 김 군은 고등학교 3학년이던 2015년 10월에 취직해서 사망 시에는 취업한 지 불과 반년 남짓 지났을 뿐이었다.

사고 당시 김 군을 포함해 모두 6명의 근로자가 49개 역의 스크린도어 장애를 처리하고 있었다. 2명은 사무실에서 대기하고 나머지 4명이 지령에 따라 장애가 발생한 지하철역으로 출동하는 방식이었다. 주로 이용객이 많은 시간에 장애가 발생하는 경우가 많아서 인력이 부족할 때가 많았는데, 사고가 발생했을 때도 그랬다. 2013년 1월, 성수역 사고 발생 후 서울메트로는 선로 쪽을 점검할 때는 2인 1조로 작업해야 한다는 안전 수칙을 정했지만, 혼자 점검하다가 변을 당하였다.

김 군이 끔찍하게 숨진 직후 서울메트로의 대응은 유족의 분노에 이어 시민들의 공분을 초래했고, 분노는 빠르게 확산하였다. 사고 식후 서울메트로 관계자들은 "작업 전에 전산운영실 등에 통보하고 2인 1조로 작업을 해야 하는 수칙을 김 군이 어겼다"라고 사고의 책임을 김 군에게 떠넘겼다. 김 군 어머니가 현장에서 "20년을 키운 어미가 아들을 알아볼 수가 없어요. 아무리 들여다봐도 그 처참한 모습이 저희 아이가 아니에요"라며 눈물지었다. "병원에서 돌려받은 아들의 가방 안에 사발면과 숟가락이 있었는데, 밥도 굶어가면서 지시를 따라 일했는데, 지시를 잘 따른 사람에게 남은 건 개죽음뿐이고 그것도 모자라서 산산조각이 나서 죽은 아이에게 죄를 뒤집어씌운다"라며 오열했다.

---

15)   2017년 5월, 서울 지하철 5~8호선 운영을 담당하던 서울도시철도공사와 함께 '서울교통공사'로 통폐합됨

마침 사고 다음 날이 김 군 생일이었는데 김 군 어머니의 아픔은 시민 추모 분위기로 빠르게 확산하였다. 사고가 난 구의역 9-4 승강장에는 많은 추모글과 헌화가 이어졌고, 열심히 일했을 뿐인 19살 청년이 왜 죽어야 하는지를 묻는 시민들이 침묵시위를 하기도 하였다.

서울메트로가 은성PSD를 자회사로 만들면서 김 군과 같은 비정규직을 고용 승계하지 않고 대신 서울메트로 퇴직자로 채우려 해서 김 군이 사고 전에 본사 앞에서 1인 시위를 하기도 했다.[13] 이와 관련된 보도가 나오면서 메트로 비정규직 문제와 퇴직자 특혜 문제가 불거졌다.

구의역 사고 발생 열흘째 되는 날, 박원순 당시 서울시장이 직접 숨진 김 군과 유족, 시민에게 사과하였다. 재발 방지 대책도 발표했는데 외주 용역을 원칙적으로 금지하고 자회사 또는 직영으로 전환할 계획이라고 밝혔다. 메트로 퇴직자 특혜 등 '메피아' 관행을 척결하겠다고 밝혔다.[14]

이 사고는 우리 사회에 '위험의 외주화'를 다시 한번 부각하는 역할을 했고, 2017년 노회찬 법안에 영향을 주기도 하였다.

아픔을 딛고 안전 사회로

태안화력발전소 사고

2018년 12월 10일 밤, 한국서부발전[16] 사업장인 태안화력발전소에서 석탄운송설비 운전을 위탁받은 한국발전기술[17] 소속 계약직 직원인 24세 김용균 씨가 태안발전소의 석탄 이송용 컨베이어 벨트에 끼어 사망하였다. 컨베이어 벨트에서 이상 소음이 발생하자 머리와 몸을 기계 안쪽으로 넣어 점검하다가 빠르게 회전하는 롤러와 벨트에 머리가 걸려들어가고 말았다. 사고 발생 후 네 시간이 넘은 11일 새벽 3시 20분경 이미 목이 잘린 시신이 발견되었다. 시신 발견 후에도 네 시간 넘게 방치하였다.

사고가 알려진 것은 사고 당일 서울 중구 프레스센터 19층에서 열린 기자회견을 통해서였다. '1100만 비정규직 공동투쟁'은 약 한 달간 문재인 대통령과의 대화를 요구하며 비정규직 문제 해결을 촉구하는 활동을 해왔는데, 이날 기자회견을 통해 김 씨의 참혹한 죽음과 방치 소식을 전하였다. 이들은 사고의 근본적인 원인이 '위험의 외주화', '죽음의 외주화'라고 주장하였다.

컨베이어 벨트에는 비상시 작동을 멈출 수 있도록 '비상 풀코드 스위치(pull cord switch)'라는 장치가 있다. 두 사람이 2인 1조로 근무하였

---

16)   2001년 4월 2일 한국전력공사의 물적분할에 의해 설립된 산업통상자원부 산하 시장형 공기업으로, 국내전력설비의 10.47%를 담당하고 있으며, 태안발전본부, 평택발전본부, 서인천발전본부, 군산발전본부 등 4개의 사업소를 갖고 있음

17)   발전설비 운영 및 정비사업을 하는 민간기업, 2011년 한국남동발전이 100% 출자한 자회사로 설립, 2014년 한국남동발전이 지분을 태광실업에 넘기면서 민영화, 2020년 4분기 기준 직원수 718명, 매출액 약 752억 원

다면 사고 발생 시 바로 이 장치를 작동시켜 김 씨가 목숨을 구할 수 있었다는 것을 뜻한다. 그런데 그동안 노조에서 여러 차례 2인 1조로 작업을 요구했지만 무시되었다는 주장도 제기되었다. 민주노총 등 20여 개 시민사회단체로 구성된 '고(故) 김용균 태안화력발전 비정규직 근로자 사망사고 진상규명 및 책임자 처벌 시민대책위원회'가 구성되었다. 이들은 이튿날 기자회견을 열어 "하청업체로 떠넘긴 위험의 외주화가 김 씨를 죽였다"라고 외쳤다.

경찰 조사 과정에서 한국서부발전 관계자는 근무 매뉴얼에 2인 1조 작업 규정이 없고, 한국발전기술에서 자체적으로 발전소 가동을 중단하고 계획적으로 정비할 때는 반드시 2인 1조를 구성하지만, 정상 운영 중 순찰은 혼자 하는 것으로 운영하고 있어 그날도 관례대로 근무한 것으로 보인다고 수탁사인 한국발전기술로 책임을 떠넘겼다.

숨진 김 씨는 사고 약 넉 달 전에 1년 근무 시 정규직 전환을 조건으로 비정규직으로 입사하였다. 불과 입사 넉 달 만에 목숨을 잃은 김 씨의 유품이 사고 나흘 뒤 공개되었는데 이번에도 구의역 김 군처럼 가방에서 컵라면 세 개와 과자 한 봉지가 검은 탄가루에 얼룩덜룩해진 수첩과 함께 발견되었다. 끼니도 제대로 못 챙기고 컵라면으로 때우면서 어렵고 위험한 일을 홀로 하다 숨진 김용균 씨의 사고는 불과 2년 6개월 전 구의역에서 숨진 김 군의 참변과 오버랩되었다. 그 파장으로 '위험의 외주화'라는 이슈가 급격히 확산하였다. 고인을 애도하는 분위기 확산과 함께 이윤 극대화를 위해 안전 규칙을 무시하거나 위반하는 것을 낭만시하는 기업 문화와 그런 기업 문화를 조장하거나 방임하는

아픔을 딛고 안전 사회로

사회에 대한 비판도 거세졌다.

시신 발견 열흘 전인 12월 1일, 김용균 씨가 '문재인 대통령 비정규직 노동자와 만납시다'라는 캠페인에 동참하기 위해서 손팻말을 들고 찍은 사진이 보도되면서 비정규직의 안전 문제가 다시 수면 위로 떠올랐다.[15]

정부는 국무총리 훈령으로 '고 김용균 사망사고 진상규명과 재발 방지를 위한 석탄화력발전소 특별노동안전조사위원회(이하 김용균 특조위라고 한다)'를 국무총리 소속으로 구성했다. 김용균 특조위는 2019년 4월 10일 총 16명의 위원으로 출범하여 약 5개월간 활동한 뒤 사고원인과 개선방안을 담은 '고 김용균 사망사고 진상조사 결과 종합보고서(이하 김용균 사고 종합보고서라고 한다)'를 발표하고, 정부에 비정규직의 정규직화 등 22개의 개선 권고안을 세시했다. 정부는 이 권고안을 바탕으로 '석탄화력발전소 특별노동안전조사위원회 권고 이행을 위한 발전산업 안전강화 방안'을 만들어 56개의 이행과제를 정리하였다.

이후 국무조정실에 정부 부처와 민간 위원이 참여하는 TF를 만들어 분기별로 과제 이행 점검을 하였다. 2021년 11월 11일 회의를 끝으로 2년여에 걸친 이행 점검을 마치고 결과보고서를 발간하였다. 발전 비정규직 근로자의 정규직화 방법론과 이행 시기 등 6개 항목[18]에 대해서는 정부와 민간 위원 간의 이견을 좁히지 못하고 마무리하였다.[16]

---

18)　운전분야 비정규직의 정규직화, 지진인금제 폐토회, 발전사 평가지표에서 신재 만민지표 세세, 원하성 공동 산업보건위원회 제도화, 기존 보건관리자(간호사) 처우 개선, 안전보건 관계 법제도 개선 등 6개 과제

TF가 활동 중이던 2020년 9월 10일, 태안화력 하청업체 이모 씨가 스크류에 갈려 병원 이송 중 과다 출혈로 사망하는 사고가 발생했다. 상주 노동자가 1,000명 이상인 발전소에는 부속 의원을 설치하고 작업 환경 의학 전문의를 배치하도록 권고한 김용균 특조위의 개선안조차 이행되지 않아 사망사고가 발생한 것이라는 노동계의 비판이 이어지기도 했다.[17]

고 김용균 씨의 어머니 김미숙 씨는 사고 이후 노동운동가로 변신하여 '김용균 재단'을 만들고, '위험의 외주화'를 방지하고 안전을 소홀히 한 기업의 처벌을 강화한 속칭 '김용균법'[19]을 만드는 데 많은 역할을 하였다. 김미숙 씨는 2020년 12월, 27일간의 단식투쟁을 통해 국회가 '중대재해처벌법'을 조속히 제정할 것을 촉구하기도 했다.

2019년 1월 8일 '고 김용균 시민대책위원회'가 한국서부발전 회사와 대표 등 관계자 12명과 한국발전기술 회사와 대표 등 관계자 6명을 검찰에 고소·고발하였다. 충남 태안경찰서는 약 1년 가까이 지난 2019년 11월 26일, 업무상과실치사 혐의로 일부 관계자를 검찰에 송치하면서, 원·하청 회사 대표들은 '혐의없음'으로 제외하였다.

2020년 8월 3일, 대전지검 서산지청은 원·하청 대표를 포함 14명을 업무상과실치사와 산안법 위반 등 혐의로 불구속기소를 하였다. 검찰은 2021년 12월 21일, 대전지법 서산지원의 1심 결심공판에서 전 한국서부발전 대표에게 징역 2년, 전 한국발전기술 대표에게 징역 1년 6월을 각각 구형했는데, 하청업체인 전 한국발전기술 대표는 징역 1년 6월

---

19)   2018년 12월 27일 개정된 '산안법 전부개정안'을 일컬음

아픔을 딛고 안전 사회로

에 2년간의 집행유예와 160시간의 사회봉사가 선고되었다. 하지만 전한국발전기술 대표는 대표이사로서 업무상 주의의무를 위반하였다고 보기 어렵다며 무죄를 선고하였다.

새 정부가 출범하던 2022년 5월 10일, 김미숙 씨 등이 "1심 재판부가 기업의 책임을 제대로 묻지 못했다"라며 그동안 기업 살인을 용인한 법원도 공범이라고 주장했다.[18]

'위험의 외주화'와 산안법 완전 개정

전술한 두 개의 사건을 통해 '위험의 외주화'로 인한 하청업체 비성규직 젊은 청년들의 죽음이 사회문제로 떠올랐다. '위험의 외주화'는 한마디로 유해하고 위험한 업무를 아웃소싱을 통해 하청으로 넘김으로써 위험을 회피하는 것을 지칭한다. 외주하는 측에서는 부수적으로 노동조합이 비대해지는 것도 막고, 산재보험료도 감면받을 수 있다는 장점이 있다.

이와 관련 매체마다 도급(都給)[20] 관련 용어를 달리 써서 다소 혼란스럽기도 한데 〈표 1-3〉을 보면 '하도급거래 공정화에 관한 법률(하도급법)' 제2조(정의)에서는 발주자, 원사업자, 수급사업자 등으로 표현하

---

20)   당사자 일방이 어느 일을 완성할 것을 약정하고 상대방이 그 일의 결과에 대하여 보수를 지급할 것을 약정함으로써 그 효력이 생기는 계약(민법 제664조)

고 있는데, "하도급거래란 원사업자가 수급사업자에게 제조위탁·수리위탁·건설위탁 또는 용역위탁하거나…"로 규정하고, 제조·수리·건설·용역 수행을 원사업자에게 도급하는 자를 '발주자'로 규정하고 있다. 다만, '재하도급'의 경우에는 '원사업자'가 발주자가 된다고 한다. 이때는 〈표 1-3〉에서 괄호 속의 형태가 된다.

〈표 1-3〉 하도급 관련 용어 정리, ( )는 재하도급의 경우

행위구분	하도급법	행위구분	산안법	행위구분	용어사전
도급	발주자		발주자 도급인		원청업체
	원사업자 (발주자)	도급		하청	
하도급	수급사업자 (원사업자)		수급인		하청업체
재하도급	(수급사업자)	하도급	하수급인	재하청	재하청업체

 '산업안전보건법(이하 산안법이라고 한다)'은 도급인, 수급인으로 나누고 건설공사 발주자는 도급인에서 제외한다고 규정하고 있어, 건설공사를 제외하고는 발주자와 도급인을 하나로 본다. '건설산업기본법(이하 건산법이라고 한다)'은 산안법과 달리 도급인이라는 말을 쓰지 않고 발주자와 수급인, 하수급인으로 표현한다. 결국 건산법의 건설공사 발주자는 산안법의 도급인과 같은 표현이라고 볼 수 있다. 일상적으로 수급인이나 하청업체를 '협력업체'로 부르기도 한다.

아픔을 딛고 안전 사회로

'원청'과 '하청'이란 표현도 많이 쓰인다. 하청(下請)이라는 말은 일본말 시타우케(下請け, したうけ)에서 비롯된 것으로, 하도급과 같은 의미다. '원청(元請)'은 도급인을 말하며, 공공기관 발주자를 포함하여 제조·수리·건설·용역을 도급하는 자를 통칭한다. 이 책에서는 편의를 위해 '위험(죽음)의 외주화'라는 이슈와 관련한 부분에서는 대부분의 매체에서 많이 사용하고 있는 '원청·하청'이란 용어를 그대로 쓰기로 한다.

앞에서 살펴본 구의역 김 군 사고나 태안화력발전소 김용균 씨 사망사고의 원인이 된 순찰, 점검, 정비·보수 업무는 원청인 공공기관에서 일 년 내내 늘 일상적으로 해야 하는 업무다. 그런데도 직접 조직을 두고 인력을 고용해서 이를 수행하지 않고 하청업체에 넘겼다. 이 점에서 위험한 업무를 외주화한 것으로 비난받았다. 이와 같은 비난은 단가 후려치기, 안전관리 비용 미지급 또는 유용, 클레임 제기 시 서래 중단, 하청업체의 기술 빼가기 등 다양한 원청의 '갑질'을 겪으면서도 말 못하고 가슴앓이만 하던 하청 근로자들의 공감대를 얻으며 확산하였다.

산업재해 사망자 중 하청 근로자의 비중이 2016년 기준 42.5%에 달해 '위험의 외주화'가 심각하다는 지적이 나오면서, 구의역 스크린도어 사고가 발생한 2016년 이후 산안법 개정 법안이 정부안을 포함해서 다수 국회에 제출되었다. 그런데 기업에 부담을 준다는 이유로 계류되어 있다가 김용균 씨 사망사고가 기폭제가 되어 2018년 12월 27일 정부에서 대안으로 제시한 '산안법 전부개정안'이 국회를 통과하였고, 이 개정 법안은 '김용균법'으로 불렸다.

김용균법은 '위험의 외주화' 방지를 위한 하청을 제한하여 도금작업 등 유해·위험작업의 하청을 금지하였다. 원청이 하청 근로자의 안전과 보건을 책임지는 장소를 원청 사업장뿐만이 아니라 원청이 지배·관리하는 장소까지로 확대하였다. 산안법을 위반해 산업재해로 근로자가 사망할 때는 기존 형벌의 1/2까지 가중 처벌토록 하였다. 재해가 발생할 정도로 급박한 위험이 있는 때는 근로자가 작업을 중지할 수 있는 권한도 명확히 하였다. 물질안전보건자료(MSDS)[21]를 고용노동부 장관에게도 제출토록 하는 외에 고용노동부 장관의 사전승인을 받지 않은 것은 모두 공개하도록 했고, 법의 보호 대상을 근로기준법상 근로자에서 '노무를 제공하는 자'로 확대해서 특수고용직이나 배달근로자들까지 포함했다.

산안법이 전부개정된 것은 원진레이온 사태[22]를 계기로 전면 개정된 이후 28년 만의 일이었다. 2018년 11월 1일 제출된 정부안이 김용균 씨 사고 직후인 12월 19일에서야 국회 환경노동위원회 고용노동소위원회에 상정되었다. 26일까지 세 차례에 걸친 축조심사를 거친 후 27일 정부에서 대안 법률을 다시 제출받아 환경노동위원회 전체 회의, 법사위 자구 심사를 거쳐 당일 본회의를 통과하는 등 초고속으로 통과되었다.

법 통과 후 고 김용균 씨 어머니 김미숙 씨는 아들에게 면목이 생긴

---

21)   물질안전보건자료(Material Safety Data Sheet): 화학물질에 대하여 유해 위험성, 응급조치 요령, 취급 방법 등 16가지 항목에 대해 상세하게 설명해주는 자료(실무노동용어사전 인용)

22)   1988년 이황화탄소 중독 등으로 인한 직업병 환자를 강제 퇴사시키면서 드러난 합성섬유 제조업체 원진레이온 소속 근로자의 가스 중독 사태로 사망자 8명에 637명이 언어장애, 반신·전신마비, 정신이상 등의 장애 판정을 받음

아픔을 딛고 안전 사회로

다고 말하기도 하였다. 노동계는 사용자 처벌조항에 징역 하한선이 도입되지 않아 산업재해가 발생해도 솜방망이 처벌이 우려된다고 아쉬움을 표명했다. 고 김용균 씨가 일하던 '발전소 연료 환경 운전업무'가 포함되지 않은 것을 지적하기도 하였다. 또한 산안법 개정에 끝까지 반대한 경총, 건설협회 등 경제단체를 생명보다 금전 가치를 우선하는 적폐 세력으로 비판하였다.

2019년 4월 22일 시행령과 시행규칙 등 하위법령 개정안이 입법 예고되면서 노동계는 하위법령이 후퇴하였다고 거세게 비판하였다. 개정 산안법은 위험한 작업의 하청을 원칙적으로 금지하고, 부득이 하청할 때는 고용노동부 장관에게 승인받도록 규정하였다. 그리고 그 대상이 되는 '위험한 작업'을 시행령에서 규정하도록 위임했다. 그런데 고 김용균 씨의 업무를 포함해 근로사들의 업무 중 대부분이 하청 금지 대상이나 장관 승인 대상에 포함되지 않았다. 이를 두고 노동계는 '김용균 없는 김용균법'이라며 거세게 비판하였다. 김미숙 씨도 더 이상 '김용균법'이라고 불리는 것을 반대하였다. 노동계[23]는 사내 하청은 물론 사외 하청과 납품업체 근로자의 안전을 최종 수혜자인 원청이 책임져야 한다고 주장하였다. 노동계의 비판 속에 2019년 12월 17일 전부개정 산안법 시행령이 국무회의에서 의결되었다.

2020년 2월 25일 정의당은 4·15 총선을 앞두고 속칭 '전태일 3법' 공약을 내놨다. 그 내용은 5인 미만 사업장에 근로기준법 적용, 특수고

---

23)   '고 김용균 사망사고 진상규명과 재발 방지를 위한 석탄화력발전소 특별노동안전조사위원회' 등

용근로자의 노동삼권을 보장하기 위해 노동법 개정, 안전 의무를 위반해 중대재해를 일으킨 기업에 형사상 책임을 부과하고 감독 의무에 소홀한 공무원도 형사 처벌할 수 있도록 고 노회찬 의원이 추진하다 폐기된 '중대재해기업처벌법'을 다시 제정 추진하겠다는 것이었다.

산안법 전부개정으로 비록 사용자에 대한 처벌의 상한선을 높였음에도 2020년 4월 29일 '이천 물류센터 공사장 화재', 2020년 5월 22일 '광주 재활용업체 청년 근로자 사망사고'가 잇따라 일어나면서 속칭 '기업살인법'을 제정해야 한다는 여론이 확산하였다.

이천 물류센터 공사장 화재와
광주 재활용업체 파쇄기 압착 사고

2020년 4월 29일 오후 1시 32분경 이천시의 ㈜한익스프레스 남이천 물류센터 신축공사 현장에서 강력한 폭발과 함께 검은 연기와 화염이 건물을 뒤덮었다. 준공을 약 두 달 앞두고 일어난 화재로 38명의 근로자가 목숨을 잃었고 10명의 부상자가 발생하였다. 희생자 대부분은 일용직이었다.

경찰과 소방당국은 건물 지하에서 화물 엘리베이터 설치를 위한 용접작업과 인화성이 높은 우레탄 폼 작업이 동시에 진행돼 유증기에 용접 불꽃이 튀면서 폭발이 일어나고 가연성 소재로 옮겨붙은 것으로

아픔을 딛고 안전 사회로

추정하였다. 현장에 안전관리자가 없었다는 현장 근로자의 증언이 나오고, 고용노동부 산하 한국산업안전보건공단이 시공사인 K기업이 제출한 '유해위험방지계획서'의 문제점을 지적하였으나 업체가 무시하였다는 증언이 나오는 등 현장의 안전관리가 도마에 올랐다. 더욱이 발주청인 H익스프레스와 원청 시공사가 이익을 위해 공기를 무리하게 단축하는 등 총체적으로 안전관리가 부실하였다고 경기남부경찰청장이 기자간담회에서 밝히기도 하였다.

이천 물류센터 화재사고가 일어난 지 채 한 달도 안 된 2020년 5월 22일 오전 9시 45분경 광주광역시 C기업에서 일하던 25세 김재순 씨가 파쇄기에 몸이 빨려들어가 목숨을 잃는 사고가 발생하였다. 중증 지적장애인이었던 고 김재순 씨는 폐지, 폐목재 등을 다루는 업체에서 굴착기로 파쇄작업장을 정리하고 수시 파쇄기를 가동하는 일을 해왔다. 사고 당일 오전 여느 때처럼 파쇄기를 시험 가동하고 점검하던 중 폐기물이 걸린 것을 확인하고 이를 제거하기 위해 파쇄기에 올라갔다가 미끄러지면서 기계 안으로 빨려들어가 목숨을 잃었다.

사고 직후 회사 측은 시키지도 않은 일을 하다가 사고가 났다고 책임을 고인에게 떠넘겼는데, CCTV 확인 결과 허위였다. 김재순 씨가 반복적으로 작업을 했던 걸로 밝혀졌다. 2인 1조 규정도 지켜지지 않았고, 관리감독자 역시 없었다. 사고 방지를 위한 덮개나 미끄럼방지 발판 등 보호장치나 비상 상황에서 파쇄기를 멈출 비상 정지 리모컨도 없었다. 이 사고는 고 김용균 씨 사고와 유사점이 많아 '제2의 김용균 씨 사고'로 불리기도 하였다.

노동계와 정의당의 격렬한 '기업살인법' 제정 요구

　고 김재순 씨 사망사고 직후 전국금속노조 광주전남지구, 전국민주노동조합총연맹 광주지역본부, 광주 청년유니온, 광주 청년민중당, 전국공공운수노동조합 장애인노동조합지부, 노동당 광주광역시당, 광주광역시 장애인종합복지관 등 노동계와 장애인단체를 중심으로 '중대재해기업처벌법'의 제정 요구가 확산하였다.

　이들은 고 김용균 씨 사고 이후 산안법이 전면 개정되었음에도 근로자의 생명과 안전이 보호받지 못하고 사고가 반복되는 것은 기업과 기업주에 대한 처벌이 미약하기 때문이며, 산업현장에서 죽음의 행렬을 막기 위해서는 산재 사망의 진짜 책임자를 엄벌해야 한다고 주장했다. 사업주의 과실이 아니라 사람의 안전보다 이윤을 최우선 가치로 삼는 자본의 탐욕과 이를 방조한 국가에 의한 사회적 타살로 규정짓고 근로자의 안전을 최우선시하는 시스템을 구축해야 한다고 요구하였다. 이를 위해 '중대재해기업처벌법' 제정을 통해 중대재해가 발생한 기업에 제대로 책임을 물어 더 이상은 기업이 이윤과 근로자의 안전을 저울질하지 못하도록 해야 한다고 목소리를 높였다.

　2020년 5월 27일, 민주노총 13층 대회의실에서 민주노총 김명환 위원장, 김미숙 '김용균 재단' 이사장 등 6명을 공동대표로 하는 '중대재해기업처벌법 제정 운동본부'가 발족식을 하고, 사람 목숨이 하찮게 여겨지는 세상은 바뀌어야 하며 안전 사회를 위한 첫걸음으로 '중대재해기업처벌법'을 제정해야 한다고 촉구하는 선언문을 발표하였다.[16]

월 10일 고 김재순 씨 부친 김선양 씨는 여의도 국회 정론관에서 기자회견을 하고 대통령에게 21대 국회 첫 번째 입법으로 중대재해기업처벌법 제정을 편지로 호소하였다.

김선양 씨 기자회견 직후인 6월 11일, 정의당 강은미 의원이 중대재해기업처벌법을 21대 국회 1호 법안으로 발의하였다.[20] 7월 14일 광주 광산경찰서는 C기업 대표를 업무상과실치사죄와 산안법에 대한 유죄 취지로 검찰에 송치했고, 강은미 의원이 발의한 법안이 7월 27일 국회 법사위 제1차 전원회의에 상정됐다. 7월 30일 고 김재순 씨 장례식이 노동사회장으로 치러졌다. '고 김재순 노동시민대책위원회'는 C기업 대표가 사죄를 거부·회피하고 있는 이유를 두고, 유사한 파쇄기 산재 사망 사건에 대한 사업주 처벌이 과태료 300~400만 원에 그친 솜방망이 처벌 때문이라고 비난하였다. 이들은 "안전한 일터와 안선한 사회를 위해 중대재해기업처벌법이 제정돼야 한다"라고 주장하였다.

'강은미 의원 법안'이 8월 25일 국회 법제사법위원회에서 법사위에 넘겨진 이후 진척이 되지 않았다. 11월 13일, 전태일 사망 50주기를 맞아 정의당은 국회에 상정된 기업살인법안이 거대 양당의 외면 속에 묻히고 방치되고 있다고 비난하며 '전태일 3법'을 통과시키도록 촉구하였다. 12월 7일 김미숙 대표 등 산재 피해 유족들과 사회적 참사 가족들이 국회 안에서 농성에 들어가고 비정규직 근로자들이 법 제정을 촉구하며 국회 앞에서 무기한 단식농성에 들어갔다. 12월 9일 정기국회 일정 종료로 법안 통과가 무산되자 김미숙 대표와 이용관 씨[24], 강은

---

24)   과도한 업무, 갑질, 권위적인 조직문화 등이 문제가 돼 자살한 tvN 조연출 고 이한빛 PD의 부친

미 의원 등이 단식농성에 돌입하였다. 진보당의 300명 중앙위원·당원이 12월 17일에, 1,000명의 대의원이 동조 단식에 참여하였다. 12월 24일 당시 여당의 원내대표가 단식농성 중인 김미숙 대표를 찾아서 야당이 중대재해처벌법 제정에 협조하지 않아서 문제라는 발언을 했다가 김 대표가 야당 없이도 여당이 원한 법안은 다 통과시키지 않았느냐는 반박과 함께 쓴소리를 듣기도 했다.[21] 12월 28일에는 김선양 씨 등 산재 유족 3인과 시민사회계가 국회 앞에서 추가 단식에 들어갔다. 노동계를 중심으로 곳곳에서 동조 단식이 확산하면서 정부는 '중대재해기업처벌법'의 정부안을 12월 28일 국회에 제출했고, 12월 29일부터 국회 법사위에 상정돼 논의가 시작됐다.

아픔을 딛고 안전 사회로

3.
중대재해처벌법의 제정

준비 없이 세월만 보낸 정부와 국회

필자는 이 책을 집필하면서 '중대재해처벌법'이 탄생하는 과정을 다시 살펴봤다. 관련 언론보도, 그리고 법의 제정 배경이 된 재난·사고와 산재에 대해 찾아봤고, 법안의 심의과정도 국회 속기록을 통해 봤다. 이 과정에서 재난·사고와 산재로 목숨을 잃은 피해자와 유가족들의 아픔과 절규에 가슴이 먹먹하고 목이 뻑뻑할 정도로 마음이 아프기도 했지만, 이들의 한 맺힌 목소리를 법안에 담아가는 과정을 보면서 실망이 컸다.

대규모 재난·사고와 산재가 끊임없이 반복되어 사회문제화되고 있었고, 이들의 목소리를 담아 20대 국회에서도 이미 고 노회찬 의원 등이 속칭 '기업살인법'을 제안한 바 있고, 21대 국회 들어 강은미 의원이 첫 법안으로 제안하였다. 그런데도 정부와 국회 모두 사실상 이를 방치하고 있다가 잇따른 사고로 노동계와 시민사회의 단식투쟁이 격하게 확산하면서 선제적으로 대응하지 못하고 속수무책으로 쫓기는 처지가 되었다. 불과 보름 만에 재해 예방 관련 소관 상임위원회의 심의는 거치지도 않고 법사위에서 자구 심사 정도 수준의 논의만

거쳐서 법을 허겁지겁 공포하기에 이르렀다. 사회 전체에 엄청난 영향을 미칠 법을 이렇듯 급하게 만들었다는 게 믿어지지 않는다. 고도 경제성장기를 거치면서 압축 팽창을 한 우리 사회에 여전히 '안전보다는 이윤', '원칙보다는 편법'이 잔존하고 있다. 이에 따라 안타까운 사고들이 이어지고 있어서, 경영책임자의 엄중한 처벌을 통해서라도 이 잘못된 고리를 끊어달라고 노동계와 시민사회가 끊임없이 목소리를 높이고 있었다. 그런데도 준비 없이 있다가 허둥지둥 심의에 참여한 국회의원들조차 정부 관계자들에게 '빨리빨리'를 주문하고 있는 모습이 안타까웠다. 법을 만드는 과정에서 마치 압축성장 시기에 도면도 없이 땅부터 파면서 일하던 공사 현장의 '부실'한 모습이 연상되었다.

과거의 재난·사고·산재 발생 원인과 현 실태를 조사하고 국내외 정책을 비교·분석하려는 노력은 없었다. 안전 사회 건설을 위한 비전과 정책 등 큰 그림(Big Picture)과 세부 이행계획(Details)을 준비하는 큰 틀도 논의조차 되지 않았다. 이는 안전 사회 건설을 바라는 국민과 노동계의 열망을 제대로 제도화하여 수용했다고 보기 어렵다. 재난·사고와 산재가 이어져도 시늉만 낼 뿐 실제로는 꼼짝도 하지 않는 정부와 기업에 대해 표출된 '분노'를 오로지 '경영책임자 처벌 요구'로만 단순화하여 허둥지둥 제도화했을 뿐이다. 이는 돌이켜 생각해볼 문제다. 정부와 국회가 '안전 사회 건설을 위한 기본 틀'을 짜서 국민에게 소상히 알리면서 그중 하나로 '경영책임자 처벌'의 필요성과 구체적인 내용을 제시했다면 지금처럼 혼란스럽지는 않았을 것이나.

아픔을 딛고 안전 사회로

그나마 2017년 11월에는 '사회적참사 특별조사위원회'[25])가 출범하여 가습기 살균제 사건과 4·16 세월호 참사의 진상규명과 안전 사회 건설을 위한 활동을 하고 있다. 정부는 2018년 1월 자살 예방, 교통안전, 산재 사망 감소 등 '국민생명 지키기 3대 프로젝트'를 발표하면서 3대 분야의 사망자 수를 2022년까지 반으로 줄인다는 목표를 세우고 국무조정실을 중심으로 추진해왔다. 또한 2019년 4월에는 '김용균 특조위'를 국무총리 소속으로 출범하여 사고원인과 개선방안을 담은 '김용균 사고 종합보고서'를 발표하고, 22개의 개선 권고안을 정부에 제시하였다. 정부는 이 권고안을 바탕으로 56개의 이행과제를 정리하고, 이후 국무조정실에 민·관 합동 TF를 만들어 분기별로 과제 이행 점검을 진행하고 있었다. 그런데도 이와 같은 정부의 노력이 국민과 노동계의 공감을 얻지 못한 채 국회 입법 과정에서는 전혀 논의소자 되지 않았다.

쫓기듯 허둥지둥 만든 법

'강은미 의원 법안'은 기본적으로 중대재해는 근로자 개인의 위법행위·과실보다 불안전한 작업환경, 위험관리시스템 부재, 이윤 중심의 조직문화, 미흡한 사회 인식 등이 복합적으로 작용해서 발생한다는 인식

---

25)   '사회적참사진상규명법'에 따라 설립된 독립된 위원회로 2022년 6월 10일에 활동이 종료되었음

에 바탕을 두고 있다. 중대재해는 위험의 예방·관리를 하지 않아 발생하는 '기업 범죄'로 이를 예방하기 위해서는 결국 사고처리 비용이 예방 비용을 압도하도록 만들어야 한다는 것이다.

강은미 의원 법안이 2020년 11월 24일 제383회 임시국회 법사위 '제1차 법안심사소위원회'(이하 소위원회라고 한다)에 상정되어 논의되기 시작했는데, 그 직전인 11월 12일 박주민 의원, 11월 17일 이탄희 의원이 유사 법안을 대표 발의하여 같이 심사하게 되었다.

이후 〈표 1-4〉와 같이 임이자 의원, 박범계 의원 등도 법안을 제안해서, 제2차 소위원회부터 김미숙 대표 외 10만 인이 제기한 '안전한 일터와 사회를 위한 중대재해기업처벌법 제정에 관한 청원'을 포함해서 병합 심의하였다.

〈표 1-4〉 중대재해처벌법 관련 의원발의안

제안일자	제안자	의안명
2020. 6. 11.	강은미 외 14인	중대재해에 대한 기업 및 책임자 처벌 등에 관한 법률
2020. 11. 12.	박주민 외 45인	중대재해에 대한 기업 및 정부 책임자 처벌법안
2020. 11. 17.	이탄희 외 11인	중대재해에 대한 기업 및 정부 책임자 처벌법안
2020. 12. 1.	임이자 외 10인	중대재해 예방을 위한 기업의 책임강화에 관한 법률
2020. 12. 14.	박범계 외 12인	중대재해에 대한 기업 및 정부 책임자 처벌법안
2020. 1. 8.	법사위원장	중대재해 처벌 등에 관한 법률(대안)

아픔을 딛고 안전 사회로

법안 제정(입법) 절차는 〈그림 1-1〉과 같다. 의원입법은 입법예고를 거쳐 국회의장이 소관 상임위원회에 넘겨서 법률안 내용에 대한 소위원회 심의와 법사위의 자구와 체계 심사를 거쳐 본회의에서 의결한다.

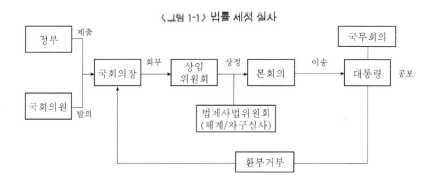

〈그림 1-1〉 법률 제정 심사

그런데 이 법안은 고용노동부가 속해 있는 국회 환경노동위원회(이하 환노위라고 한다) 등 다른 위원회의 심의를 거치지 않고, 바로 법사위 심의로 들어갔다. 이것은 2021년 1월 8일 전체 1차 법사위에서 당시 법무부 장관의 답변처럼 법안에 형벌이 부과되어 있어서 법안 자체가 법무부 소관이 되었고, 같은 이유로 소관위원회가 법사위[26]로 결정되었기 때문이다.

의원입법안은 정부에서 법안을 제출하는 경우와 달리 사전에 관계부처 협의나 규제개혁위원회의 규제심사 등을 거치지 않기 때문에 정부

---

26)   2022년 5월 현재, '중대재해처벌법'의 소관 부처는 '고용노동부', 소관위원회는 '환경노동위원회'

각 부처의 입장이나 규제의 적정성 여부를 충분히 반영하기가 쉽지 않다. 그런데도 중대재해 예방을 위한 법안이 환노위 등의 심의를 거치지 않고 바로 법사위에서 심의한 것은 이 법의 성격이 처벌을 위한 법임을 반증하는 것이기도 하다.

법사위 심의는 소위원회의 축조심의로 진행되었는데, 보름 동안 모두 7차례 열려서 주로 법안의 체계와 자구 심의에 그쳤다. 축조심의 과정에 정부 관계자는 법무부차관, 법원행정처 차장, 고용노동부차관 외에 국토교통부, 산업통상자원부, 소방청, 환경부, 교육부, 보건복지부의 담당자들도 참석했다. 재난·사고나 산재를 예방하기 위한 정부의 종합적인 비전이나 정책 등의 큰 그림이나, 실행계획 등에 대해 보고나 논의는 없었다. 하물며, 주로 산재를 대상으로 논의하면서도 정부의 '국민생명 지키기 3대 프로젝트' 중 하나인 '산재 사망자 절반으로 줄이기 정책'의 문제점이나 개선방안조차 논의되지 않았다. 일부 의원도 법안 심사 중 지적했듯이, 아주 짧은 시간에 제정법을 만들면서도 중대재해에 대한 통계적인 분석조차 없었고 사회 전체에 영향을 미치는 처벌특례법을 만드는데 재해 관련 소관 상임위원회 논의 한 차례 없었다. 결론은 이미 짜여 있는 상태에서 자구 수정에 집중했을 뿐이다. 회기 내에 처리하는 것으로 정해놓고 정부 관계자들을 몰아붙이는 모습은 안전 사회 건설을 위해 가장 먼저 퇴출해야 할 '부실'과 '날림' 그 자체였다.

논의 내용을 보면 법안의 의도가 분명하다. 그동안 사고 발생 원인이 기업주 등 경영책임자의 과실 때문이라는 직접적인 인과관계를 입증하기가 어려워 사실상 처벌이 안 되었고, 근로자가 사망해도 법인은 수

아픔을 딛고 안전 사회로

백만 원 정도의 벌금형에 그쳐왔다. 경영책임자를 처벌하기 위해 의무를 부과하고 사고 발생 시 이의 위반을 근거로 처벌하겠다는 것이다. 이런 의도로 '중대산업재해'와 '중대시민재해'에 대해 각각 중대재해처벌법 제4조와 제9조의 '사업주와 경영책임자의 안전 및 보건 확보 의무'(이하 안전·보건 의무라고 한다)가 부과되었다. 그런데 경영책임자를 처벌하기 위해 부과된 법적 의무들이 중대재해 감소에 어떤 역할을 하는지는 논의되지 않았다. 기존의 법령에는 없었던 인력·조직·예산 확보 의무를 경영책임자에게 부과한 것이 중대재해처벌법의 효과라는 의견도 있다. 그런데 후술하겠지만, 이 의무는 경영책임자를 처벌할 목적으로 부과된 것일 뿐이어서 경영책임자가 처벌 회피를 위해 대형 로펌에 기대 면피용 서류만 잔뜩 만드는 데 치중하게 했을 뿐이다.

이 의무조항에도 불구하고 여전히 사고 발생과 경영책임자의 의무 위반 사이의 인과관계를 입증하는 게 쉽지 않아 보인다. 정작 이렇게 의무를 부과했어도 경영책임자의 의무 위반이 중대재해로 이르게 되었다는 인과관계를 입증해야 처벌할 수 있는데 이의 입증이 쉽지 않기 때문에, 박주민 의원의 법안에는 '인과관계 추정' 조항[27]을 포함하였다.

심의과정에서도 '인과관계 입증을 완화'하는 조항 삽입을 요구했다. 그러나 검사에게 '인과관계' 입증의 책임을 지우는 것은 국민의 권리를

---

27)	박주민 의원 발의안 제5조(인과관계의 추정): 다음 각호의 어느 하나에 해당하는 경우에는...(중략)...위 임방지의무를 위반한 행위로 인하여 중대재해가 발생한 것으로 추정한다. 1. 당해 사고 이전 5년간 시 업주 또는 경영책임자가 제3조가 정하고 있는 의무와 관련된 법을 위반한 사실이 수사기관 또는 관련 행정청에 의해 3회 이상 확인된 경우...(후략)

보호하기 위함인데 검사나 경찰에게 너무 손쉬운 처벌권을 주는 것은 신중해야 한다는 반론에 부딪혀 반영되지 않았다. 그런데 경영책임자에게 이와 같은 의무를 부과함으로써 기존의 산안법 체계와 달라진 효과는 중대재해가 발생하면 경영책임자를 바로 '피의자'로 입건할 수 있다는 점이다.

〈표 1-5〉 중대재해처벌법안 소관위원회 심사 경위

회의명	회의일	비고
제382회 국회(정기회) 제6차 법안심사제1소위	2020. 11. 26.	
제383회 국회(임시회) 제1차 법안심사제1소위	2020. 12. 24.	
제383회 국회(임시회) 제2차 법안심사제1소위	2020. 12. 29.	청원인 의견 진술
제383회 국회(임시회) 제3차 법안심사제1소위	2020. 12. 30.	
제383회 국회(임시회) 제4차 법안심사제1소위	2021. 1. 5.	
제383회 국회(임시회) 제5차 법안심사제1소위	2021. 1. 6.	
제383회 국회(임시회) 제6차 법안심사제1소위	2021. 1. 7.	
제383회 국회(정기회) 제1차 전체회의	2021. 1. 8.	의결(대안 반영)

아픔을 딛고 안전 사회로

겁박으로 사고를 예방하겠다는 의미

법안 심사과정에서 등장한 '위하력(威嚇力)'이라는 용어가 눈에 띈다.[22] 일반인에게는 다소 낯선 '위하력'이란 법률용어는 네이버 국어사전에 따르면 "일반인을 잠재적 범죄인으로 간주하고 공개처형과 같이 두렵고 무서운 형벌로 위협함으로써 일반인을 범죄로부터 멀어지게 만드는 힘"을 말한다. 말하자면, 경영책임자를 잠재적 범죄자로 여겨 이들을 무서운 형벌로 겁박해서 이들이 다시는 이윤추구를 위해 안전을 소홀히 하지 못하도록 함으로써 사고를 예방하겠다는 것이다. 이 법의 취지를 한마디로 가장 잘 나타내주는 용어로, '겁박에 의한 사고 예방'이 핵심이라고 할 수 있다. 법 제정 이후 정부 관계자가 종종 언론을 통해 '중대재해처벌법은 예방을 위한 것으로, 처벌을 위한 법이 아니다'라는 의견을 피력하고 있는데, 이는 국민과 여론을 호도하는 것이다. 경영책임자를 무서울 정도로 가혹하게 처벌하고, 그 결과로 생기는 위하력으로 중대재해를 방지하겠다는 게 법의 취지다. 재난·사고와 산재를 예방하고 안전 역량을 증진하기 위한 다양한 제도와 방안은 외면하고, 오로지 '처벌 효과'로 사고를 막겠다는 것으로 방점이 '처벌'에 찍혀 있는 것이다.

요컨대, 잇따른 재난·사고와 산재에도 불구하고 경영책임자를 무겁게 처벌하지 않아 이런 사고들이 반복되고 있으므로 어떻게든 이들을 가혹하게 처벌해서 그 위하력으로 사고를 방지하겠다는 것이다.

소규모 사업장은 제외하였다지만

심의과정에서 법 적용을 개인사업자 또는 상시근로자가 50인 미만인 중소기업에 대해서는 법 공포 후 3년간 유예하도록 결정했는데, 노동계로부터 '반쪽짜리 법'이라고 많은 비난을 받았다. 재해 대부분이 중소기업에서 발생하고 있는데, 이들을 적용 대상에서 제외하거나 유예했기 때문이다. 이런 사실은 2020년 12월 말에 고용노동부가 발표한 산업재해 발생 현황을 봐도 알 수 있다. 〈그림 1-2〉에서 보듯이 사고나 질병으로 인한 전체 재해 사망자 수 2,062명 중 50인 미만의 소규모 기업에서 발생한 사망자 수가 1,303명으로 63.2%를 차지하고 있다. 질병을 제외한 사고로 인한 사망자 수는 882명 중에서도 50인 미만의 소규모 기업에서 714명이나 되어 자그마치 80.1%를 차지하고 있는데, 이들이 법 적용에서 제외됐거나 유예되었다.

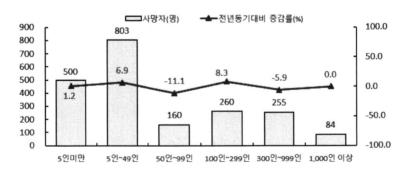

〈그림 1-2〉 규모별 재해 사망자 수(2020년 12월 고용노동부)

아픔을 딛고 안전 사회로

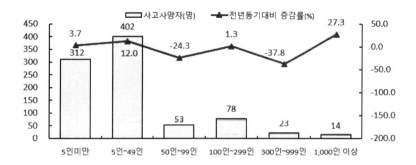

〈그림 1-3〉 규모별 사고 사망자 수(2020년 12월 고용노동부)

그러나 국회 속기록을 보면, 이들이 제외되거나 유예된 것은 이미 99%가 산안법만으로도 사장이나 대표이사가 처벌받고 있다는 점이 반영되었기 때문이다.[23] 최종 의사결정권자인 경영책임자 밑에 중간 관리자가 층층이 많은 대기업의 경우에는 이들 중간관리자가 대부분 행위자에 해당하여 기존의 산안법으로는 경영책임자를 처벌하기 어렵 다. 하지만 50인 미만의 소규모 기업은 중간관리자를 따로 두기 어려 워서, 중대재해가 발생하면 사실상 거의 기업의 경영책임자가 처벌받 고 있음을 의미한다. 다만, 50인 미만 소규모 기업의 경영책임자는 '1 년 이상의 징역'이라는 처벌의 하한선 규정만 적용이 안 될 뿐이다. 이 를 달리 생각하면 입법 과정에 참여한 정부 관계자나 국회의원들 모두 '경영책임자 처벌'이 중대재해 저감에 직접적인 효과가 없다는 사실을 이미 인지하고 있었다는 것을 뜻하기도 한다. 50인 미만의 소규모 기 업에서 사고가 발생하면 이미 경영책임자의 99%가 직접 형사 처벌을 받고 있음에도 〈그림 1-2〉와 〈그림 1-3〉에서 보듯이 사고가 줄지 않

고 있기 때문이다. 〈그림 1-3〉은 5~49인 규모 기업의 사고 사망자 수
는 전년도에 비해 오히려 12%가 늘었다는 것을 보여준다.

공공 분야는 인허가 부분에 논의 국한

'강은미 의원 법안' 등에 공무원의 처벌조항이 포함되어 있어, 제4차,
제5차 소위원회에서 논의가 되었지만, 인허가·감독원을 가진 공무원의
처벌 여부에 국한되었다. 공무원의 인허가·감독권과 사고 발생 간에 원
청이나 시공자의 주의의무 위반 등 다수의 독립된 행위들이 존재하기
때문에 '인과관계'를 입증하기가 쉽지 않아 처벌도 어렵고, 반대로 이
들이 인허가에 소극적으로 대처하는 등 부작용을 고려해서 우선 삭제
하고, 법 시행 후 필요시 추가하도록 결정하였다. 중앙정부의 장관을
비롯해 지방자치단체의 장 등 공공 분야를 포함하면서 그에 따른 기대
효과와 부작용에 대한 검토와 논의는 사실상 없었다.

신속한 처벌에 급급

제5차 소위원회에서 법 시행 후 기업들이 준비할 수 있는 기간을 일

아픔을 딛고 안전 사회로

마나 줄 것인지에 대한 논의가 있었다. 기업의 규모에 따라 4년을 유예할 건지, 3년을 유예할 건지에 대한 논의였다. 일부 의원이 현장에서도 준비할 수 있는 시간을 충분히 주는 게 기업이 안전을 위한 시스템도 갖출 수도 있고, 법 시행 과정에서 나타나는 부작용을 수정할 수 있는 시간적 여유도 확보할 수 있다는 의견을 피력하기도 했다. 그러나 중대재해로 인해 많은 사람이 생명을 잃고 있는 상황에서 하루라도 빠르게 개선되어야 한다는 논리에 밀려 50인 미만의 소규모 사업장에 대해서만 공포 후 3년의 유예기간이 주어졌다. 법은 공포 후 1년이 지난 날부터 시행하는 것으로 결정되었다. 유예기간을 줄이자는 의원도, 늘리자는 의원도 기업이나 공공기관이 의무이행 준비에 필요한 일의 양과 시간이 얼마나 소요될지 가늠도 못 하면서, 최소한의 시뮬레이션도 없이 '최대한 빨리' 분위기에 휩쓸려 시행 시기가 결정되었다.

정부도 후속조치 사항인 시행령조차 법 시행을 불과 석 달여 앞두고 제정해서 겨우 제정·발표하였다. 법의 모호한 조항이 시행령에서도 크게 개선되지 않았다. 법 시행 한 달 전에 고용노동부, 국토교통부, 환경부 등이 해설서를 배포했는데, 공공 분야는 이미 다음 해의 예산작업이 사실상 끝난 상태였다. 시행령 제4조 제4호에 따르면 경영책임자는 재해 예방을 위해 필요한 안전·보건관리에 관한 인력, 시설 및 장비의 구비와 유해·위험요인의 개선에 필요한 예산 등을 편성해야 하는데, 이미 늦은 것이다. 이와 같은 예산을 예전처럼 연차적으로 확보해서 집행하면 되는지, 아니면 즉시 확보해야 하는지 등으로 현장에서는 혼란이 지속되었다.

〈표 1-6〉 중대재해처벌법 관련 정부의 후속조치

일자	담당부처	후속조치
2021. 10. 1.	고용노동부	중대재해처벌법 관련 지방공기업 경영책임자 대상 특강
2021. 10. 5.	정부	중대재해처벌법 시행령 제정
2021. 11. 17.	고용노동부	중대산업재해 관련 해설서 배포
2021. 12. 29.	국토교통부	중대시민재해 예방 해설서 배포
2021. 12. 31.	환경부	중대시민재해 원료·제조물 부분 해설서 배포
2022. 1. 7.	대검찰청	중대재해처벌법 벌칙 해설서 마련

더구나 정부나 국회 모두 이 법 시행 이후 기업이 어떻게 반응할지 전혀 예측하지 못했다. 무거운 처벌에 따른 '위하력'의 효과로 기업이 중대재해 예방을 위해 노력할 것으로 막연하게 기대했는지도 모르겠다. 중대재해는 여전히 반복되고 있고, 경영책임자의 처벌을 피하기 위한 기업들이 대형 로펌에 줄 서고 있다는 소식만 안타깝게 들리고 있다.

제6차 소위원회를 마무리하면서, 모 의원이 대한민국 전체에 엄청난 충격을 미치는 법을 날짜를 딱 정해놓고 통계도 없이 법안을 만들어냈는데 이 법으로 인해 우리 사회에 예상치 못한 부작용이 속출하면 이 법안을 만든 사람은 역사의 죄인이 된다고 했다. 마치 그 말이 현실로 나타나는 것 같아 딱하다.

아픔을 딛고 안전 사회로

PART 2

위하력 - 가혹한 처벌로 사고 예방

중대재해처벌법은 시행 초기부터 법률가들로부터 처벌 대상자와 의무규정이 불확실하고 모호하다는 점에서 죄형법정주의에 위배된다는 지적을 받고 있다. 법률적 타당성 여부는 법률 전문가에게 맡기고, 가혹한 처벌의 효과, 즉 위하력을 통해 사고를 예방하겠다는 법의 취지를 재해 발생 메커니즘 측면에서 살펴본다.

1.
경영책임자가 잠재적 살인자?

일벌백계로 사고 예방

중대재해처벌법의 제정 배경이 된 산재사고에는 다음과 같은 공통점이 있다. 첫째, 같은 작업장에서 이미 유사한 사고가 반복적으로 발생하였음에도 예방조치를 안 했고, 경영책임자가 처벌을 면하거나 가벼운 처벌에 그쳤다. 둘째, 원청이 하청에 '위험을 외주화'하여 사고가 발생했는데 사고 직후 원청은 처벌도 면했다. 셋째, 사고 발생 직후 기업 또는 기관이 유족을 위로하기는커녕 책임을 피해자에게 떠넘겨 유족의 분노를 초래하였고, 이들의 절규가 사회의 반향을 일으켰다. 이는 가습기 살균제 참사와 세월호 참사에서도 유사하다. 중대재해처벌법은 이런 행태가 반복되는 데 따른 사회적 분노가 커커이 쌓이다 표출되어 법에 반영된 것이라고 할 수 있다. 그동안 우리 사회에서 최종 의사결정권자가 사람의 생명과 안전보다 돈을 우선해 발생한 사고가 적지 않다. 그때마다 이들이 엄중하게 처벌받지 않고 빠져나가는 바람에 사고가 반복된다는 인식과 분노가 이 법을 탄생시킨 것이다.

전술한 대로, 이 법은 경영책임자를 무거운 벌로 응징하려는 의도로 만들어졌다. '위하력'이란 '일벌백계'로 죄를 엄히 다스려 '잠재적 범죄자'인 다른 경영책임자를 겁박·위협해서 유사 사고를 막겠다는 것이다. 중대재해처벌법은 이런 의도로 '사업주와 경영책임자 등(이하 경영책임자라고 한다)'을 규정하고 그들에게 안전·보건 의무를 부과하였다.

'경영책임자'의 정의

중대재해처벌법 제2조에 경영책임자가 정의[28]되어 있는데, 특히 9호의 '가'목과 관련해서 기업에서 많은 혼란을 겪고 있다. 경영책임자인 경영책임자 밑에 전문 분야 책임자로서 CSO(Chief Safety Officer, 최고안전책임자)를 두는 경우가 있는데, 중대재해가 발생하였을 때 처벌 대상이 경영책임자인지 CSO인지 불확실하기 때문이다.

이와 관련, 고용노동부의 해설서는 "중대재해처벌법은 원칙적으로 사업을 대표하고 사업을 총괄하는 권한과 책임이 있는 자, 즉 경영을 대표하는 자의 안전 및 보건에 관한 의무와 역할을 규정한 것으로, 중대재해처벌법상 의무와 책임의 귀속 주체는 '원칙적으로' 사업을 대표

---

28) 중대재해처벌법 제2조(정의) 8. "사업주"란 자신의 사업을 영위하는 자, 타인의 노무를 제공받아 사업을 하는 자를 말한다. 9. "경영책임자등"이란 다음 각 목의 어느 하나에 해당하는 자를 말한다. ㉮ 사업을 대표하고 사업을 총괄하는 권한과 책임이 있는 사람 또는 이에 준하여 안전보건에 관한 업무를 담당하는 사람 ㉯ 중앙행정기관의 장, 지방자치단체의 장, 「지방공기업법」에 따른 지방공기업의 장, 「공공기관의 운영에 관한 법률」 제4조부터 제6조까지의 규정에 따라 지정된 공공기관의 장

아픔을 딛고 안전 사회로

하고 사업을 총괄하는 권한과 책임이 있는 자임…(중략)…'이에 준하여 안전보건에 관한 업무를 담당하는 사람'이 선임되어 있다는 사실만으로 사업을 대표하고 사업을 총괄하는 권한과 책임이 있는 사람의 의무가 면제된다고 볼 수 없음"이라고 설명하고 있다.[24] 무거운 처벌을 통해 중대재해를 막겠다는 법의 취지를 고려하면 그 표적(target)은 안전 예산이나 인력·조직의 배치 등의 실질적 의사결정권자라고 추정할 수 있다. 국회 심사과정에서도 같은 논의가 있었고, 고용노동부 해설서 또한 같은 입장이다. 어떻든 이 문제는 이 책에서 다룰 주된 관심사는 아니라서 이 정도 언급으로 그친다.

경영책임자에게 안전·보건 의무 부과

중대재해로 사람이 죽어도 경영책임자가 처벌받지 않아 사고가 반복되고 있다는 인식 아래, 일벌백계에 의한 위하력으로 중대재해를 막겠다고 경영책임자에게 안전·보건에 관한 의무를 부과하였다. 경영책임자의 의무는 법 제4조와 제9조에 각각 중대산업재해와 중대시민재해로 나뉘어 규정되어 있기는 한데, 그 내용은 크게 다르지 않다.

〈그림 2-1〉처럼 관리 대상, 장소, 위험 등에 차이가 있기는 하지만, 안전·보건 의무는 큰 차이가 없다. 즉, 중대재해처벌법은 경영책임자에게 중대재해 예방에 필요한 인력과 예산 등 안전보건관리체계를 구축

하고, 관계 법령에 따라 관리상의 조치를 수행하도록 요구한다. 산안법이 현장 안전 수칙 위주로 의무가 규정되어 있어 경영책임자 처벌에 어려움이 있었기 때문에, 사실 이 의무규정이 법의 요체라고 할 수 있다.

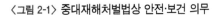

〈그림 2-1〉 중대재해처벌법상 안전·보건 의무

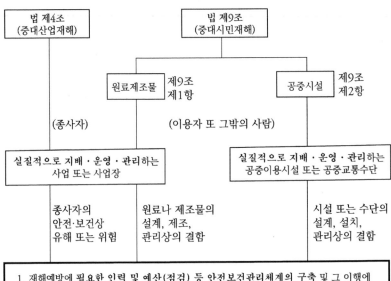

아픔을 딛고 안전 사회로

중대재해처벌법은 '위험의 외주화'를 방지하기 위해, 경영책임자에게 하청을 준 경우에도 중대재해에 대해 책임지도록 규정하고 있다. 공중이용시설이나 공중교통수단을 제3자에게 도급, 용역, 위탁을 행한 경우에도 원청의 경영책임자가 안전·보건 의무에 따라 조치하도록 규정하고 있다.[29] '종사자'에는 소속 근로자 외에 도급, 용역, 위탁 등 계약형식과 관계없이 노무를 제공하는 자와 하청 소속의 근로자까지 포함하여[30], 업무를 외주화한 경우에도 소속 근로자와 똑같이 안전·보건상 유해 또는 위험을 방지하기 위해 의무를 이행해야 한다.

〈그림 2-1〉의 의무 중 1호·4호의 구체적 내용은 시행령에 위임했다. 〈표 2-1〉, 〈표 2-2〉, 〈표 2-3〉은 시행령의 내용을 요약한 것이다. 그런데 시행령 조항에도 여전히 '실질적으로 지배·운영·관리하는'이라는 표현처럼 불확실하고 모호한 문구가 포함되어 있어 비판받고 있다.

경영책임자에게 예산·인력의 확보 의무를 부과한 것이 법의 취지이기도 하고, 의무이행을 통해 유해·위험요인도 줄고 안전 역량 증진의 효과도 있을 것으로 기대한다. 그러나 이와 같은 의무를 정하면서 안전사고 저감에 효과가 있는지 과거 사례들을 이용해 시뮬레이션을 해봤으면

---

29) 중대재해처벌법 제9조(경영책임자의 안전 및 보건 확보의무) ③ 사업주 또는 경영책임자등은 사업주나 법인 또는 기관이 공중이용시설 또는 공중교통수단과 관련하여 제3자에게 도급, 용역, 위탁 등을 행한 경우에는 그 이용자 또는 그 밖의 사람의 생명, 신체의 안전을 위하여 제2항의 조치를 하여야 한다. 다만, 사업주나 법인 또는 기관이 그 시설, 장비, 장소 등에 대하여 실질적으로 지배·운영·관리하는 책임이 있는 경우에 한정한다.

30) 중대재해처벌법 제2조(정의) 7. "종사자"란 다음 각 목의 어느 하나에 해당하는 자를 말한다. ㉮「근로기준법」상의 근로자 ㉯ 도급, 용역, 위탁 등 계약의 형식에 관계없이 그 사업의 수행을 위하여 대가를 목적으로 노무를 제공하는 자 ㉰ 사업이 여러 차례의 도급에 따라 행하여지는 경우에는 각 단계의 수급인 및 수급인과 가목 또는 나목의 관계가 있는 자

좋았겠다는 생각이 든다. 왜냐하면, 대부분 현장과 동떨어진 서류 업무
에 그쳐 경영책임자가 충실히 의무를 이행한다고 하더라도 현장의 사
고감소 효과가 크지 않을 것 같기 때문이다. 의무이행을 해도 사고감소
효과가 없다면 일벌백계를 통한 위하력 또한 실효성을 잃을 것이다.

<표 2-1> 중대산업재해

안전·보건 관리체계의 구축 및 이행 〈시행령 제4조〉

① 안전·보건 목표와 경영방침 설정

② 전담 조직 구성

③ 유해·위험요인 점검 및 개선업무 처리 절차 마련 및 이행상황 점검

④ 안전 및 보건 인력, 시설·장비에 필요한 예산 편성 및 집행·관리체계 마련

⑤ 안전 및 보건 전문인력 배치, 충실한 업무 수행 보장

⑥ 안전·보건 확보 및 개선에 관한 종사자 의견 청취(연 2회, 반기 1회)

⑦ 급박한 위험이 있는 경우 작업중지 및 발생 시의 대응 절차 마련

⑧ 도급·용역·위탁을 하는 경우 평가 기준과 절차 마련 및 확인·점검

의무이행에 필요한 관리상의 조치 〈시행령 제5조〉

① 안전·보건 관계 법령 이행 점검(반기 1회) 결과 확인 조치

② 인력·예산 등 지원을 통해 법령상 의무가 이행될 수 있도록 조치

③ 유해·위험작업에 대한 안전보건 교육 실시 및 교육예산 확보 조치

아픔을 딛고 안전 사회로

<표 2-2> 중대시민재해(원료·제조물)

안전·보건 관리체계의 구축 및 이행 〈시행령 제8조〉

① 안전·보건 관리업무 수행을 위한 인력 확보

② 유해·위험요인 점검 및 위험징후 발생 시 대응을 위한 인력 확보

③ 안전·보건 법령에 따른 인력·시설·장비 등 확보·유지를 위한 예산 편성·집행

④ 유해·위험요인 점검 및 위험징후 발생 시 대응을 위한 예산 편성·집행

⑤ 유해·위험요인의 주기적인 점검

⑥ 재해 발생 우려가 있는 유해·위험요인의 발견·확인 시 신고 및 조치

⑦ 중대시민재해 발생 시 보고, 신고 및 조치

⑧ 중대시민재해 원인조사에 따른 개선 조치

⑨ ⑤~⑧목의 조치를 포함한 업무처리 절차의 마련, 단, 소상공인 제외

⑩ ①~④를 반기 1회 이상 점검, 점검 결과에 따라 인력·예산 조치

의무이행에 필요한 관리상의 조치 〈시행령 제9조〉

① 반기 1회 이상 관계 법령 의무이행 점검, 직접 점검 안 한 경우 보고 조치

② ①의 결과 의무 미이행 확인 시 인력배치·예산추가편성 등 조치

③ 법령에 따른 의무교육 이수여부(반기 1회) 점검, 보고 조치

④ ③의 결과 교육 미실시 확인 시 이행지시 등 조치

〈표 2-3〉 중대시민재해(공중시설)

안전·보건 관리체계의 구축 및 이행 〈시행령 제10조〉
① 안전·보건 인력의 적정 규모 배치 확인
② 안전 예산의 적절 편성·집행 여부
③ 안전 계획 또는 시설물 관리계획 수립 여부
④ 기계획된 안전점검 등이 적절히 수행되었는지 여부
⑤ 위기관리 대책 수립
⑥ 연 2회 이상 ①~④호의 확인·점검, 인력·예산 추가 편성·집행 조치
⑦ 공중이용시설에 대한 보완·보강, 이용 제한 조치
⑧ 도급·용역·위탁하는 경우 이용자 안전 확보 대책 마련
의무이행에 필요한 관리상의 조치 〈시행령 제11조〉
① 연 1회 이상 관계 법령 의무이행 점검, 직접 점검 안 한 경우 보고 조치
② ①의 결과 의무 미이행 확인 시 인력배치·예산추가편성 등 조치
③ 공중시설 정비·점검 종사자 의무교육 이수 여부(연 1회) 점검, 보고 조치
④ ③의 결과 교육 미시행 확인 시 이행지시 등 조치

경영책임자에게 안전·보건 목표와 경영방침 설정, 전담 조직 설치 등의 의무가 부과된 것은 '중대산업재해'에 국한한다. 중대시민재해와 관련된 업무는 해당 실무부서에서 담당한다고 해도, 안전·보건 목표와 경영방침까지 산재에 국한한 것은 다소 의아스럽다.

중대재해 발생 시의 처벌

중대재해처벌법은 경영책임자가 보건·안전 의무를 위반하여 중대재해에 이르게 한 경우에 형사 처벌하도록 규정하고 있다. 그 내용은 〈그림 2-2〉와 같다. 중대산업재해나 중대시민재해 모두 사망자가 1명 이상 발생할 때는 경영책임자를 1년 이상의 징역형이나 10억 원 이하의 벌금형에 처할 수 있고, 병과도 가능하다. 중대재해처벌법은 '징역 1년 이상'의 하한을 정하는 형벌을 도입하고 있는데, 이는 형법에서도 고의범에게나 적용되는 무거운 처벌이며, 특히 '1년 이상의 징역'은 형법 제252조 제1항에 따라 '사람의 촉탁이나 승낙을 받아 그를 살해한 자'와 같은 흉악범에게나 적용되는 매우 강도가 높은 처벌에 해당한다.

〈그림 2-2〉 중대재해처벌법상 처벌 규정

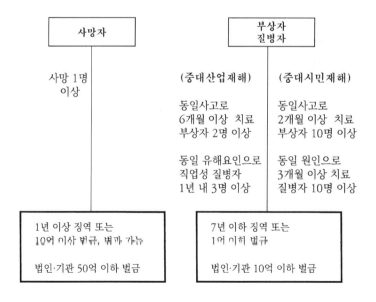

전술한 대로 중대재해가 발생하면 무서울 만큼 엄하게 경영책임자를 처벌하여 다른 경영책임자들을 위협해서 다른 중대재해를 막겠다는 뜻이 그대로 담겨 있다고 할 수 있다.

영국의 'CMCHA 2007'과도 다른 혹독한 처벌

중대재해처벌법은 속칭 영국의 '기업살인법'의 영향을 받은 것으로 자주 거론된다. 2017년 4월의 고 노회찬 의원도 법안을 제기하면서 언급했고, 고 김용균 씨 사고 후 전태일 사망 50주기 행사에서도 영국의 '기업살인법'을 도입하여 노동계는 산재에 대한 처벌을 강화하여 반복되는 사고를 방지해야 한다고 목소리를 높였다.

그런데 '기업살인법'이란 표현은 다소 과한 듯하다. 영국 법의 원명은 CMCHA(Corporate Manslaughter and Corporate Homicide Act 2007)인데, 케임브리지 사전에 따르면 manslaughter[31]는 '살인'보다는 '과실치사'로 번역하는 게 조금 더 그 뜻에 가깝고, homicide[32]는 '살인'이라는 뜻이 있어서 '기업살인법'으로 번역해도 맞을 수 있다. 다만 브리태

---

31) the crime of killing someone without intending to kill them[25]

32) murder[25], the killing of one human being by another. Homicide is a general term and may refer to a noncriminal act as well as the criminal act of murder. Some homicides are considered justifiable, such as the killing of a person to prevent the commission of a serious felony or to aid a representative of the law. Other homicides are said to be excusable, as when a person kills in self-defense[26]

아픔을 딛고 안전 사회로

니커 사전은 조금 더 자세하게 설명이 되어 있는데, 이에 따르면 hom-icide는 범죄에 해당하는 살인뿐만 아니라 정당한(justifiable) 경우나 용납될 수 있는(excusable) 범죄를 뜻하기도 한다. 살인이라는 뜻을 가진 'murder'를 사용하지 않고 'homicide'를 사용한 것은 아마도 산재에 '과실치사'에 해당하는 사망사고가 적지 않다는 것을 참고하지 않았나 싶다.

그리고 CMCHA 2007 규정에 따르면, 영국의 잉글랜드, 웨일스, 북아일랜드 3개 지역은 'corporate manslaughter'를 사용하고, 스코틀랜드만 'corporate homicide'로 쓰고 있다는 사실 등을 종합해보면 CMCHA를 '영국의 기업살인법'이라고 표현하는 것은 무리가 있어 보인다. 이 책에서는 이런 점을 고려하되, 논란을 피하고자 '영국의 CMCHA 2007'로 사용하기로 한다.

〈표 2-4〉 CMCHA의 영국 내 지역별 호칭

법명	Corporate Manslaughter and Corporate Homicide Act 2007	
호칭	Corporate Manslaughter	Corporate Homicide
지역	잉글랜드, 웨일즈, 북아일랜드	스코틀랜드

어떻든 영국의 CMCHA 2007을 요약하면 〈표 2-5〉와 같다. 법의 원문이 29조로 되어 있어 적지 않은 양이라, 중대재해처벌법과의 비교를 위해 필요한 내용만 요약하였다.

중대재해처벌법과 몇 가지 다른 점이 있는데, 우선 개인에게는 책임을 묻지 않고, 해당 단체에 위반 사항을 시정 요구하고, 기소 사실, 벌금 액수, 시정조치 사항 등의 공표를 명한다는 것이다. 시정 요구를 따르지 않으면 벌금을 부과한다. 중대재해처벌법이 경영책임자에게 1년 이상의 징역형 등을 부과할 수 있는 것과 다르다. 그러나 관리자, 이사회 구성원 등 개인이 CMCHA 2007에 따른 처벌 대상이 아니라는 것일 뿐, 일반 보건·안전 법령이나 형법에 따른 책임까지 면하는 것은 아니다. 영국 보건환경청은 이 점을 분명히 하고 있다.[33]

둘째, 주의의무 위반으로 사고 발생 시 법적 절차를 착수하기 위해서는 검찰총장의 사전승인을 받아야 한다. 이는 사고가 발생하면 고용노동부가 바로 사고 현장에 투입되어 작업중지 등을 명하고 중대재해처벌법 위반 여부에 대한 수사에 착수하고 있는 우리와 다르다.

셋째, 공공자원의 할당, 공익 간 비교형량 등 공공 분야의 정책이 대상에서 제외되었다.

넷째, 산업재해와 시민재해를 구분하지 않는다. 단체의 주의의무 위반으로 사망사고가 발생할 때 이 법을 적용한다고 규정하여, 근로자 등 종사자와 일반 시민이 사망하는 경우를 포괄한다.

마지막으로 노동조합이 포함되어 있다는 점도 다르다. 노동조합의 행동이 소속 근로자 등 종사자뿐 아니라 일반 시민의 안전에 영향을 미칠 수도 있어서 포함된 것으로 추정된다.

---

33)   HSE(Health and Safety Executive), Prosecutions will be of the corporate body and not indi-viduals, but the liability of directors, board members or other individuals under health and safety law or general criminal law, will be unaffected[27]

아픔을 딛고 안전 사회로

2008년 법 제정 이후 2022년 3월 현재까지 모두 27건의 사고가 CMCHA 2007에 따라 처벌받았다. 기업에 부과된 벌금이 8,000파운드 (약 1,300만 원)부터 120만 파운드(약 19억 원)에 이른다.[28] 2022년 1월 27일 중대재해처벌법 시행 후 2022년 3월 말 현재 약 40건의 사고가 법 상 중대재해에 해당하여 고용노동부의 조사를 받는 것에 비하면, 영국 의 경우에는 법의 적용이 되는 대상이 상대적으로 엄격히게 선정된다고 할 수 있다.

〈표 2-5〉 CMCHA의 주요 내용

법명	Corporate Manslaughter and Corporate Homicide Act 2007
대상 범죄	단체(organisation)의 주의의무 위반으로 **사망사고** 발생
대상 단체	• 기업(corporation) • 정부 부처 • 경찰 • **동업자(partnership)**[34], **노동조합(union)**, 고용주협회
성립 요건	고위경영층(senior management)의 조직·관리 관련 활동이 주의의무 위반의 주요 요소에 해당
고위 경영층	• 단체의 조직·관리에 전적 또는 주요한 의사결정권자 • 단체의 조직·관리상 주요한 역할을 하는 사람

---

34)   a situation in which two people or organizations work together to achieve something, 두 사람 또는 기관들이 함께 일하는 상황을 말하므로 동업자나 협력사로 표현할 수 있는데, 동업자로 표현

주의의무	① **소속 근로자**와 **외부 종사자**에 대한 의무 ② **시설점유자**의 의무 ③ 단체가 행하는 다음 사항에 대한 의무 　i) 제품 및 서비스 　ii) 건설 및 보수 작업 　iii) 상업적 활동 　iv) 플랜트, 차량, 기타 물건 ④ 기타 특정 개인에 대한 의무(구금·감금된 죄수, 환자 등)
공공정책	• 공공정책(공공자원 할당, 공익 간 비교형량 등)은 대상 제외 • 법령에 따른 점검 시에는 상기 ①②의 의무 해당
비상시	• 소방 및 구조기관 등 • 피해 발생 및 확산, 사망사고 우려 시 ①②의 의무 해당
법적 절차	기업과실 치사죄의 법적 절차는 **검찰총장의 승인** 없이 착수할 수 없음
개인 책임	• corporate manslaughter의 방조, 교사, 조언 또는 알선의 죄를 개인에게 　묻지 않음 • corporate homicide의 방조, 교사, 조언, 알산 또는 참여의 죄를 　개인에게 묻지 않음
법적 조치	• 시정조치 요구 　- 개선 조치 미이행 시 벌금 부과 • 위반으로 기소된 사실, 부과된 벌금, 시정조치 사항 등의 공표 명령

정부의 태도

　특히 민간기업과 공공 분야의 경영책임자를 처벌하는 특별형법의 성격을 갖는 중대재해처벌법을 다루는 정부의 태도도 중요한데, 이를 엿볼 수 있는 사례가 있다.

아픔을 딛고 안전 사회로

중대재해처벌법 시행을 두 달 정도 앞둔 2021년 12월 1일, 정부가 주최한 포럼에서 고용노동부 중견간부가 지방공기업의 장을 상대로 '중대재해처벌법과 안전보건관리체계 구축'에 대해 특강을 하였다. 이 특강에서 근로자가 실수해도 문제가 되지(죽지) 않도록 조치해야 한다는 취지의 발언을 하였다. 게다가 공공기관에서 사고가 나면 더 세게 수사할 수밖에 없다는 말도 했다. 이 같은 발언이 일회성으로 그치지 않고, 2022년 1월 24일 중소기업중앙회가 마련한 '중대재해처벌법 설명회'에서도 반복되었다.[29] 중소기업주들의 질문에 "사람의 실수나 기계고장이 발생하더라도 재해로 이어지지 않도록 안전대책을 마련해야 한다"라고 한술 더 떴다.

부주의, 착오, 망각, 과소평가, 무지, 무시, 오만 등에서 비롯되는 인간의 실수(인적 오류)는 어쩌면 신(神)조차 어쩌지 못한 영역이라고 할 수 있다. 사람이 실수하거나 기계가 고장 나더라도 사람이 다치거나 죽지 않도록 마땅히 노력해야겠지만, 사고가 발생해서 사상자가 발생하면 무조건 처벌하겠다는 것은 너무나 지나친 처사다. 이런 언급은 사고가 발생하는 메커니즘에 대해 전혀 모르는 사람이나 할 수 있는 말이다. 이런 비판을 의식했는지는 모르겠지만, 인터넷에 게시되었던 당시 포럼 동영상 중에서 고용노동부 간부의 특강 영상만 갑자기 삭제되었다.

이와 같은 정부의 태도는 정부가 법 규정을 임의로 적용할 수 있다는 우려를 낳는다. 형법의 기본원칙인 수범자의 행위와 재해 발생 결과 사이에 상당한 인과관계가 있다는 것이 입증되어야 처벌이 가능하다는 점에서 실제 법원에서 정부가 의도한 대로 처벌이 이뤄질지는 모르겠다. 하지만 중대재해가 발생하면 경영책임자는 바로 '피의자'로 입건되어 압수수색, 구속 등의 법적 절차를 밟게 되는 처지에 놓이게 되는데, 이것만으로도 충분히 '겁박'과 '위협'의 수단이 될 수 있다.

실제 중대재해처벌법 시행 이후 이 같은 겁박은 겁박에 그치지 않고 현실로 나타나고 있다. 고용노동부 간부 출신의 한 대학교수는 신문 칼럼을 통해 중대재해가 발생할 때마다 경찰, 고용노동부가 경영책임자 처벌에 안달이 나서 기업의 본사를 압수수색하는 등 막무가내식으로 거친 수사를 하고 있다고 비판한다.[30]

마치 정부가 시곗바늘을 거꾸로 돌려 우리나라를 '죄형법정주의'[35]가 도입되기 이전인 중세의 위하시대로 형법의 역사를 돌려놓은 것 같다는 생각이 든다. 위하시대는 통치자가 잔혹한 형벌로 백성들을 통치하는 엄벌주의가 지배하던 시대를 말하며, 권력자가 법관이 범죄와 형벌을 멋대로 결정하는 '죄형전단주의(罪刑專斷主義)'로 인해 개인의 권리가 부당하게 침해받았던 시대를 말한다. 형법 교과서[31]에 따르면 형법은 최후수단으로 처벌이 불가피한 사회 윤리적 가치의 유지와 구체적인 법익을 보호하는 부분에만 국한하여 개입하여야 한다. 범죄인은 형법이 미리 정해놓은 형벌에 의해서만 처벌받으며, 자의적인 기준에 의해 처벌 여부나 범위가 결정되어서는 안 된다. 또한 형법에 정하여진 행위 외의 다른 행위로 인해 범죄자로 취급되지 않는다. 이 같은 형법의 기

---

35) 죄형법정주의는 요컨대 "법률이 없으면 범죄도 없고, 법률이 없으면 형벌도 없다"라는 것으로, 범죄와 형벌을 미리 법률(제정법)로써 규정하여야 한다는 근대형법상의 기본원칙

아픔을 딛고 안전 사회로

본원칙이 중대재해처벌법의 불확실한 규정과 정부의 막무가내식의 법 적용에 따라 훼손될 위기에 놓여있는 것이다. 그런데 상기 칼럼에서 눈여겨볼 것은 중대재해처벌법 제정에 참여한 고용노동부 담당국장까지 퇴직 후 전문성이 없는데도 로펌에 취업해서 공포마케팅에 열을 올리고 있다는 것이다. 중대재해처벌법을 통한 공포 조성이 실제 우리 사회의 안전 역량을 높여 현장에서의 재난·사고와 산재 예방에 이바지하는 게 아니라, 정작 안전에는 전문성도 없는 대형 로펌과 고용노동부 고위직 출신 '고피아'의 배를 불리는 역할에 그친 것이 안타깝다. 명심해야 할 것은, 결코 잔혹한 처벌만으로 재난·사고와 산재를 막을 수는 없다는 것이다.

2.
처벌로는 재난·사고 방지에 한계

대형 참사와 인적 오류

비행기 추락, 열차 추돌 등 대형 참사가 발생하는 원인에는 기계·설비의 고장 등 결함, 기상악화 등을 들 수 있지만, 인적 오류 (human error)도 빼놓을 수 없는 주요 원인 중의 하나다.

항공기 참사 중에 최악의 사고는 1977년 3월 27일 발생한 테네리페 (Tenerife) 공항[36]의 비행기 추돌사고다. KLM 4805편[37]이 이륙하면서 활주로에서 이동 중이던 팬암 1736편[38]을 추돌하여, 총 583명이 숨지고 61명이 부상했다. KLM의 승객 234명과 승무원 14명은 모두 사망했고, 팬암은 승객 380명 중 326명과 승무원 16명 중 9명이 사망했다. 테네리페 공항 참사는 내셔널지오그래픽의 '사상 최악의 참사'[39]

---

[36] 현 테네리페 노르테(de Tenerife Norte) 공항, 사고 당시에는 로스 로데오(Los Rodeos) 공항으로 불렸다. 스페인령 테네리페섬에 위치

[37] 보잉사에서 1971년에 제작한 747-206B

[38] 보잉사에서 1969년에 제작한 747-100으로 세계 최초로 상업 운항을 한 보잉 747

[39] 원제는 'Seconds From Disaster(참사의 순간)'로, 테네리페 공항 참사는 시즌 1에서 'Collision on the Runway(활주로상의 충돌)'라는 제목으로 2004년 10월 19일 방영

아픔을 딛고 안전 사회로

와 '항공사고 수사대'[40])에서도 방영되었다.

두 비행기 모두 각각 암스테르담과 로스앤젤레스에서 출발해서 스페인 령인 그란카나리아(de Gran Canaria)섬의 공항으로 향하고 있었다. 그런데 사고 당일 오후 1시경, 카나리아 제도 분리 독립파가 그란카나리아 공항 테러 위협을 했고, 실제 공항 근처의 꽃가게에서 폭탄 사고가 발생했다. 후속 테러 위협 때문에 그란카나리아 공항이 폐쇄되었고, 두 비행기는 모두 인근 테네리페섬의 로스 로데오 공항에 임시 착륙하라고 지시 받았다. 팬암은 연료가 남아 있어서 그란카나리아 공항 주변을 선회하면서 대기할 것을 요청했지만 관제탑에서는 수용하지 않았다.

〈그림 2-3〉 테네리페 노르테 공항 위치

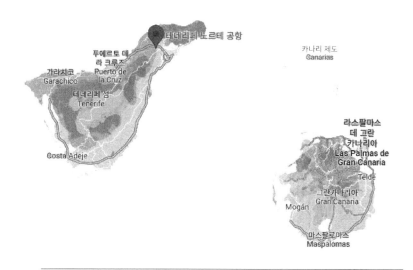

---

40)   원제는 나라별로 다른데, 캐나다에서는 'Mayday'이다. 시즌 16에서 'Tenerife Airport Disaster(테네리페 공항 참사)'라는 제목으로 2016년 6월 21일 방영되었다. spin-off로 'Crash of the Century(세기의 추돌사고)'라는 이름의 90분짜리 동영상이 같이 제작되기도 했다.[32]

로스 로데오 공항은 활주로가 하나뿐인 작은 공항이었다. 그란카나리아 공항의 테러 위협 때문에, 작은 공항에 보잉 747처럼 대형 비행기 3대를 포함해 여러 비행기가 한꺼번에 몰려 혼잡한 상황이라 주기장은 물론 유도로도 부족해 활주로를 유도로로 활용하게 되었다. 이날은 주말이라 관제사가 두 명만 근무했다. 〈그림 2-4〉는 로스 로데오 공항의 활주로와 유도로를 보여주는데, A 지점에 KLM 4805편과 팬암 1736편이 자리 잡고 있었다.

〈그림 2-4〉 로스 로데오 공항의 활주로

KLM의 기장은 판 잔턴(Jacob Veldhuyzen van Zanten, 50세)이었는데, KLM의 회사 광고에 실릴 정도로 베테랑 스타 조종사였다. KLM의 엄격한 초과근무 규정 때문에, 테네리페 공항에서 출발이 지연되면 그란카나리아 공항에서 항공기를 출발시키지 못하고 승객들을 그란카나리아섬 호텔에서 숙박시켜야 할 판이었다. 판 잔턴 기장은 시간 절약을 위해 테네리페 공항에서 암스테르담까지 돌아갈 연료를 주유한다. 그 사이 그란카나리아 공항의 테러 위협상황이 종료되어 팬암기가 그란카나리아 공항으로 출발하고자 하지만, 주유 중인 KLM기에 막혀 활주로로 진입하지 못하였다. KLM기 승객 중에 두 명의 어린아이가 딥

아픔을 딛고 안전 사회로

승하지 않아 이들을 찾는다고 KLM기의 출발이 더 지연되었다. 아이들을 찾아 태운 뒤 KLM기는 〈그림 2-4〉의 A 지점을 출발, B 지점에서 항공기를 180도 회전시켜 이륙하기 위해 이동한다. 두 항공기가 로스 로데오 공항에 도착했을 때는 좋았던 날씨가 출발 직전에는 안개가 끼어 시정 거리가 불과 300미터에 불과했다. 관제탑에서 두 항공기의 위치를 맨눈으로 볼 수 없는 상황이었다. 두 항공기 역시 서로 위치를 눈으로 확인할 수 없었다. KLM기가 B 지점에 도착해서 180도 회전해서 이륙 준비를 마쳤을 무렵, 팬암기는 활주로에서 이동 중이었다. 그런데 관제탑에서는 팬암기에 3번 출구에서 나가서 대기하라고 지시했는데, 팬암기는 3번 출구에서 나가지 않고 4번 출구를 향해 이동하고 있었다. 이에 관해서는 사고 후, 관제사와 팬암기 승무원과의 소통에 문제가 있어서 팬암기 승무원이 3을 4로 잘못 알아들었다거나 3번 출구로 나가기 위해서는 148도로 선회해야 하는데 보잉 747이 유도로 주행 중 148도를 회전하기가 어렵기 때문에, 4번 출구로 나가려 했다는 등 여러 가설이 나왔다.

활주로 끝 B 지점에서 이륙 준비를 마친 KLM기의 판 잔턴 기장이 관제탑의 이륙 허가가 떨어지기 전에 엔진 출력을 올리고 활주로를 질주하기 시작했다. 이때 부기장이 이륙을 허가받지 않았다고 말했는데, 기장은 부기장에게 퉁명스럽게 관제탑에 알아보라는 말만 하고 비행기의 속도를 높였다. 부기장이 급하게 관제탑에 이륙하고 있다고 보고하는데, 이 교신을 들은 팬암기의 부기장이 관제탑에 아직 팬암기가 활주로에서 이동 중이라고 알렸다. 관제탑은 바로 KLM기에 대기하라고 응답했다. 그런데 이 과정에서 전파간섭이 일어나서 KLM기는 정확히 듣지 못했다. KLM기의 이륙 사실을 모르는 채 관제탑에서는 몇 초 후 팬암기에 활주로에서 벗어났는지 물어봤다. 팬암기의 부기장은 활주로를 벗어나면 보고하겠다고 응답했다. 이 교신 내용을 들은 KLM기의 항공기관사가 기장에게 팬암기가 아직 활주로에 있다고 하지 않았느냐고 기장에게 두 번이나 다급하게 물었는데, 기장은 이를 무시하고 이륙 절차를 계속 진행했다. 항공기관사는 더 이상 이륙 진행을 막지 못했고, 결국 KLM기는 4번 출구로 이동 중이던 팬암기의 동체와 충돌하고 말았다.

사고 조사 결과에 따르면, 사고의 가장 큰 원인은 KLM기의 판 잔턴 기장이 관제탑의 승인 없이 비행기 이륙을 시도했기 때문인 것으로 드러났다. 특히 기장이 KLM의 근무 규정을 준수해야 한다는 압박감에 쫓겼고, 기상이 더 나빠지기 전에 출발하려고 조급했다는 것이다. 갑작스럽게 짙어진 안개로 인해 시계가 좋지 않아서 관제탑과 두 대의 항공기가 상호 이동상태를 눈으로 확인할 수 없었다거나, 전파간섭 등으로 인해 소통에 문제가 발생한 것도 주요한 원인 중의 하나로 지적받았다. KLM기가 암스테르담까지 비행할 연료를 가득 채우는 바람에 항공기 중량이 무거워져서 KLM기의 이륙을 위한 활주 길이가 길어졌고, 충돌 후 가득 찬 연료가 크게 폭발해서 승객들이 몰사하는 원인이 되기도 했다.

회사 광고에 등장할 만큼 유능하고 경험 많은 베테랑 기장이 근무 규정에 쫓겨 공항에 안개가 가득 차서 앞노 세대로 볼 수 없는 상황에

아픔을 딛고 안전 사회로

서 관제탑의 승인도 얻지 않고, 부기장과 항공기관사의 의견 제시도 무시하고 독단적으로 이륙을 감행하다 역대 최악의 항공 참사를 일으킨 것이다.

이와 달리 부기장의 복행 시도를 기장이 저지해서 발생한 사고도 있다. 1990년 11월 14일, 이탈리아 밀라노 리나테(Milan Linate) 공항에서 스위스 취리히 국제공항으로 향하던 알리탈리아(Alitalia) 항공 404편이 취리히 공항 근처의 산에 추락해 6명의 승무원을 포함해 탑승객 46명 전원이 사망한 사고가 발생했다.[41] 기장의 계기판에 고도가 현재 높이보다 1,000피트(304.8미터) 정도 높게 표시되어, 실제보다 1,000피트만큼 낮은 위치에서 사고 지역에 소나기가 내려 시계가 좋지 않은 상태에서 착륙을 위해 하강하다 지면에 부딪힌 것으로 조사 결과 밝혀졌다. 부기장의 ILS 수신기는 제대로 작동하고 있어서 부기장이 착륙을 포기하고 복행(復行, go-around)을 시도했는데 기장이 저지했다. 베테랑 기장이 부기장을 신뢰하지 못해 복행을 취소하고 말았는데, 사고 조사관들은 이때 복행이 실행되었다면 참사를 막을 수 있었을 것이라고 했다.

2005년도에 건설교통부가 발간한 '항공사고 사례연구'[33]에 따르면, 항공기 사고원인의 60%가 운항 승무원의 인적 요인과 관련되어 있고, 항공기 결함, 기상악화, 정비 불량, 기타 순으로 사고에 영향을 미친다고 나타났다. 특히 운항 승무원들의 기본절차 위반, 부기장의 불충분

---

41) 항공사고 수사대 시즌 18에 'Deadly Inclination(죽음으로의 하강)'이라는 제목으로 2018년 6월 22일 방영

한 교차 점검(Cross Check)이 주요 인적 오류의 원인으로 제시되었다. 앞의 두 사고 사례에서도 부기장이나 항공기관사 등의 의견을 기장이 무시한 것이 사고의 주요 원인 중의 하나로 언급되었지만, 이로 인한 사고는 우리나라 국적 항공기라고 예외가 아니다.

1997년 8월 6일 괌 국제공항에서 'KE 801편 추락사고'가 일어났다. 서울 김포공항을 출발하여 미국령 괌의 안토니오 B. 원 팻(Antonio B. Won Pat) 국제공항[42]으로 향하던 KE 801편은 천둥 번개가 치는 악천후 속에서 공항에 접근하던 중 공항 근처의 니미츠힐(Nimitz Hill)에 부딪히면서 225명이 사망하고 29명이 부상하는 대형 참사가 발생했다. 우리나라 국적 항공기의 사고 중에 희생자가 두 번째[43]로 많았던 이 사고는 괌 국제공항의 시설 미비와 기상악화, 그리고 조종사의 인적 오류가 겹쳐 발생하였다.[36]

KE 801편 사고를 이해하기 위해, 비행기의 계기에 의한 착륙 개념을 먼저 살펴본다. 계기에 의한 착륙은 항공기가 안전하게 착륙할 수 있도록 지상에서 항공기에 수평 방향과 수직 방향의 정보를 모두 제공하는 경우와 수평 방향 정보만 제공하는 경우로 나뉘는데, 전자를 정밀 접근(Precision Approach) 방식, 후자를 비정밀 접근(Non-precision Approach) 방식이라고 한다. 정밀 접근 방식에서는 ILS(Instrument Landing System)가 대표적으로 쓰이고 그 외에 MLS(Microwave Land-

---

42)   괌 국제공항 또는 괌의 지명인 아가나(Agana) 국제공항으로 불림
43)   가장 희생자가 많았던 항공사고는 1983년 9월 1일 발생한, K 항공 107편 격추 사건으로, 당시 소련 요
      격기에 격추당해 승객과 승무원 269명 전원이 사망[34][35]한 사건

아픔을 딛고 안전 사회로

ing System) 등의 방법이 있다. 정밀 접근 방식의 ILS 방식에서 수평 방향의 정보는 로컬라이저(Localizer)가 담당하고, 수직 방향의 정보는 글라이드 슬로프(Glide Slope)가 담당한다. 비정밀 접근 방식에서는 초단파 전방향 지시계(VOR, VHF Omnidirectional Range) 등이 사용되는데, VOR 지상국은 자북(磁北)으로 맞추어져 있어, 항공기에 방위를 알려준다. 거리 측정 장치(DME, Distance Measuring Equipment)와 같이 설치된 것을 VOR/DME라고 하고, 방위와 거리 정보를 모두 제공한다.[37] 이외에 잘못된 고도로 하강할 때 경고하는 마커 비콘(Marker Beacon)과 진입등(ALS, Approach Lighting)이 있다.

〈표 2-6〉 계기 착륙 구분

구분	방식	제공 정보	장치
정밀	ILS MLS 등	수평	로컬라이저
		수직	슬라이드 슬로프
비정밀	VOR 등	수평	VOR/DME

정밀 접근에서는 '결심고도(DH/DA, Decision Height/Altitude)'를 사용하고, 비정밀 접근에서는 '최소하강고도(MDA, Minimum Descent Altitude)' 또는 '최소결심고도(MDH, Minimum Decision Height)'를 사용한다. 결심고도는 항공기가 정밀 접근할 때, 시각 참조물이 보이지 않으면 실패 접근(Missed Approach)으로 판단하여 착륙을 포기하고 기수를 올려야 하

는 고도를 말한다. MDH/MDA는 역시 비정밀 접근에서 시각 참조물이 보이지 않는 상태에서 하강할 수 있는 최저고도를 뜻한다. 즉, 이 높이까지 하강하였을 때 활주로 진입등이 보이지 않으면 착륙을 포기해야 한다는 뜻이다.

KE 801편의 사고가 발생한 괌 국제공항을 시설 측면에서 살펴보면, 최저안전고도경보시스템(MSAW, Minimum Safe Altitude Warning)이 다른 공항과 달리 공항에서 80㎞ 떨어진 해상에 설치되어 있었다. 이 장치는 ILS 외에 통상 공항 관제탑 주변의 레이더에 설치돼 항공기가 정상 고도 이하로 지상에 접근하면 항공기에 추락 위험을 경고하여 사고를 예방하는 시스템이다. 따라서 괌 국제공항에서는 활주로에서 80㎞ 떨어진 지점을 통과해 섬의 산이 있는 구간을 통과하면서 활주로에 접근할 때는 이 장치의 도움을 받을 수 없었다. 여기에 사고 당일에는 ILS 장비인 글라이드 슬로프도 고장 나 있었다. 따라서 기상이 나빠 앞이 안 보이는 상황에서 비정밀 접근 방식으로 착륙해야 하는 상황이었다. 더욱이 VOR/DME 시설마저 다른 공항과 달리 활주로 끝에 설치되어 있지 않고, 괌 국제공항은 활주로에서 약 4.8㎞ 떨어진 곳에 설치되어 있었다.

〈그림 2-5〉는 필자가 이해를 돕기 위해 자료를 참고해서 그린 그림이다. 사고 후 분석한 조종실 음성녹음기록(CVR, Cockpit Voice Recorder)을 보면, 기장은 글라이드 슬로프가 고장 난 사실과 VOR/DME의 위치가 활주로에서 떨어져 위치해 있다는 사실을 인지하고 있었다. 관제탑은 충돌 약 3분 전, 글라이드 슬로프의 고장 사실을 알렸

아픔을 딛고 안전 사회로

다. 그런데 바로 항공기관사와 기장의 계기판에 글라이드 슬로프 신호가 잡히는 것으로 나타났다. 사고 2분 전 기장이 "글라이드 슬로프 오늘 상태가 안 좋으니까, 천사백사십을 지켜야 하니까, 셋트하시고"라고 지시한다. 글라이드 슬로프가 고장 난 사실을 인지하고, 비정밀 접근으로 착륙하면서 니미츠힐에 도착하기 전에 최소하강고도(MDA)를 1,440피트에 맞추도록 지시한 것이다.

<그림 2-5> 괌 국제공항 진입 개요도

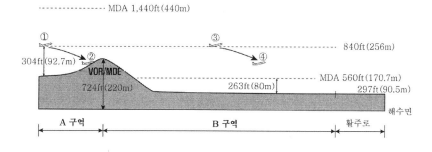

그리고 충돌 53초 전에 기장이 다시 "오백육십 피트 셋트"를 지시한다. 이 수치는 <그림 2-5>를 보면, 니미츠힐의 VOR/DME를 지나서 활주로까지의 B 구역의 MDA를 560ft로 맞추라는 지시다. 항공기가 아직 니미츠힐을 통과하지 않았는데, 이 구간을 지나 B 구역에서 활주로로 진입하고 있다고 착각한 것이다. 충돌 40초 전 GPWS가 지면까지의 거리가 1,000ft 남았음을 알린다. 여전히 악천후 속에서 활주로의 접근등이 안 보이는 상태다. 기장이 다시 "글라이드 슬로프 안 되

나?"라고 묻고 와이퍼를 켜도록 지시한다. 이때 기장은 니미츠힐을 지나 B 구역에 들어와 있는데도 여전히 활주로가 보이지 않으니까, 답답한 마음에 고장 난 글라이드 슬로프가 작동되지 않는가 혼잣말하면서 와이퍼를 켜도록 지시한 듯하다.

항공기관사가 와이퍼를 켰는데도 활주로가 안 보였다. 부기장이 와이퍼 작동 11초 후에 "안 보이잖아?"라고 말한다. 그리고 그때 GPWS가 다시 지면까지의 거리가 500피트라고 알린다.[44] 다시 12초가 지나가고 충돌 14초 전에 기장은 "온 코스"라고 정상 운항 중이라고 말했는데, 2초 뒤, 즉 충돌 12초 전에 GPWS가 "미니멈, 미니멈"을 경고한다. 이때 항공기의 실제 위치가 〈그림 2-5〉의 ① 지점이다. 해발고도 840피트였고, 지면과의 고도 차이는 304피트였다. 그런데 승무원들은 항공기가 ③지점에 있는 것으로 착각했다. 기압고도계[45]에 현 고도가 840피트로 나타나니까 B 구역의 MDA 560피트까지 아직 여유가 있다고 판단했을 수도 있다. 다시 3초가 지나고 GPWS가 하강 속도가 빨라진 것을 경고했는데, 부기장은 문제없다고 응답한다. 충돌 5초 전 항공기관사가 전파고도계상 지면과의 높이가 200피트임을 보고했고, 부기장이 "Missed Approach 합시다"라고 '실패 접근'을 인정하고 복행할 것을 요청한다. 항공기관사도 "안 보이잖아"라고 말하고, 다시 부기장이 "안 보이죠. Missed Approach"라고 말하면서 항공기관사와 기장

---

44)   GPWS는 지표면을 기준으로 항공기의 고도를 측정·표시하는 전파고도계(radio altimeter)에 근거하여 항공기와 지표면의 고도차를 알림

45)   기압고도계(barometric altimeter)는 해수면을 기준으로 항공기의 고도를 표시

아픔을 딛고 안전 사회로

도 "Go Around"를 복창하였는데 이미 늦고 말았다. 2~3초도 안 지나서 충돌음과 함께 항공기는 ② 지점에 추돌하고 만다.[38]

미국연방교통안전위원회(NTSB, The National Transportation Safety Board)의 조사 보고서[39]는 괌 국제공항에서 MSAW가 공항 근처가 아닌 80㎞나 떨어진 곳에 설치되어 있었던 것도 사고의 원인으로 지목하고 있지만, 기장이 피로 때문에 비정밀 접근 방식의 착륙을 제대로 수행하지 못했다고 지적한다. 조종실 녹음기록(CVR)에 따르면, 충돌 약 20여 분 전에 기장이 "졸린다"라는 말을 한 것으로 나타난다. 항공기가 괌에 도착한 게 한국 시간으로 자정이 지난 시간이라 평상시 기장의 취침 시간에 비해 몇 시간 늦었는데, 평소 같으면 잠자리에 들었을 기장이 피곤을 못 이겨 제 기능을 못 했다고 추정했다.

그리고 중요한 사항으로 부기장과 항공기관사 등이 기장의 조종을 제대로 모니터링하고 교차 점검(cross-check)하지 못했다는 점을 지적하고 있다. NTSB는 GPWS의 미니멈 경고가 승무원들이 항공기의 위치에 대해 의문을 품고 안전을 고려해서 복행을 시도할 수 있는 가장 중요한 기회였다고 지적한다. 충돌 6초 전에 부기장과 항공기관사가 적절하게 '실패 접근'을 인정하고 복행할 것을 기장에게 요구했지만, 조종간을 쥔 기장이 이에 적절하게 대응하지 못했는데, 부기장이 직접 조종해서 기장의 잘못을 바로잡지 못하고 귀중한 3~4초를 흘려보내 사고로 이어졌다고 지적하고 있다. 만약 부기장이 그때라도 직접 복행했다면 가까스로 사고를 면할 수 있었다는 것이다.

<table>
<tr><th>(00분 00.00초)</th><th>구분</th><th>녹음 내용</th></tr>
<tr><td>21 13</td><td>기장</td><td>어… 정말로… 졸려서…</td></tr>
<tr><td>40 37</td><td>기장</td><td>glide slope가 오늘 상태가 않좋으니까, 천사백사십을 지켜야 돼니까, 셋트하시고,</td></tr>
<tr><td>41 33</td><td>기장</td><td>오백육십 피트 셋트</td></tr>
<tr><td>41 42</td><td>GPWS</td><td>one thousand.</td></tr>
<tr><td>41 46</td><td>기장</td><td>glide slope 안돼나?</td></tr>
<tr><td>41 48</td><td>기장</td><td>wiper on</td></tr>
<tr><td>41 49</td><td>항공기관사</td><td>yes, wiper on</td></tr>
<tr><td>41 59</td><td>부기장</td><td>않보이 잖아?</td></tr>
<tr><td>42 00</td><td>GPWS</td><td>five hundred</td></tr>
<tr><td>42 14.13</td><td>GPWS</td><td>minimums minimums.</td></tr>
<tr><td>42 17.15</td><td>GPWS</td><td>sink rate.</td></tr>
<tr><td>42 18.17</td><td>부기장</td><td>sink rate, okay.</td></tr>
<tr><td>42 19.47</td><td>항공기관사</td><td>two hundred</td></tr>
<tr><td>42 19.47</td><td>부기장</td><td>missed approach 합시다</td></tr>
<tr><td>42 20.56</td><td>항공기관사</td><td>않보이 잖아</td></tr>
<tr><td>42 21.07</td><td>부기장</td><td>않보이죠. missed approach</td></tr>
<tr><td>42 22.18</td><td>항공기관사</td><td>go around</td></tr>
<tr><td>42 23.07</td><td>기장</td><td>go around</td></tr>
<tr><td>42 25.78</td><td></td><td>sound of initial impact</td></tr>
</table>

〈표 2-7〉 조종실 녹음 기록(필요 부분 발췌, 중간 생략, 오자 미수정)[38]

기장의 실수를 부기장이 지적하거나 직접 조종해서 실수를 바로잡는 행위를 '챌린지(challenge)'로 쓰는데, '이의를 제기하다'라는 뜻도 있지만, '도전하다'라는 의미도 있다. ㄱ 상내방이 상사일 성우에는 사짓

대들거나 속말로 '개기는' 모습이 되니 부기장 처지에서는 쉽지 않았을 것이다. 위급한 상황에서도 '사회적 처신' 때문에 선뜻 시도하지 못하고 머뭇거렸을 수 있다. 어떻든 정확한 이유를 알 수는 없지만, 부기장과 항공기관사가 기장의 조종 과정을 관찰하고 실수가 있을 때는 이의를 제기해서 바로잡는 일에 실패한 것이 사고의 한 원인이라고 지적하였다. 다만 이와 같은 일은 항공사고에서 꽤 잘 알려진 흔한 일이리고 밝히고 있다. NTSB의 조사에 따르면 미국에서 발생한 항공사고 중의 80%가 기장이 조종하고 부기장이 모니터링할 때 발생하였고, 그 반대의 경우는 20%에 불과하였다. 이는 기장이 조종할 때 부기장이 기장의 실수에 챌린지를 못 해서 사고가 발생하는 경우가 많기 때문이다. 특히 부기장이 기장의 결정이 잘못되었다고 판단하거나, 어느 시점에 기장에게 챌린지를 해야 할지 난난하는 데 어려움을 겪는다고 한다. 부기장이 기장의 결정에 챌린지하는 것이 기장의 권위에 직접적으로 도전하는 것으로 보일 수 있다는 우려 때문이다.

말콤 글래드웰이 지은 『아웃라이어』라는 책에도 이에 관한 얘기가 나온다. 글래드웰은 글라이드 슬로프의 고장, 기상악화, 기장의 피로보다 부기장과 항공기관사가 기장의 실수에 대해 챌린지하지 못한 게 사고의 가장 큰 원인이라고 한다. 항공기관사가 여러 번에 걸쳐 말했는데도 과로에 지쳐 있던 기장이 이를 경청하지 않았던 배경에 네덜란드의 사회심리학자 홉스테데(Geert Hofstede)가 제시한 '권력 거리지수(PDI, Power Distance Index)'가 있다고 지적한다.

홉스테데는 1960~70년대 IBM의 자회사 직원을 표본으로 국가별 문화적 차이를 비교했는데, PDI는 그 차이를 나타내는 지수 중의 하나다. PDI 값이 클수록 상사 등 권력자에게 반론을 제기하는 것이 어려움을 의미한다. 옳고 그름보다 사회적 처신이 더 중요한 사회로, 이런 사회에서는 준법 감시도 어렵고 혁신도 쉽지 않다. 그런데 이 PDI 값을 항공기 조종사를 상대로 다시 조사한 연구가 1996년도에 진행되었는데, 그 결과 우리나라 조종사의 PDI 값이 브라질에 이어 2위로 나타났다.[40][41] 그리고 이렇게 먼 권력 간격으로 인해 부기장이나 항공기 관사가 기장의 실수를 직접 지적하지 못하고 우회적으로 돌려서 말하면서, 비바람 속에서 글라이드 슬로프도 고장 난 공항에 항공기를 착륙시켜야 하는, 피곤함에 지친 기장에게는 제대로 전달되지 못했다는 것이다. 이후 항공사는 이런 점을 고려해서 영어로만 소통하게 하는 등 위계질서를 없애고 조종의 권한을 동등하게 나눠 최근에는 이와 같은 유형의 사고가 발생하지 않도록 했다.[36][41]

인적 오류에는 개인의 실수뿐만 아니라 한 나라의 문화적 요소에 이르기까지 다양한 원인이 있음을 보여준 사례라고 할 수 있다.

이와 같이 인적 오류에 기인한 사고에 대해 혹자는 기계나 컴퓨터로 사람의 실수를 보완하면 되지 않느냐고 반문할 수 있다. 맞는 말이다. 그럴 수 있다. 그러나 그 경우에도 모든 사고가 예방되는 건 아니다. 2008년 10월 7일 호주의 콴타스 항공 72편은 싱가포르 창이 국제공항을 출발해서 호주의 퍼스 국제공항으로 운항 중이었다. 그런데 갑자기 두 번이나 급강하해서 안전벨트를 매지 않은 승객 등 119명의 승객과 승무원이 다치는 사고가 발생했다. 사고원인은 항공기의 사세, 위치 등

아픔을 딛고 안전 사회로

을 제공하는 컴퓨터시스템의 오류로 밝혀졌다. 기계와 컴퓨터의 갑작스러운 오류에 사람이 대처하는 데는 한계가 있다. 콴타스 항공은 그나마 다행히 추락하지 않고 지상에 착륙하는 데 성공했지만, 때로 대형 참사로 이어지기도 한다.

인적 오류에 의한 사고는 비단 항공사고에만 국한되지 않는다. 1999년 3월 24일, 프랑스와 이탈리아를 연결하는 연장 11.4km의 몽블랑(Monc Blanc) 터널 중간 지점에서 밀가루와 마가린을 적재한 트럭에 불이 났는데, 이탈리아의 터널관리소에서 훈련 부족으로 연기를 제거하는 팬(fan)을 반대 방향으로 회전시켜 오히려 화염에 공기를 공급하는 바람에 화재가 더 커져서 41명이 사망하고 27명이 부상한 사고가 발생하기도 했다. 2016년 2월 9일, 독일 바이에른주에서는 통근 열차두 대가 정면충돌해서 기관사 4명과 승객 7명이 죽고 85명이 다치는 사고가 일어났는데, 그 원인은 신호등 제어시스템을 관리·통제하는 배차원이 스마트폰 게임에 빠져 신호를 잘못 작동하였기 때문이다. 한국내 연구에 따르면 제조업의 주요 사망사고 원인은 지게차로, 운반작업에서는 전·후진할 때 시야 확보가 안 되는 게 가장 큰 인적 오류가 발생하는 원인으로 나타났다.[42] 인적 오류는 이처럼 분야를 가리지 않고 다양한 모습으로 사고를 일으키는 원인이 된다.

고용노동부 간부가 사람이 실수하거나 기계가 고장 나도 사람이 죽지 않게 만들어야 한다는 말이 얼마나 황당한 말이었는지 앞의 사고들을 보면 알 수 있다. 인적 오류에 대해 조금 더 상세히 알아본다.

인적 오류

호주 뉴캐슬대학의 신뢰성공학 전문가 멜처스(Melchers, R.E.) 교수
가 저술한 『구조물의 신뢰성 해석과 예측』이라는 책[43]에 시설물[46]의
안전을 위협하는 여러 위험(risk)에 대해 잘 정리되어 있는데, 특히 사
람과 관련된 인적 오류(human error)와 이를 줄이기 위한 대응[47]과 관
련한 설명이 눈에 띈다.

인적 오류는 기계와 달리 사람에게는 본질적으로 변동성이 존재하
기 때문에 이에 따라 일상적으로 발생하기도 하고, 때로는 아주 중요
한 것을 무시하거나 간과해서 심각한 사고로 이어지기도 한다.

〈표 2-8〉 인적 오류의 구성 요소와 발생 비율

인적 오류 구성 요소	비율(%)
무지(ignorance), 부주의(carelessness), 무시(negligence)	35
망각(forgetfulness), 오류(errors), 실수(mistakes)	9
관리가 충분하지 않은 상태로 타인에게 의존 (Reliance upon others without sufficient control)	6
영향에 대한 과소평가(Underestimation of influences)	13
불충분한 지식(Insufficient knowledge)	25
객관적으로 모르는 상황(Objectively unknown situations)	4
기타(Remaining)	8

---

46) 중대재해처벌법상 중대시민재해에 해당되는 공중이용시설에는 도로와 철도의 교량·터널, 항만의 갑
문, 방파제·호안, 댐, 건축물 등의 다양한 시설물이 포함됨

47) 원본에는 'human intervention'으로 인간의 개입, 관여 정도로 번역할 수 있는데 이해를 돕기 위해
'대응'으로 표현

아픔을 딛고 안전 사회로

인적 오류의 대표적인 유형과 발생 비율을 <표 2-8>과 같이 제시하고 있는데, '무지·부주의·무시' 등에 의한 인적 오류가 제일 자주 발생한다. 그다음이 '지식의 부족', '영향에 대한 과소평가' 등으로 나타나고 있다. 시설물사고 역사를 보면 대부분 인적 오류가 연루되어 있는데, 여전히 인적 오류에 대한 이해가 부족하고 그나마 거의 정성적인 것에 그친다.

인적 오류를 줄이기 위해 다양한 방법이 동원되는데, 예로 교육, 환경 개선, 단순화, 중복 점검, 법적 제재 강화 등을 들 수 있다. 특히 지속해서 전문적인 직업 교육을 시행하는 것이 중요하고, 구성원들 간에 열린 마음으로 인적 오류를 유발할 가능성이 있는 불확실한 요소들을 찾아 공유할 수 있는 조직문화 등 업무환경도 중요하다. 실수하기 쉬운 복잡한 일을 단순화하여 인적 오류를 줄이기도 한다. 체크리스트를 만들고 표준화를 도모하는 것도 방법이다. 표준화 과정에서 인지되지 못한 오류는 아예 고착화할 우려도 있다. 업무를 가장 적합한 사람에게 맡기는 것도 실수를 줄이는 방법이지만, 때로는 조직 내부의 역학 관계 때문에 그렇지 못한 경우가 발생하기도 한다.

눈길을 끄는 것 중의 하나는 인적 오류를 막기 위해 자체적 또는 외부에 맡겨서 이중·삼중으로 중복 점검을 시행하는 경우가 많은데, 중복 점검을 여러 번에 걸쳐 시행한다고 해서 모든 오류가 다 발견되어 치유되는 게 아니라는 것이다. 중복 점검으로 오류를 찾아낼 수 있는 비율이 30~90% 정도이고, 아주 좋은 환경에서 잘 훈련된 검사자가 육안으로 간단하게 점검할 때도 75% 정도에 그친다. 당연하지만, 연구 결과 점검 시간이 길수록 오류를 찾아낼 가능성도 커지는 것으로 확인됐는데, 이는 결국 비용으로 연결된다. 시간이 길어질수록 돈이 많이 들어가게 마련이다. 그리고 점검효율을 높게 만들어도 큰 실수를 찾아내는 비율이 85%에 수렴하는 것으로 나타났다. 이는 점검을 여러 번 반복적으로 시행해도 모든 인적 오류를 완벽하게 걸러내기는 어렵다는 것을 의미한다.

중대재해처벌법과 관련해서 가장 의미 있는 부분은 인적 오류를 줄이기 위해 법적 제재를 강화하는 경우다. 법에 따른 제재에 대한 두려움은 때로 인간의 행동을 촉진하기도 하고 억지하기도 하는 역할을 한다는 점을 이용해서 법적 제재를 통해 인간의 잘못을 억지할 수 있다는 믿음이 꽤 깊게 자리 잡고 있다. 그러나, 이런 법에 따른 제재는 '사전에 계획된 범죄'[48)]에 대해서 효과가 있고, 우리 주변에서는 거의 발생하지 않는 범죄일수록 탁월한 효과를 보인다고 한다.

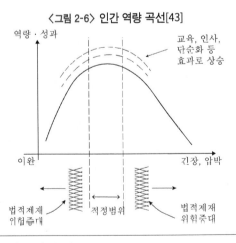

〈그림 2-6〉 인간 역량 곡선[43]

---

48)   원문에서 'premeditated crime'

아픔을 딛고 안전 사회로

인간은 〈그림 2-6〉에서 보는 것처럼 경각심이 적정한 상태일 때 최고의 역량을 발휘하고 성과도 좋은 것으로 알려져 있다. 경각심이 너무 높거나 너무 낮은 상태에서는 역량이 저하된다. 그 경계는 불확실하지만, 법적 제재도 너무 약하거나 강해도 위험이 커진다. 〈그림 2-6〉의 점선으로 표시된 곡선은 교육이나 적정한 인사, 단순화 등을 통해 사람의 역량을 증진할 수 있음을 나타낸다.

정부는 이미 2019년 1월 15일 산안법 전부개정을 통해 사업주의 처벌 규정을 강화하였는데, 이 개정법이 2020년 1월 16일 시행되고 채 일 년도 지나지 않아서 경영책임자에게 가혹한 형벌을 부과할 수 있는 중대재해처벌법을 제정·공포하였다. 그리고 전술한 대로 정부는 혹독하게 경영책임자를 다루겠다는 의지를 표명하면서 긴장감을 높이고 있는데, 이렇게 법적 제재를 상하게만 밀어붙이는 것이 적정한지는 두고 볼 일이다. 재난·사고나 산재의 상당수가 인적 오류로 인해 발생한다는 점을 고려하면 그 효과는 의심스럽다.

인적 오류가 초래한 교량 붕괴

영국의 유명 구조 엔지니어 퍽슬리(A.G. Pugsley) 브리스톨대학 교수는 시설물이 구조적으로 사고에 취약해지는 주요 인자를 〈표 2-9〉와 같이 제시하고 있다.[44]

〈표 2-9〉 시설물의 사고에 영향을 미치는 요소[44]

연번	취약 요소
1	**새롭거나 익숙하지 않은 자재**(New or unusual materials)
2	**새롭거나 익숙하지 않은 시공법** (New or unusual methods of construction)
3	**새롭거나 익숙하지 않은 구조물 형식**(New or unusual types of structure)
4	설계와 시공 팀의 **경험과 조직** (experience and organisation of design and construction teams)
5	연구·개발 환경(research and development background)
6	**재정적 여건**(financial climate)
7	산업적 여건(industrial climate)
8	**정치적 여건**(political climate)

그 한 예로, 미국의 타코마교(Tacoma Narrows Bridge) 붕괴사고를 들 수 있다. 미국 워싱턴주 북서부의 퓨젯 해협을 가로질러 건설된 타코마교는 개통한 지 불과 넉 달만인 1940년 11월 17일, 오전 11시경에 무너졌다. 타코마교는 〈그림 2-7〉과 같은 현수교 형식으로 건설되었다. 미국은 1900년대 들어 뉴욕의 윌리엄스버그교를 비롯해 현수교를 많이 건설했다. 현수교는 그림에서 보듯이 다리 양측에 주탑을 설치하고 차량이 다니는 상판을 케이블에 매단 교량 형식으로 교사(橋脚) 낫사가

아픔을 딛고 안전 사회로

적어 넓은 해협을 건너기에 가장 적합한 교량 형식이기 때문이다.

그런데 당시의 교량 엔지니어들에게는 주탑과 주탑 사이의 간격(span)을 더 길게 만들어 상판을 날렵하게 만드는 게 유행처럼 번졌다. 이는 물살이 빠른 해협에 주탑이나 교각을 설치하기 위한 기초공사를 하는 게 위험하기도 했고, 비용도 많이 들어서 가능한 기초공사를 줄이고 길게 만드는 게 미적으로도 날렵하고 경제적이었기 때문이다.

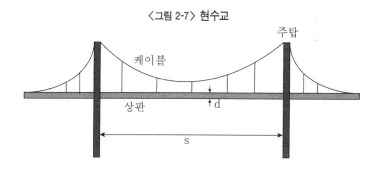

〈그림 2-7〉 현수교

상판이 얼마나 날렵한지 보여주는 수치가 〈그림 2-7〉에서 보면 상판의 두께와 주탑과 주탑 사이의 거리 비율, 즉 d:s 값이다. 1903년도에 건설된 윌리엄스버그교의 값이 1:40인데 1909년도에 건설된 맨하탄교는 1:54이고, 1931년도에 건설된 조지워싱턴교는 1:120, 1937년도에 건설된 금문교가 1:168이다. 불과 30여 년 만에 그 비율이 약 네 배가 될 정도로 교량이 날렵해지고 있었다. 여기에 무너진 타코마교는 다시 두 배로 늘어나 그 비율이 1:350에 이르렀다. 〈그림 2-8〉은 붕괴 전의 타코마교 모습이다.

〈표 2-10〉 미국 현수교의 d:s 변화 이력

건설연도	교량명	d:s 비율
1903	윌리엄스버그교	1:40
1909	맨하탄교	1:54
1931	조지워싱턴교	1:120
1937	금문교	1:168
1940	타코마교	1:350

〈그림 2-8〉 붕괴 전의 타코마교

　문제는 전혀 예기치 않았던 데서 발생하였다. 교량 엔지니어들은 그 비율이 어느 임계점을 넘어서면 '바람'에 취약해진다는 것을 몰랐다. 당시 이 교량은 시속 190㎞(초속 53m)의 강풍에 견딜 수 있도록 설계했는데, 불과 시속 63㎞(초속 17.7m)의 풍속에도 견디지 못하고 다리 전체가 숨수붓 흔들리나가 삽사기 부녀시고 발났다. 이는 바람에 의한 '빌산

　　　　　　　　　　　아픔을 딛고 안전 사회로

(発散) 진동'이라는 현상인데, 당시의 교량 엔지니어들은 이 현상에 관해 전혀 모르고 있었다.

<그림 2-9> 붕괴 직전

<그림 2-10> 붕괴 순간

타코마교의 붕괴 모습은 지금도 유튜브를 통해 동영상으로 생생하게 볼 수가 있는데, 타코마시에서 사진점을 운영하던 엘리엇(Barney Elliott)과 몬로(Harbine Monroe)라는 사진사가 촬영한 영상이다. 다행히 사고로 인해 차에 두고 내린 강아지만 피해를 보았을 뿐 인명피해는

없었다. 이 차를 운전하던 사람은 공교롭게도 이 교량의 설계에 관여했던 워싱턴대학교 교수였는데, 바람에 다리가 심하게 흔들리자 차를 두고 피신했는데 예민해진 강아지가 물려고 해서 부득이 두고 내렸다고 한다.

이 사고 이후로 '바람의 영향'에 대한 연구가 빠르게 진행되어 이 같은 형식의 교량은 설계 과정에서 모형을 만들어놓고 바람의 영향을 실제 시험해보는 '풍동(風洞)시험(wind tunnel test)'이라는 것을 시행하도록 규정하고 있다.

이처럼 자연현상에 대한 '무지(無知)'에서 비롯된 사고는 비단 오래전의 일만은 아니다. 영국 런던의 템즈 강에 2000년에 21세기의 시작을 기념하기 위해 건설한 '밀레니엄 보도교(London Millennium Foot-bridge)'가 개통하자마자 좌우로 심하게 흔들려서 개통 이틀 만에 폐쇄하는 일이 발생하였다.

<그림 2-11> 밀레니엄교

아픔을 딛고 안전 사회로

〈그림 2-12〉 흔들림 원인

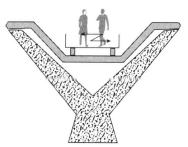

횡방향 진동
(진폭 7cm)

이번에는 타코마교처럼 붕괴하지는 않았지만, 영국에서도 처음에는 다리가 흔들리는 이유를 몰랐다. 조사 결과, 개통식에서 한꺼번에 보행자들이 많이 모여 교량 위를 걸어갈 때 조금씩 옆 방향으로 힘을 주게 되는데, 이 때문에 교량이 횡방향으로 흔들리게 되고 그 흔들림을 느낀 군중들이 그 흔들림과 반대 방향으로 스텝을 맞춰 걸으면서 마치 그네처럼 점점 더 진동이 확대되어 좌우로 크게 흔들리는 현상이 생긴다는 것을 알게 되었다. 〈그림 2-12〉처럼 바람이 아니라 보행 군중의 걸음으로 인해 교량이 좌우로 흔들릴 수 있다는 사실을 교량 엔지니어들이 비로소 알게 되었다. 런던의 밀레니엄교는 보수 작업을 진행해서 교량의 흔들림을 없애고 2년 뒤에 다시 개통하였다.

이와 같은 현상은 서울에서도 일어났다. 한불수교 100주년 기념하여 프랑스 건축가가 설계한 선유교 '무지개다리'가 영국의 밀레니엄교보다 1년 반 정도 뒤인 2002년 5월에 개통되었는데, 이 다리에서도 보행 군

중에 의해 흔들리는 현상이 발생하였다. 국내와 프랑스 기술진이 점검한 후 영국과는 달리 입장객 수를 제한하는 '입장 정원제'를 시행하고 계속 이용 중이다. 애초 최대 8,700명이 이용할 수 있도록 설계한 교량을 1,000명으로 제한하였다. 교량에 자동으로 진동을 측정하는 장치를 설치해서 다리가 흔들리면 "선유교는 흔들리게 설계된 다리입니다. 다리는 안전하니 안심하십시오"라는 안내문이 LED 전광판에 뜬다. 그런데 사실 따지고 보면 흔들리는 걸 미리 알고 설계한 것은 아니다.

<그림 2-13> 일반 사장교와 모란디교 형식

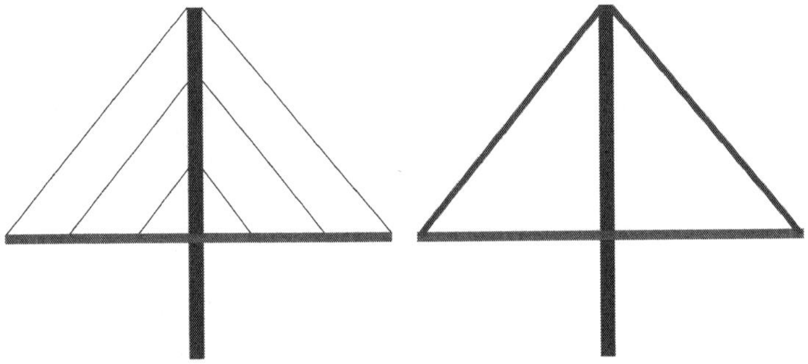

(a) 일반 사장교   (b) 모란디 교

앞의 사례들에서는 다행히 큰 인명피해는 없었지만, 지식과 경험이 충분히 축적되지 않은, 새롭거나 익숙하지 않은 일을 할 때 사람들은 실수하곤 한다. 이를 방지하기 위해 선진국들은 경험 없는 첨단기술을 처음 적용할 때는 이에 관련된 각종 위험 요소에 관해 사전에 모형실험을 시행한다. 이를 통해 엔지니어의 '지식과 경험의 불충분'으로 인

아픔을 딛고 안전 사회로

한 사고를 줄이고 있다. 그런데 사고 발생 시 가혹한 처벌만 강조한다면 엔지니어들이 혁신을 기피하고 기존에 경험이 많은 방식만 채택하거나 과도하게 안전 위주로 설계함으로써 위험을 회피하려 해 기술발전을 기대하기 어려워진다.

시설물안전법의 가혹한 처벌 규정

또 다른 사례로 2018년 8월 14일 붕괴한 이탈리아의 모란디교를 들 수 있다. 이 사고로 43명이 목숨을 잃었고, 16명의 부상자가 발생하였다. 1967년도에 건설된 사장교인 모란디교는 이탈리아 교량 설계자인 모란디(R. Morandi)의 작품이다. 〈그림 2-13〉처럼 주탑에 여러 개의 케이블을 걸어 상판을 지지하는 일반사장교와 달리 모란디교는 양측에 각각 하나씩의 케이블만으로 상판을 지지하고 있는 게 특징이다. 특히 통상 강선 다발로 만들어진 케이블과 달리 모란디교는 강선 다발이 콘크리트 속에 묻혀 있는데, 붕괴 후의 모습을 담은 〈그림 2-14〉에서도 이를 확인할 수 있다.

하나뿐인 이 케이블이 끊어지면 교량 전체가 예고 없이 순식간에 무너진다는 것이다. 모란디교는 교량 구조물을 지지하는 케이블이 콘크리트 속에 묻혀 있어서 케이블 부식 점검이 어렵다. 이 때문에 시칠리와 리비아 등에 건설된 모란디의 다른 사장교들은 모란디교가 무너지기 일 년 전에 잇따라 폐쇄되기도 하였다.

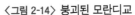

〈그림 2-14〉 붕괴된 모란디교

사고 발생 십여 년 전인 2006년도부터 모란디교의 교체 문제가 논의
되었다. 2012년 제노바 시의회가 주관한 공청회에서 교량 철거를 요구
한 이탈리아 산업총연맹 커피더스트리아(Confidustria)의 지역위원장
인 칼비니(G. Calvini)가 10년 안에 교량이 붕괴될 것이라고 경고했는
데, 집권당인 오성운동 창립자인 그릴로(B. Grillo)와 시민위원회는 헛
소리라고 비난하고 무시하였다. 2016년 7월 제노바대학의 브렌치치(A.
Grencich) 구조공학 교수가 다시 붕괴 위험을 경고하고 교량을 새로
건설하자고 주장했지만, 이도 묵살당했다.

아픔을 딛고 안전 사회로

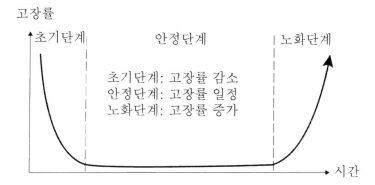

〈그림 2-15〉 욕조곡선

고장률

초기단계　　　안정단계　　　노화단계

초기단계: 고장률 감소
안정단계: 고장률 일정
노화단계: 고장률 증가

시간

　모란디교 붕괴사고 후에 호주 모나쉬(Monash)대학의 카프라니(C. Cap-rani) 교수는 특정 기관 또는 개인의 잘못으로 특정화하여 처벌하는 행위는 실제 이슈를 가리고 위험이 커지고 있는 실상을 호도하게 될 우려가 있다면서, 이미 이탈리아가 속칭 욕조곡선(bathtub curve)이라고 불리는 수명특성곡선상 사고가 증가하는 단계에 들어섰음을 지적하면서, 공공의 안전수준 유지에 필요한 예산 증액 등 대책을 마련할 것을 권고하였다.

　실제 이탈리아에서 2004년 이후 2018년까지 12개의 교량이 붕괴하였고, 약 300개의 교량이 붕괴 위험에 처해 있다고 한다. 또한 보도에 따르면, 모란디교의 붕괴에는 이탈리아의 3대 마피아 중 가장 세력이 큰 '엔드랑게타(Ndrangheta)'가 건설 당시부터 보수 과정에까지 개입하여 부실시공이 되었다는 '마피아 연관설'이 제기되기도 하였다.[45]

　모란디교의 붕괴에는 이처럼 다양한 인적 오류가 개입되어 있다. 여유가 없는 설계상의 오류, 교량 관리 부실, 교체 요구에 대한 정치인의 묵살, 노후화가 심각한 인프라 관리를 위한 예산의 절대 부족과 함께 마피아의 개입 등이 복합적으로 작용해서 일어난 참사다.

이와 같은 사고가 국내에서 발생하면 중대재해처벌법보다도 시설물안전법에 따라 더 가혹하게 처벌받을 수 있다. 시설물안전법 제63조에는 '안전점검·정밀안전진단·긴급안전점검 등을 소홀히 하여 시설물에 중대한 손괴를 야기하여 공공의 위험을 발생하게 한 자는 1년 이상 10년 이하의 징역에 처하고, 같은 죄를 범하여 사람을 사상(死傷)에 이르게 한 자는 무기 또는 5년 이상의 징역에 처한다'라고 되어 있다. 시설물이 손괴하여 사람이 다치거나 죽는 사고가 발생하면 중대재해처벌법보다도 훨씬 가혹하게 처벌받는다. 그렇다면 과연 이렇게 무거운 처벌조항이 시설물의 손괴를 완벽하게 방지할 수는 있는 걸까.

탐지되지 않는 위험

이탈리아의 모란디교가 붕괴한 직접적인 원인 중의 하나는 사장교 케이블의 파단이다. 다른 사장교들과 달리 모란디가 설계한 사장교는 단 한 줄의 케이블만으로 상판을 지지하게 만들었기 때문에, 이 케이블이 파단되면 바로 교량이 급작스럽게 무너지는 구조였다. 통상 케이블이 여러 개 있으면 설령 하나의 케이블이 파단되더라도 그 끊어진 케이블이 지지하던 힘을 다른 케이블들이 나눠서 분담하기 때문에 비유

아픔을 딛고 안전 사회로

(redundancy)가 있는데 모란디교는 그런 여유가 없었다. 이렇듯 여유가 없는 교량 부재를 무여유도 부재(non-redundant member)[49]라고 한다. 사람 몸에 비유하자면, 눈, 귀, 팔처럼 두 개씩 있는 것은 여유가 있고, 심장이나 뇌 등은 여유가 없다고 할 수 있다. 최근 교량은 여유가 있게 설계하는데, 과거에는 기술 부족 또는 경제적 이유로 그러지 못했다. 종류는 다르지만, 성수대교 역시 무여유도 부재의 피단이 원인이 되어 갑작스레 붕괴하였다.

이처럼 교량이 예고 없이 갑작스럽게 붕괴하기 때문에 무여유도 부재는 안전점검이나 정밀안전진단을 통해 결함이 발생하는지 면밀하게 관리해야 한다. 그런데 모란디교는 교량 안전에 절대적으로 중요한 케이블이 콘크리트에 매립되어 있어 육안으로는 그 케이블이 부식 등으로 손상되었는지 조사하기 어려웠다.

우리가 매일 이용하는 교량 중에도 모란디교와 유사하게 강선 다발을 케이블 형태로 콘크리트 속에 매립하여 만든 교량 형식이 있는데, 바로 'PSC 교량'[50]이다.

PSC 교량은 <그림 2-16>처럼 미리 PT 텐던[51]으로 콘크리트를 꽉 압축해서 건설 후에 차량의 무게로 인해 구조물 아래쪽이 늘어나 균열이 발생하는 것을 방지하는 공법이다. 1920년대에 프랑스 엔지니어 프레시네(Freyssinet)가 이 공법을 고안한 이후, 빠르게 확산했다. 전쟁으로

---

49)   무여유도 부재는 'Fracture Critical Members'로도 쓰는데, 이를 '붕괴유발부재' 또는 '파괴임계부재', '파괴위험부재'라고도 번역하기도 함

50)   PSC: Pre-Stressed Concrete(프리스트레스트 콘크리트)

51)   PT 텐던(Post-Tensioned Tendon): 보호 쉬스(sheath)관 안에 삽입된 피아노선 다발로 만들어진 케이블

물자가 부족했던 1950년대에 유럽에서 철근 등 강재와 콘크리트를 획기적으로 절감할 수 있고, 철근콘크리트로만 만들어진 교량에 비해 길고 날렵하게 만들 수 있어 미적으로도 우수하다는 장점 때문이었다. 미국은 1960년대부터 적용하기 시작했고, 서울에도 1981년에 건설된 원효대교를 시작으로 내부순환도시고속도로의 두모교, 서호교, 정릉천고가교와 서강대교, 행주대교 등 한강 교량에도 많이 적용되었다.

〈그림 2-16〉 Pre-Stressing 개념

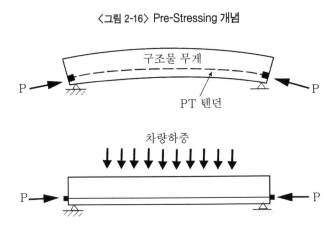

2020년 기준으로 시설물안전법의 적용을 받는 전국의 도로교 35,902개소 중 PSC 교가 9,402개소로 「26.2%」의 비율을 차지하고 있고, 서울에도 140개의 PSC 교량이 있을 정도로 전국적으로도 많이 건설되었다.[46]

아픔을 딛고 안전 사회로

<표 2-11> 국가별 PSC 교량 붕괴사고

국가	붕괴연도	교량명
영국	1967	the Brickton Meadows Footbridge
	1985	the Ynys-y-Gwas Bridge
벨기에	1992	the Melle Bridge
스위스	2006	the Ponte Moesa Bridge
팔라우	1996	Koror-Babeldaob Bridge
이탈리아	2018	Morandi Bridge
일본	1983	松の木瀬橋
	1886	新菅橋
	1990	島田橋
미국	2000	Lowe Motor's Speedway Pedestrian Bridge
	2005	Lakeview Overpass

그런데 세계 곳곳에서 이 PSC 교량 사고가 자주 발생하였다. 이탈리아의 모란디교도 이에 해당하지만, 이미 그 이전인 1967년 영국의 보도교 붕괴를 시작으로 유럽 곳곳에서 많은 교량이 무너졌다. 그 내용은 <표 2-11>로 갈음한다. 교량이 무너지지는 않았더라도 PT 텐던이 끊어지면서 교량의 안전 문제가 사회적으로 쟁점이 된 사례는 훨씬 더 많다. 유럽에서 1990년대, 미국에서 2000년대에 집중적으로 발생한 PT 텐던 파단 사고로 교량의 안전에 대한 우려가 지금까지 지속되고 있다. 2016년 2월, 서울 내부순환도시고속도로 정릉천 구간에서도 파단된 PT 텐던이 발견되어 교통을 폐쇄하고 보수한 일이 있다.

교량 엔지니어들이 오랜 기간 PSC 교량을 설계·시공·관리하면서도 사고가 발생할 때까지 이처럼 PT 텐던이 부식되어 끊어질 수 있다는 사실을 몰랐다. 왜냐하면 PT 텐던은 보호관 속에 강선 다발을 삽입하고, 그 강선이 녹슬지 않도록 〈그림 2-17〉의 (a)처럼 시멘트 주입재로 꽉 채웠기 때문이다. 그런데 실제로는 (b)처럼 보호재인 시멘트가 완전히 채워지지 않아 빈 곳이 생겼고, 이 공극 안으로 물과 염화물이 들어가면 강선이 녹슬어 끊어졌다. 주로 제설제로 쓰이는 염화칼슘이 눈이 녹은 물과 함께 침투하게 되거나 바닷가에서는 소금기가 해풍을 타고 날아와 콘크리트 균열 틈으로 침투해서 강선을 부식시킨다.

〈그림 2-17〉 PT 텐던과 공극

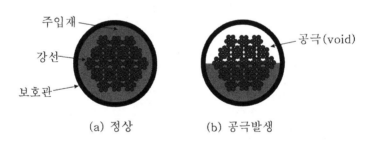

주입재
강선
보호관

공극(void)

(a) 정상   (b) 공극발생

PT 텐던은 텐던을 사람이 볼 수 있는가 없는가에 따라 두 가지로 구분한다. 즉, 콘크리트 안에 매립되어 있어서 눈으로 볼 수 없으면 내부텐던(internal tendon), 콘크리트 바깥에 설치되어 있어서 눈으로 볼 수 있으면 외부텐던(external tendon)이라고 한다. 〈그림 2-18〉은 내부텐

아픔을 딛고 안전 사회로

던, 〈그림 2-19〉는 외부텐던을 보여준다. 내부텐던은 다시 슬래브에 슬래브를 따라 수평으로 설치된 수평텐던과 복부(腹部)에 U자형으로 설치된 수직텐던으로 구분된다.

〈그림 2-18〉 내부텐던

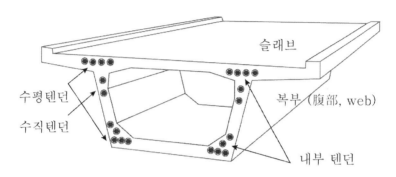

〈그림 2-19〉 외부텐던

과거에 설치된 외부텐던도 합성수지[52] 재질의 튜브 안에 강선이 다발로 들어가 있는데, 튜브 자체가 불투명해서 그 안에 들어가 있는 강선의 손상을 눈으로 확인하기가 어렵다. 다만, 2016년 2월 서울 내부순환도시고속도로 정릉천 구간에서 일어난 사고처럼 외부텐던은 끊어지면 점검이나 순찰 중에 발견되기도 한다. 완전히 끊어지기 전에 비파괴검사를 이용해서 손상상태를 찾기도 하는데, 자기력을 이용하는 방법등이 사용된다. 기본적으로 텐던의 중간 부분이 끊어져 있다면 자극이 바뀌는 성질을 이용하는 것이다. 내부에 〈그림 2-17〉 (b)처럼 공극이 있으면 타격음이 다른 점을 이용해서, 안전점검할 때 외부텐던을 두드려 확인하기도 한다.

진짜 문제는 콘크리트 안에 매립되어 보이지 않는 내부텐던이다. 내부텐던은 콘크리트와 철근으로 둘러싸여 있어 타격음으로도 공극을 찾아내기 어렵고, 자기력을 활용한 비파괴검사도 적용이 어렵다. 2017년 미국의 교통연구위원회가 2012년부터 4년 동안 미국의 한 대학에 각종 결함을 가진 PSC 교량 모형을 만들어놓고 해양·철도·핵·항공우주산업까지 망라한 각종 비파괴 시험 기법에 대해 그 적용성과 신뢰성을 평가한 연구 결과를 발표했다. 외부텐던과 달리 내부텐던의 경우 강선의 결함과 손상을 찾아낼 수 있는 비파괴검사 기법이 없다는 게 결론이다. 요컨대, 내부텐던과 정착구의 손상·결함은 육안 점검은 물론 비파괴검사로도 전혀 찾아낼 수 없다는 것이다.

---

52)   HDPE(High Density Polyethylene, 고밀도 폴리에틸렌)

아픔을 딛고 안전 사회로

내부텐던의 결함과 손상을 찾기 위해 유럽·미국·일본 등에서는 작은 전동드릴로 의심되는 부분의 콘크리트에 구멍을 내고 그 구멍을 통해 내부텐던 안으로 내시경을 밀어넣어 조사하는 방법을 사용하고 있다. 그런데 그동안 우리나라에서는 이 방법이 외관상 멀쩡한 구조물에 손상을 줄 우려가 있다는 걱정과, 내부텐던 교량은 외부텐던과 달리 텐던이 끊어져도 위험하지 않다는 일부 학자의 의견에 따라 조사 방법에 관한 연구나 기술개발이 전혀 진척되지 않았다.

2019년도부터 서울시설공단이 해외 문헌 조사 결과를 근거로 교량 모형을 만들어놓고 '드릴링 및 내시경 조사(이하 미파괴조사라고 한다)'기술을 개발하고 이를 실제 서울시 내부순환도시고속도로에 적용하여 조사하고 있다. 그리고 그 조사 과정에서 얻어진 지식, 경험과 결과를 모두 'PSC 교량 오픈이노베이션'을 통해 전국에 공개·공유하고 있다. 〈그림 2-20〉은 전동드릴을 이용해서 천공하고 그 구멍을 통해 내시경을 넣어 조사하는 방법을 보여주고 있다. 2021년 서울시설공단의 의뢰를 받은 건설기술연구원에서 교량 모형을 만들어놓고 문헌 조사 결과를 바탕으로 기술개발을 했다. GPR[53)]로 텐던의 위치를 파악하고, IE[54)]로 텐던 내 공극의 위치를 추정하고 금속과 접촉하면 자동으로 정지하는 드릴과 내시경을 사용해 조사한다. 조사가 끝나면 바로 에폭시수지를 이용해서 구멍을 충실히 메워서 외부에서 수분이 침투하지 않도록 한다.

---

53)   GPR (Ground Penetration Radar): 레이더로 텐던과 철근의 위치 파악

54)   IE(Impact Echo): 탄성파로 진동을 주어 반사파를 통해 내부 공극 파악

〈그림 2-20〉 내부텐던 미파괴조사[47]

1. 텐던탐사(GPR) 　　2. 공극탐사(IE)

3. 천공조사(드릴링) 　　4. 내시경 조사

　애초에는 교량상판이 상자(Box) 형태로 된 교량 12개소만 조사할 계획이었지만, 조사 결과 적지 않은 교량에서 외국의 문헌 조사 결과와 유사한 정도로 결함이 발견되어서 조사를 확대하고 있다.

〈그림 2-21〉 공극·부식[47]

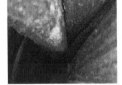 

아픔을 딛고 안전 사회로

2016년 2월에 외부텐던이 끊어진 내부순환도시고속도로 정릉천 구간
도 내부텐던 23개소에 대해 내시경 조사를 시행했다. 그랬더니 11개소
에서 공극이 발생하였고, 그중 공극이 90%나 되어 시멘트 주입재가 거
의 없는 곳도 있었다. 또 일부에서는 강선이 녹슬어 단면이 줄어든 곳
까지 발견되었다. 〈그림 2-21〉은 정릉천고가교 구간에서 발견된 내부
텐던의 공극과 부식 상태를 보여준다. 강선이 부식으로부터 전혀 보호
받지 못하고 있음을 알 수 있다.

　이와 같은 손상은 비단 정릉천고가교에서만 검출된 것이 아니다. 서
울시설공단에서 위탁관리하고 있는 내부순환도시고속도로와 올림픽대
로의 노량대교 등 8개의 교량을 조사한 결과, 수평텐던에서는 공극이
조사 개소 129개 중 5개소(3.9%), 부식은 9개소(7.0%), 수직텐던의 공극
은 조사 개소 210개소 중 33개소(15.7%), 부식이 12개소(5.7%)에서 발
견되었다. 서울시가 직접 관리하는 교량은 16개소만 조사했는데 공극
이 4개소(25%), 부식이 2개소(12.5%)에서 발견되었다. 이런 결함의 수
치는 해외 문헌 조사 결과와 크게 다르지 않다. 유럽, 미국, 일본 등에
서 발생한 문제가 우리나라에서도 똑같이 일어나고 있는 사실이 확인
되었다.

〈표 2-12〉 서울시 PSC 교량의 결함 비율

	조사 개소	공극 발생	부식 발생
수평텐던	129개소(100%)	5개소(3.9%)	9개소(7.0%)
수직텐던	210개소(100%)	33개소(15.7%)	12개소(5.7%)

PSC 교량에 이런 결함이 발생하는 가장 큰 이유는 시멘트 주입재에서 발생하는 '블리딩(bleeding)'이란 현상 때문이다. 1999년 프랑스에서 163개의 교량을 조사한 결과 12%의 결함이 발견되었다. 2000년에 시멘트 주입재의 시험을 통해 시멘트 주입재에 포함된 물이 위로 떠오르고 시멘트 성분이 아래로 가라앉는 블리딩 현상과 텐던 내부에 삽입된 강선들 사이로 물이 더 빠르게 이동하는 심지 효과 등에 의해 물이 텐던 내 높은 위치로 모였다가 시간이 지나면서 소실되어 공극이 발생하는 메커니즘을 밝혀냈다. 〈그림 2-22〉는 이런 원리를 보여주는데, 양끝의 높은 지점에 텐던을 교량에 정착시키는 정착구가 있는 부분에 특히 공극이 많고 부식이 많이 발생하는 것을 알 수 있다.

〈그림 2-22〉 수직텐던의 블리딩에 의한 공극·부식

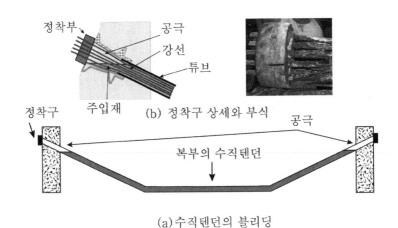

(a) 수직텐던의 블리딩

아픔을 딛고 안전 사회로

또 다른 원인은 시멘트를 주입하면서 높은 지점에 설치된 공기배출구를 지난 지점에서 같이 들어간 연행공기가 배출되지 못하고 잔류되어 시멘트가 빈틈없이 꽉 차지 못하고 공극으로 남는 것으로 밝혀졌다.[48]

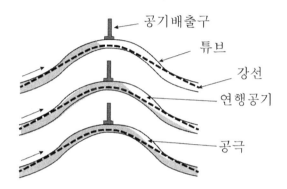

〈그림 2-23〉 잔류공기 공극[48]

이 현상을 나타낸 것이 〈그림 2-23〉이다. 이외에도 많지는 않지만, 현장에서 작업원들이 아예 주입하지 않은 경우도 국내외에서 발견되었다. 초기에 교량 엔지니어들은 이런 현상으로 공극이 발생하고, 이곳에 외부에서 물과 염화물이 침투하면 강선이 부식으로 끊어진다는 것을 전혀 몰랐다.

이와 같은 손상을 조금 쉽게 설명해본다. PT 텐던 내에 발생한 공극과 강선의 부식은 사람의 몸으로 치면 일종의 '암'이라고 할 수 있다. 이 '암'으로 인해 오래전부터 유럽, 미국, 일본 등에서 적지 않은 교량들이 급사하였고, 설령 사망에 이르지는 않았어도 암 덩어리가 터져 거의 죽을 뻔한 일이 있었다. 그리고 우리나라도 다행히 일찍 발견했지만, 2016년 2월에 정릉천고가교 한 곳에서 암이 터져나온 일이 있었다.

그런데, PSC 교량의 내부텐던에서는 이 암을 눈으로나 X-ray, 초음파, 자기공명장치 등 비파괴 장비로 찾아낼 방법이 없다. 이게 제일 심각한 문제다. 해외에서는 이 '암 덩어리'를 찾아내기 위해 내시경을 이용하고, 그 조사 경험이 많이 축적되어 있음에도 여전히 이 '암'으로 인해 심각한 상태에 처한 교량들이 적지 않다. 우리나라는 이제야 해외문헌 조사를 통해 내시경으로 조사하는 기술을 개발한 수준이다. 그 기술로 몇 개 교량을 진단해봤더니 여기저기서 의심되는 증상, 그러니까 사람으로 치면 '용종'이 확인되었다. 그런데 지금 상황은 이 용종이 정말 '암'으로 발전할 '악성종양'인지 그냥 문제없이 '용종'으로 그칠지 확실하게 결론지을 만큼 지식과 경험이 축적되어 있지 않다. 또 운영 중인 교량에 이런 현상이 어느 정도 비율로 발생했는지 알지 못하고, 대부분의 다른 교량들은 아직 건강검진도 못 한 실정이다.

그나마 다행인 것은 구조계산을 통해 검토한 결과, 현재 건설된 대부분 교량은 PT 텐던 중의 상당 비율(약 50%) 이상이 끊어져야 교량의 안전에 이상이 있다는 징후가 외부로 나타나기 시작할 정도로 안전성을 갖추고 있는 것으로 확인되었다. 다행히 튼튼한 체력을 가진 것이다. 하지만 지금까지 어느 정도나 파단 되었는지는 아무도 모른다는 게 문제다. 몸속에서 어느 정도나 병이 진행되었는지 모르는 것이다. 서울시가 2015년 12월에 한국시설안전기술공단[55]에 맡겨 시행한 'PSC

---

55)   현 국토안전관리원

아픔을 딛고 안전 사회로

박스 교량 유지관리방안' 용역 결과에 따르면, 대부분 PSC 교량의 PT 텐던 보호 상태가 미국·유럽 기준의 최소기준인 '건조한 사막 지역 등'에서의 보호 상태[56]에도 미치지 못하는 것으로 밝혀졌는데, 이런 사실을 고려하면 결코 낙관할 문제는 아니다.

많은 지면을 할애해 전문적인 PSC 교량의 문제를 살펴본 것은 인프라로 인한 중대시민재해와 관련된 가장 중요한 이슈 중의 하나라고 생각했기 때문이다. 우리나라에서 큰 해상사고가 약 20년 주기로 발생했는데, 성수대교 붕괴와 같은 인프라 붕괴사고도 다시 발생할 수 있다.

이 시점에 서울시설공단이 한국교량및구조공학회, 한국콘크리트공학회 등 여러 학회와의 협력을 통해 PSC 교량에 관한 국내외 문헌 조사, 모형실험, 현장 조사 결과 등의 모든 자료를 홈페이지와 '오픈이노베이션'을 통해 공개·공유하고 있는 것은 의미가 있다. 이를 통해 전국적으로 이 문제에 대한 인식이 높아지고 관련 기술이 빠르게 확산하고 있어 다른 나라와 달리 PSC 교량의 붕괴사고를 예방할 수 있을 것으로 기대하지만, 그래도 안전이라는 것은 늘 장담하기 어렵다.

그런데, 이와 같은 문제가 시설물 관리를 담당하는 국토교통부장관, 서울특별시장, 서울시설공단 등 공기업의 장이나 교량을 건설한 시공회사나 하도급사의 대표, 또는 교량을 점검하는 안전진단 업체 대표를 처벌한다고 해서 해소할 수 있느냐 하는 것이다. 앞서 언급한 대로 서울의 내부순환도시고속도로상의 고가구조물이나 한강 교량이 성수대

---

56) 강선은 습기와 염화물이 같이 있을 때 부식이 일어나므로 건조한 사막 지역은 상대적으로 부식 위험이 낮음

교처럼 무너지는 사고가 또 일어나서 사상자가 발생하면 시설물안전법에 따라 관련자들이 '무기 또는 5년 이상의 징역'의 엄중한 처벌을 받게 되어 있다. 그런데도 전국의 많은 교량 담당자들이 PSC 형식의 구조물의 잠재적 위험, 그것도 탐지되지 않는 위험에 대해 사실상 손을 놓고 있다. 그동안은 잘 몰랐기 때문이라고 할 수 있다. 그러면 지금은 많은 정보가 공개되어 있음에도 어떤 이유로 적극적으로 조사를 못 하는 걸까. 아마도 시설물안전법과 그 하위법령을 담당하는 국토교통부에서 '시설물 안전점검 및 진단 지침'에 이와 관련된 세부 사항을 규정하지 않았고, 대부분 지자체나 기관은 여전히 이를 추진할 만한 전문지식을 보유하지 못했기 때문이 아닐까 생각한다.

아마도 PSC 교량이 무너져 사상자가 발생하는 대형 참사가 일어나면, 사법기관은 PSC 교량의 결함이 인류의 무지에서 비롯되었으며 기술의 발전 과정의 일부라는 사실은 고려하지 않고, 기관장을 비롯해 관계자를 줄줄이 처벌할 가능성이 크다. '제조물을 공급한 당시의 과학·기술 수준으로는 결함의 존재를 발견할 수 없었다는 사실'[57] 등과 유사한 조항을 적용해서 면책이나 감경해줄 것 같지도 않다. 왜냐하면 이미 유럽, 미국, 일본 등에서 유사 사고도 적지 않게 발생하였고, 외국 자료이긴 하지만 관련 지침, 보고서, 논문 등도 바로 찾아볼 수 있기 때문이다.

---

57) 제조물 책임법 제4조(면책사유) ① 제3조에 따라 손해배상책임을 지는 자가 다음 각 호의 어느 하나에 해당하는 사실을 입증한 경우에는 이 법에 따른 손해배상책임을 면(免)한다. 2. 제조업자가 해당 제조물을 공급한 당시의 과학·기술 수준으로는 결함의 존재를 발견할 수 없었다는 사실

아픔을 딛고 안전 사회로

그런데 이런 문제는 결코 가혹한 처벌로 예방될 수 있는 문제가 아니다. 그냥 희생양을 찾아 사고에 대한 가혹한 처벌로 응징하였다는 메시지로 국민 여론을 덮을 수는 있겠지만, 우리 주변의 위험을 미리 찾아 제거하는 효과는 기대할 수 없다. 무기징역이라는 극형까지 받을 수 있는 잠재적 위험을 각 기관이 방치하고 있는 이유를 정부가 신중하게 살펴야 한다.

이와 같은 일은 정부가 격려도 하고 인센티브도 부여해서 관리기관이 잠재적 위험을 스스로 찾아 해소하는 노력을 하게 만들어야 하는데, 상급 기관들은 포상이나 격려에는 별 관심이 없는 듯하다.

이와 관련해서 또 하나 살펴볼 문제가 있다. 중대재해처벌법은 '공중이용시설의 설계, 설치, 관리상의 결함'으로 인한 재해 예방에 필요한 조치를 하도록 규정하였는데, 설계나 설치상의 결함 기준이 불분명하다. 예를 들어, 앞서 살펴본 PSC 교량은 현시점에서 보면 설계 또는 설치 결함이 분명한데, 건설 당시의 기준으로 봐서는 예측하지 못했던 결함이다. 이것을 설계결함으로 봐야 하는지 설치상의 결함으로 봐야 하는지도 불분명하다. 그리고 전술한 대로 내부텐던의 공극이나 부식을 조사하는 기술이 국내에 널리 보급되지도 않았다. 결함 조사의 필요성과 방법, 보수 방법에 관해서도 국내의 학계나 엔지니어 사이에 공감대가 형성된 것도 아니고 국가 기준이 명확하게 정립된 것도 아니다. 때로는 이런 유형의 결함은 오랜 기간의 논쟁을 거칠 때도 있는데, 그 논쟁을 하고 있는 와중에 사고가 일어나기도 한다. 어떻든 통상적인 방법으로는 탐지되지 않는 PSC 교량의 잠재적 위험은 중앙정부부터 깊은 관심을 두고 집중적인 기술개발과 지침 개발, 인재 양성 등에 전력투구해야 할 문제다.

이것은 하나의 사례일 뿐이고, 꼭 PSC 교량이 아니더라도 이런 사례는 적지 않을 것으로 보인다. 사실, 현재 만들어져 있는 각종 시설물을 현재 시점에서 결함이 있는지 자체를 조사하고 이를 관리하는 것만으로도 버거운 게 현장의 실정인데, 기준도 정해주지 않은 상태에서 설계·설치의 결함을 모두 찾아내서 관리해야 한다면 이는 참으로 엄두가 나지 않을 정도로 어마어마한 일이다. 처벌을 위해서만 법을 만들다 보니까 생긴 예상하지 못한 부작용 중의 하나다.

중대시민재해와 중대산업재해의 경합

중대재해처벌법은 중대시민재해와 중대산업재해를 따로 나누어 그에 따른 안전·보건 의무를 별도로 구분하여 규정하고 있다. 그런데 특히 공공 분야에서는 중대시민재해와 중대산업재해가 경합이 되는 상황이 벌어질 수 있다. 그 한 사례로 우리가 일상에서 쉽게 접할 수 있는 아스팔트가 패는 현상, 즉 '포트홀'의 경우를 살펴보도록 한다.

〈그림 2-24〉는 아스팔트 포장에 발생한 포트홀을 보여준다. 서울시설공단에는 이 같은 포트홀이 연간 약 5,600개 정도 발생하고 있는데 매년 발생량은 연간 강수량에 비례하고 폭우가 많은 여름철에 십중팔

으로 발생한다.

'도로 위의 지뢰'라고도 불리는 포트홀은 주행 중인 차량에는 불편을 넘어 때로는 큰 위험 요소이기도 하다. 고속으로 달리던 차량의 바퀴가 포트홀에 빠지면 바퀴가 터지기도 하고 바퀴 프레임이 손상되기도 한다. 실제 2018년 6월 27일 새벽에 평택호 배수갑문에서 트럭이 달리다가 포트홀에 바퀴가 걸리면서 반대편 차선으로 중앙선을 넘어가는 바람에 승용차와 추돌하여 승용차에 타고 있던 50대의 운전자가 목숨을 잃는 사고가 발생하기도 하였다.[49]

〈그림 2-24〉 포트홀

〈표 2-13〉 포트홀 발생 현황(서울시설공단)

구분	평균	2016년	2017년	2018년	2019년	2020년
포트홀(건)	5,690	4,546	5,190	7,746	5,284	5,683
강수량(mm)	1,210	992	1,233	1,284	891	1,651

이처럼 포트홀은 시민에게 불편하고 위험하기 때문에, 도로 관리기관은 포트홀을 가능한 한 빠르게 응급보수하는 시스템을 운영하고 있다. 예를 들어, 서울시설공단의 경우 평상시에는 소속 직원으로 구성된 3~4개 조의 직영반이 점검과 보수를 담당하고 있고, 비가 내리면 강우량에 따라 외주업체 직원까지 포함해서 4~6개 조로 운영하고 있다.

〈표 2-14〉 포트홀로 사상자 발생 시 장소별 처리의 차이

구분	처리 방식
교량·터널	중대재해처벌법에 따라 시설물 관리기관장 1년 이상 징역 등
일반도로	• 한국지방재정공제회의 배상보험에 의한 배상(개인자동차보험 처리 후 보험사에서 구상금 청구) • 고등검찰청 배상심의회 배상 신청 • 민사소송

문제는 중대재해처벌법의 '공중이용시설'에 일반도로는 포함되지 않고, 시설물안전법의 적용을 받는 교량 구조물은 포함되는데, 이 포트홀마저도 어디에서 발생하느냐에 따라 적용 대상이 되기도 하고 안 되기도 한다. 교량에 발생한 포트홀 때문에 사상자가 발생하면 중대재해처벌법에 따라 처벌받지만, 일반도로에서 발생할 때는 한국지방재정공제회에 가입한 배상책임보험에 따라 배상하는 것에 그친다. 피해자가 이에 불복하면 고등검찰청 배상심의회에 배상 신청하거나 민사소송을 진행할 수 있을 뿐이다.

아픔을 딛고 안전 사회로

〈그림 2-25〉와 같이, 국토교통부가 2021년 12월 말 부랴부랴 내놓은 「중대재해처벌법 해설」에서는 "교량·터널 분야의 경우, 도로나 교량의 포장에 생긴 균열 발생 신고가 접수되면, 이에 대해 긴급 점검과 보수·보강 조치와 함께 이용자에 대한 이용 제한 조치 등의 업무를 해야 한다"라는 부분이 있다. 얼마나 급했으면 이런 해설을 내놨을까 했지만, 이 포트홀 문제도 터무니없기는 매한가지다. 교량에 발생한 포트홀에 의해 사람이 죽거나 다치면 기관장이 처벌받을 정도로 중차대한 일이고, 일반도로에서 죽으면 아무 일도 아니라는 식의 규정을 보면 딱하다.

〈그림 2-25〉 중대재해처벌법 해설서[50]

② 유해·위험요인이 발견 또는 신고 접수된 경우 긴급안전점검, 긴급안전조치, 정비·보수·보강 등 개선

- 교량, 터널 분야 예시 : 노면·교면의 포장 균열·손상 발생신고 접수 시, 이에 대한 긴급안전점검 및 보수·보강 조치, 이용자에 대한 이용제한 조치 등 업무
- 철도 분야 예시 : 차량운행에 필요한 부품 탈락 등 위험요인 발생신고 접수 시, 이에 대한 긴급안전점검 및 부품 교체 조치, 차량 운행제한 조치 등 업무

2022년 1월 3일 지반침하로 고양시의 한 건물 지하 3층의 기둥이 무너지고 주변 땅이 꺼지는 일이 있었는데, 땅 꺼짐으로 사상자가 발생하는 것은 중대재해처벌법의 처벌 대상이 아니다. 기관장이 땅이 꺼지고 건물이 무너지려는 곳에 달려가서 긴급 조치하는 것보다 교량·터널

의 포장면에 균열 발생 신고가 접수되면 그것을 더 우선시하라는 것이 정부 해설서의 내용이다. 이해가 안 된다. 그동안 없었던 균열이 갑자기 발생해서 계속 벌어지고 있는 등 빠르게 진행이 되고 있다면 교량의 붕괴 조짐일 수도 있으니까 이런 해설서가 나온 게 아닐까 좋게 생각해 보기도 했다. 그렇더라도 터널 바닥면의 포장에 발생한 균열이 시민의 안전에 급박한 위험 요소인지는 잘 모르겠다. 설명서의 내용은 아마도 '교량의 노면이나 터널의 벽체면에 균열이 발생하여 눈에 띄게 벌어지는 등 부분 또는 전체 구조물이 붕괴할 징후나 위험이 있다고 판단되는 경우'를 말하고자 했던 것이 아닐까 추정해본다. 그런데 이것은 해설서 내용과는 전혀 다른 문제다.

또 다른 문제는 현재 포트홀을 공단 직영반이든 외주업체든 한정된 인력으로 응급보수하고 있는데, 비가 많이 내릴 때는 발생 후 대략 24시간 정도의 시간이 소요된다. 시민 편의 측면에서 보면, 24시간이 꽤 긴 시간이라고 생각될 수도 있다. 그런데 뉴욕의 경우에는 발생 후 15일 이상 방치한 경우에만 뉴욕시에서 포트홀로 인한 사고를 보상하도록 규정하고 있다. 더욱이 뉴욕에 포트홀이 많이 발생하는 11월 15일부터 5월 1일 사이의 속칭 '포트홀 시즌'에는 보상하지 않는다는 사실[51]을 고려하면, 서울은 포트홀의 응급보수도 빠른 편이고 배상도 폭넓게 시행하는 것이다. 서울이 아직 뉴욕보다는 각종 도시 인프라의 노후화가 덜 심각한 상태라서 가능한 일이다.

그런데 교량 구조물의 포트홀로 인해 사상자가 발생하면 기관장이 처벌받아야 한다. 이를 회피하려 더 빨리 응급보수를 하도록 지시하

아픔을 딛고 안전 사회로

면, 도로 위에서 직접 작업을 시행하는 근로자나 감독직원의 사고 위험이 커진다. 인력은 한정되어 있는데 응급보수 속도를 높이기 위해서는 현장에서 안전조치를 충분히 하지 못하고 작업하거나, 적정 인원수보다 적은 인력으로 작업할 수밖에 없다. 이는 '구의역 김 군 사고' 등 지하철 스크린도어 사고와 다를 바 없는 여건을 만드는 것이다.

선진제도인 '인프라 자산관리(Asset Management)'가 아직 국내에는 많이 보급되지 않았다. 인프라 관리기관이 재정 상황, 시민들의 욕구 등 다양한 요소를 고려하여 인프라의 서비스 수준(level of service)의 목표를 정하여 운영하는 게 이 제도의 핵심 중 하나다. 공공서비스 목표를 시민에게 알리고 시민의 협조도 구하는 시스템이다. 예를 들어, 포트홀의 연간 발생 건수를 연간 몇 개 이하로 정할 수도 있고, 포트홀을 응급보수하는 시간을 정할 수도 있다. 이처럼 공공기관이 시민들에게 제공하는 공공서비스의 수준과 목표를 정한다. 민간도 마찬가지지만 서비스 수준을 높이면 그만큼 돈이 들기 때문에, 재정 상황을 고려해서 목표를 정할 수밖에 없고, 이에 관해 시민의 양해와 협조를 구하는 것이다. 뉴욕의 포트홀 보수 소요 시간 15일이 그런 서비스 기준 중의 하나다. 이를 서울만큼 당기려면 엄청난 시 재정이 들어가고, 그만큼 세금을 더 많이 내야 하니까 그 선에서 시민들도 불편을 감수하는 것이다.

그런데 중대재해처벌법 규정은 참으로 딱하다. 현행 법령 규정만으로 보면, 교량·터널에 생긴 발생한 포트홀로 인해 사상자가 발생하면 일단 입건되어 조사받게 된다. 그런데 만약 기관장이 문서작업 위주로 중대재해처벌법 규정에 따른 포트홀과 관련된 인력·예산·점검 등 안전보건관리체계를 구축하고, 현장은 지금과 똑같이 24시간 이내 보수체제를 유지하다가 보수 전에 사고가 발생하였을 때 과연 처벌 대상이 되느냐가 관심이다. 현행과 같이 똑같은 시스템인데, 문서작업을 해놨다고 처벌을 면하면 중대재해처벌법의 실익이 문제가 된다. 반면에 이를 처벌하면 과연 현실적으로 포트홀 발생과 동시에 보수를 해서 사고예방이 가능하냐 하는 문제가 제기된다. 그것은 불가능하다. 중대재해처벌법이 졸속으로 만들어졌다는 것을 보여주는 사례다.

업종별, 규모별 사고 발생 위험 상이

중대재해처벌법은 기업의 업종이나 규모와 관계없이 사망자가 한 명이라도 발생하면 똑같이 처벌하도록 규정하고 있다. 〈표 2-15〉는 앞서 소개한 멜처스의 책에서 제시된 일상생활 속의 연간 사망률이다.[43]

사람이 일상생활 속에서 겪는 위험의 크기를 대체로 알 수 있는 자료다. 암벽등반이나 흡연은 그 위험이 매우 큼에도 불구하고 사람들이 여전히 즐겨한다. 암벽등반은 위험하다고 절대 안 하는 사람도 담배는 즐긴다. 〈표 2-15〉은 직업과 관련해서 광산업 → 건설업 → 제조업의 순서대로 위험하다는 것을 보여준다. 업종별로 사망사고가 날 확률이 현저하게 차이가 난다.

아픔을 딛고 안전 사회로

순서는 다르지만, 고용노동부가 발표한 2021년 말 기준 국내의 산업재해 발생 현황을 봐도 업종별로 차이가 난다. 〈그림 2-26〉은 이를 보여주는데, 국내는 사망자를 기준으로 건설업 → 제조업 → 광업 순으로 위험한 것을 알 수 있다. 아마도 광업의 안전관리 수준이 많이 좋아졌거나 광업이 다른 나라에 비해 활발하지 않은 영향일 수 있다. 광업은 산업재해 발생 시 사망률이 다른 업종에 비해 높다.

〈표 2-15〉 일상생활 속의 위험

활동	노출시간당 사망률($\times 10^{-9}$)[58]	연간 노출시간[59]	연간 사망률($\times 10^{-6}$)
암벽등반	30,000~40,000	50	1,500~2,000
뱃놀이	1,500	80	120
수영	3,500	50	170
흡연	2,500	400	1,000
비행기 여행	1,200	20	24
자동차 여행	700	300	200
기차 여행	80	200	15
광산업	210	1,500	300
건설업	70~200	2,200	150~440
제조업	20	2,000	40
건물 화재	1~3	8,000	8~24
시설물 붕괴	0.02	6,000	0.1

---

58)   [52]에 의해 조정
59)   [53]에 의해 조정

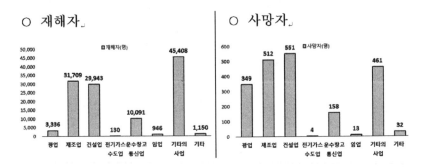

〈그림 2-26〉 업종별 산업재해 현황(2021년 말 기준)

일정한 환경의 공장에서 일하는 제조업에 비해 건설 현장은 똑같은 곳이 한 곳도 없다고 할 정도로 매번 다르다. 지난 현장에서의 경험이 다른 현장에서 그대로 적용되지 못하는 경우도 많다. 게다가 수시로 변하는 현장의 상황에 따라 각종 사고로 이어질 수 있는 변동적이고 돌발적인 위험 요소가 훨씬 다양하고 많다. 따라서 국내외 모두 건설업이 다른 업종에 비해 사망률이 높다.

〈표 2-16〉 위험에 따른 일반적 대응 방식[54]

연간 사망 위험	일반적 대응
10^{-3}	흔치 않은 사고, 위험 저감을 위한 즉각적인 대처
10^{-4}	위험을 줄이기 위해 비용 지출, 특히 공적 예산 투입(교통신호, 경찰 등)
10^{-5}	어머니들이 아이들에게 위험을 경고(불조심, 물 조심, 독극물), 비행기 여행 기피
10^{-6}	보통 사람들 관심 없음, 운수(Act of God)

아픔을 딛고 안전 사회로

그런데 건설공사의 결과물인 시설물이 붕괴하여 사망할 확률은 다른 활동에 비해 현저히 낮아 연간 0.2×10^{-6}에 불과함을 알 수 있다. 이 수치는 〈표 2-16〉에 따르면 보통 사람들은 관심이 없고 이에 해당하는 사고는 그냥 운수(Act of God)소관이라고 생각한다.[54] 그래서 평상시 우리가 사는 건물이나 매일 이용하는 교량이나 지하철 등이 무너질까 걱정하는 사람은 찾아보기 힘들다. 아무도 이런 걱정을 하지 않는다. 후술하겠지만, 이런 안전과 편익 때문에 건설공사 중에 사고가 발생할 위험이 매우 큼에도 건설공사를 금지하지 못하고 법적으로 부득이 허용할 수밖에 없는데, 이는 형법상 '허용된 위험'이라고 한다.

〈그림 2-27〉 규모별 산업재해 현황(2021년 말 기준)

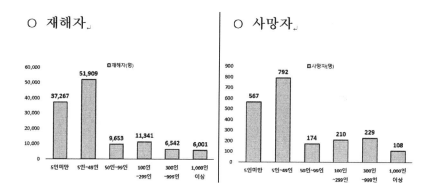

〈그림 2-27〉은 기업 규모별로 재해자와 사망자 수를 나타내고 있는데, 50인 미만의 기업에서 가장 많은 사고가 일어남을 알 수 있다. 그

런데, 규모별 기업 수를 고려해서 이를 비교해 보면, 300인 이하[60]를 중소기업으로 볼 때 300인 이상의 대기업이 기업당 재해로 인한 사망률이 중소기업보다 약 250배 높다.

〈표 2-17〉 규모별 기업 수(중소기업벤처부, 2021년 중소기업통계)

구분	계	중소기업				대기업
		소계	소상공인	소기업	중기업	
전 산업	6,893,706	6,888,435	6,441,928	344,180	102,327	5,271
광업	2,654	2,654	2,361	202	91	-
제조업	579,002	577,345	504,016	59,676	13,653	1,657
건설업	484,611	484,238	451,786	26,466	5,986	373
기타	5,827,439	5,824,198	5,483,765	257,836	82,597	3,241

이 수치는 〈표 2-17〉의 중소기업과 대기업의 숫자로 〈그림 2-25〉의 사망자 수를 300인을 기준으로 합산하여 나눈 것이므로 정확한 수치라고 하기는 어렵다. 하지만 기업의 규모에 따라 사고 발생의 위험이 확연히 다르다는 것은 분명히 알 수 있다. "가지 많은 나무 바람 잘 날

---

60) 중소기업은 근로자 수, 매출액, 자본금 등으로 분류하는데 업종마다 조금씩 차이가 있다. 제조업은 근로자 수 300명 미만이거나 자본금 80억 원 이하, 광업·건설업·운수업은 근로자 수 300명 미만이거나 자본금 30억 원 이하이면 중소기업이다. 도소매, 서비스업은 세부 업종별로 기준이 다르나 근로자 수는 50명 미만부터 300명 미만까지, 매출액은 50억 원 이하부터 300억 원 이하까지가 중소기업 기준 범위이다(한경 경제용어사전 인용).

아픔을 딛고 안전 사회로

없다"라는 말처럼 기업 규모가 클수록 업무도 다양하고 인력도 훨씬 많아서 사고의 위험도 비례해서 커지는 것을 보여준다. 더구나 중대재 해처벌법은 기업이 직접 고용한 근로자뿐 아니라 하청업체 소속 근로 자까지 모두 포함한 '종사자'[61]의 안전까지 책임지도록 하고 있으므로 기업이 클수록 기업당 위험은 더 커질 수밖에 없다.

물론 기업의 규모기 클수록 위험을 예방하기나 대처하는 역량이 더 뛰어날 수는 있다. 그런 점을 고려하더라도 기업의 업종별·규모별로 위 험의 차이가 현저하게 차이가 난다. 이를 고려하지 않고 모든 기업에 일률적으로 똑같이 '중대재해'를 규정해서 처벌하는 것은 합리적으로 보이지 않는다. 일부에서는 과거 사고가 발생했던 사업장에서 중대재 해처벌법 시행 이후에도 반복적으로 사고가 났다면서 해당 기업이 '안 전보건관리'체계가 제대로 작동하는지 살피지 않은 탓이라고 지적한 다.[55] 그런데 그 기업의 업종과 규모에 따른 위험도 같이 고려해야 할 문제이다.

2019년 1월 정부는 '국민생명 지키기 3대 프로젝트'를 발표하면서 2022년까지 산재 사망사고를 50% 감축하여 사망자 수를 연간 500명까 지 줄이겠다고 하였다. 고용노동부는 2022년 1월 중대재해처벌법을 시 행하면서 '2022년 산업안전보건 감독 종합계획'을 발표하였다. 이때 중 대재해처벌법을 통해 사망사고를 획기적으로 감축해서, 2021년에 828

---

61) 중대재해처벌법 제2조(정의) 이 법에서 사용하는 용어의 뜻은 다음과 같다. 7. "종사자"란 다음 각 목의 어느 하나에 해당하는 자를 말한다. ㉮ 「근로기준법」상의 근로자 ㉯ 도급, 용역, 위탁 등 계약의 형식 에 관계없이 그 사업의 수행을 위하여 대가를 목적으로 노무를 제공하는 자 ㉰ 사업이 여러 차례의 도 급에 따라 행하여지는 경우에는 각 단계의 수급인 및 수급인과 가목 또는 나목의 관계가 있는 자

명이었던 산재사고 사망자 수를 700명대 초반으로 줄이겠다고 했다.

2022년까지 산업재해 사망자 수를 50% 줄이겠다는 정부의 2019년도 목표는 이미 어긋났고, 700명대 초반으로 줄이겠다는 2022년 목표는 그 달성 여부를 지켜봐야 할 것이다. 그런데 현재 사고가 이만큼 발생하고 있는데, 정부는 이를 얼마만큼 줄이겠다고 목표를 수립하면서도 기업이나 기관은 단 한 건이라도 사고가 나면 엄중 처벌하겠다는 것은 설득력이 떨어진다. 정부는 사고가 발생해도 기업이 보건·안전 의무만 제대로 이행하면 처벌하지 않을 것이라지만, 최근의 언론보도처럼 사고 발생 후 '작업중지 → 압수수색 → 대표자 구속'으로 이어지는 일련의 과정은 이 또한 수범자 처지에서는 쉽게 감내하기 어려운 실제 형벌에 해당한다. 종국적으로 처벌받지 않는다고 해서 될 일이 아니다. 정부가 기업에 하는 방식 그대로 한 건의 사고라도 발생하면 산재를 총괄하는 고용노동부의 모든 업무를 중지시킨 후 압수수색을 통해 장관을 구속 수사하면 어떨까.

기업마다 업종과 규모에 따라 위험의 크기가 다르고, 매년 발생하는 사고율이 있다. 모든 사고를 일거에 없앨 수 있다면 좋겠지만, 정부조차도 그런 목표를 세울 수 없는 게 현실이다. 따라서 매년 일정 비율 이하로 감축해나가는 목표를 수립하고 그 이행 여부를 살펴 페널티 또는 인센티브를 주는 방식을 선택하는 게 합리적이다. 중대재해가 단 한 건이라도 발생하면 무작정 가혹하게 처벌하거나 망신을 주는 지금의 방식은 합당하지 않다.

한정된 자원, 미국도 돈이 없어

중대재해처벌법은 중대산업재해와 중대시민재해 모두 경영책임자에게 '재해 예방에 필요한 인력 및 예산'을 확보하도록 의무를 부과하였다. 만약 이를 확보하지 못해 중대재해가 발생하면 처벌하겠다는 뜻이다. 그런데 '재해 예방에 필요한'이란 규정이 불명확하고 애매하다. 그리고 정작 재해 예방에 필요한 인력·예산의 확보 가능성도 문제인데, 결론부터 말하자면 이는 사실상 불가능하다. 중대시민재해와 관련된 '공중이용시설'과 '공중교통수단'의 대부분은 공공에서 관리하고 있는데, 〈그림 2-28〉에 나타난 것처럼 우리나라도 벌써 '사회 인프라의 노후화 시대'에 접어들어 인프라 관리예산이 부족하고, 이런 현상은 앞으로 더 악화될 것이기 때문이다.

미국은 1930년대에 대공황 극복을 위해 '뉴딜정책'을 시행하면서 실업률 저감과 경제 활성화를 위해 '공공공사관리국(Public Works Administration)'을 통해 연방정부 주도로 거대한 토목공사를 벌려 댐과 다리를 많이 만들었다. 그리고 1950년대에는 아이젠하워 대통령이 연방지원고속도로법(Federal Aid Highway Act) 제정을 통해 '아이젠하워 고속도로'라고 불리는 주간(州間)고속도로시스템(Interstate Highway System)을 구축하였는데, 〈그림 2-28〉에서 보듯이 이들 인프라가 1950년대부터 노후화되기 시작하여 지금은 심각한 지경에 이르렀다.

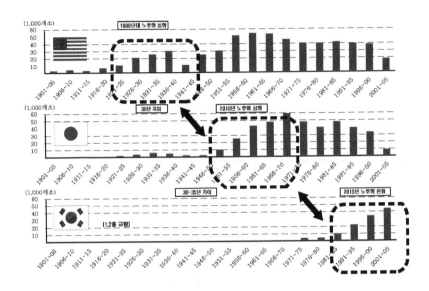

〈그림 2-28〉한·미·일 국가별 교량 준공 현황 비교[56][57]

미국토목학회(ASCE)는 1998년부터 약 4년마다 「미국의 인프라 평가 보고서」를 발행[62]한다. 2021년 보고서에 따르면, 미국의 인프라 상태는 C-등급에 해당한다. 〈표 2-18〉처럼 그동안 D+등급에 머물렀는데, 최근 인프라 관리에 대한 투자가 늘어 다소 등급이 상향되었다.

그런데 현재 등급에서 양호한 상태를 나타내는 B등급으로 상향시키는 데 필요한 비용이 2017년의 4.59조 달러에서 2021년에는 무려 5.94

---

62) 1988년 미국 국가인프라개선위원회에서 인프라 평가보고서를 처음 발행했는데, 1998년 이후 미국 토목공학회에서 발행 중이며, 2005년도부터는 4년마다 정기적으로 발행하고 있다. 평가 대상 시설은 공항, 댐, 상수, 치수, 에너지, 유해 폐기물, 고형 폐기물, 수로, 제방, 폭우, 공공공원, 철도, 도로, 교량, 학교, 운송, 항만 등 17개 군이며, 등급은 전문가의 정성적 평가를 바탕으로 부여하는데 A(우수), B(양호), C(주의), D(불량), F(부적합)의 5가지로 구분된다.

아픔을 딛고 안전 사회로

조 달러로 오히려 늘어났다. 2022년 4월 기준 우리 돈으로 환산하면 자그마치 7,300조 원에 달한다. 미국 의회예산국(Congressional Budget Office) 자료에 따르면 미국의 인프라 유지관리예산은 10년마다 두 배씩 증가하고 있고, 1977년부터는 전체 인프라 예산에서 차지하는 비중이 50%를 넘어서는 상황이다.[59]

〈표 2-18〉 미국 인프라 수준[58]

구분	종합등급	B등급 상향 비용
2021	C-	5.94조 달러
2017	D+	4.59조 달러
2013	D+	3.60조 달러

이런 상황을 반영해서 트럼프 전 미국 대통령은 2016년 대선 공약으로 10년간 인프라 개선에 1조 달러를 투자하겠다는 공약을 내세웠고, 2018년에는 민주당 펠로시 하원의장과 2조 달러 투자 합의를 이뤄내기도 했다. 하지만 COVID-19로 인해 지방자치단체 대부분이 예산 부족으로 인프라 프로젝트를 중단하거나 연기하는 등 그 뜻을 이루지 못하였다. 설령 성공했어도 당시에 필요한 비용이 4.59조 달러에 이르는 것을 고려하면 그 절반에도 못 미치는 것이었다. 2021년 취임한 바이든 대통령 역시 인프라 개선을 위해 '더 나은 재건(Build Back Better) 프로젝트'를 대선 공약으로 걸고 도로·교량·5G 통신망 등에 약 2조 달러를

투자하겠다고 밝혔지만, 2022년 3월 발표된 예산안에 '더 나은 재건'관련 예산은 포함되지 않는 등 추진에 어려움을 겪고 있다.[60]

미국의 인프라 노후화 문제는 2007년 8월 1일 미네아폴리스에서 I-35W교가 무너지면서 크게 주목받기 시작했다. 이 사고로 13명이 죽고 145명이 다쳤다. 시신 수습 등 초기 대응이 늦어지면서 미국 언론의 관심이 커졌다. 무너진 교량과 같은 형식의 교량이 미국 전역에 750개 정도가 존재하는데, 그중 1/3이 붕괴한 교량처럼 구조적 결함이 있다고 판정받은 게 알려지면서 미국 사회에 큰 충격을 주었다.

〈그림 2-29〉 미국 미네아폴리스 I-35W교 붕괴

사고일시	2007. 8. 1. 오후 6:05
인명피해	사망 13명, 부상 145명
차량피해	111대 추락
구조형태	철골 트러스
건설연도	1967. 11.
사고원인	노후화 및 관리 부실

2009년 6월 22일 히스토리 채널에서 미국의 인프라 노후화 실태를 고발하는 '미국의 붕괴(The Crumbling of America)[63]를 방영했는데, 미국의 하수도, 제방, 도로, 교량, 터널 등의 노후화 상태를 적나라하게

---

63)   시청 가능 사이트: https://www.dailymotion.com/video/x3r7it8

아픔을 딛고 안전 사회로

보여주고 있다.

같은 히스토리 채널에서 2011년 4월부터 여섯 차례에 걸쳐 '미국 점검 (Inspector America)'이라는 고발 프로그램을 방영했는데, LA, 시애틀, 샌프란시스코, 라스베가스, 디트로이트, 미네아폴리스 등 6개 대도시의 열악한 인프라 관리 상태를 고발하는 내용이다.[61] 이 프로그램들은 미국의 대통령들이 왜 인프라 관리예산을 천문학적으로 투자하겠다고 대선 공약으로 내세우고 있는지 그 이유를 확인시켜준다. '미국 점검'에서 갈라닉(Timothy Galarnyk)이라는 전문가가 6개 대도시를 직접 다니면서 교량, 상하수도, 가스관 등 다양한 인프라의 안전 상태를 점검하는데, 프로그램 내내 "이 시설물은 더 이상 사용되어서는 안 된다. 당장 폐쇄해야 한다"라고 절규한다.

〈그림 2-30〉 'Inspector America'의 한 장면

이런 프로그램을 보면 미국의 인프라는 불편한 정도를 넘어서 시민의 안전을 위협하고 있는 지경이다. 2022년 1월에도 피츠버그에서 교량이 갑자기 무너지는 바람에 10여 명이 부상하는 사고가 발생했고, 4월에는

뉴욕의 타임스퀘어 한복판에서 하수도 맨홀이 세 개나 폭발하여 관광객들이 혼비백산했다. 미국 인프라의 노후화는 심각한 상황이다. 요컨대, 미국은 인프라 노후화로 중병을 앓고 있는데 이를 치료하기 위한 돈이 턱없이 부족해서 정부도 어쩌지 못하는 처지에 놓여 있는 것이다.

〈그림 2-31〉 미국의 최근 사고

(a) Fern Hollow교 붕괴(2022. 1. 28.)

(b) 뉴욕 맨홀 폭발(2022. 4. 11.)

대노후화 시대에 접어든 일본도 상황은 비슷

비록 아직 미국만큼 심각한 상황은 아니지만, 〈그림 2-28〉에서 본 것처럼 일본도 1950년대부터 1970년대에 걸쳐 1964년 도쿄 올림픽을 전후로 집중적으로 대량 건설된 인프라가 2010년대 들어서 동시에 노후화 문제로 몸살을 앓고 있다.

아픔을 딛고 안전 사회로

<그림 2-32> 일본의 최근 사고

(a) 붕괴한 교량(2007. 11. 15.)

(b) 낡은 수도고속도로

〈그림 2-32〉는 1964년 이후에 건설된 수도고속도로의 노후 상태와 2007년 붕괴한 교량의 모습을 보여주고 있다. 일본은 2007년 8월의 미국 I-35W교 붕괴 등 미국의 노후화된 인프라로 인한 문제점을 국가적으로 예의주시하고 있었다. 그러던 중에 2012년 12월 2일, 9명의 사망자가 발생한 사사고 터널의 천장 콘크리트판이 추락하는 사고를 계기로 인프라의 노후화 문제가 사회적 이슈로 떠올랐다.

<그림 2-33> 일본 사사고 터널 천장 판 붕괴

사고일시	2012. 12. 2.
인명피해	사망 9명
차량피해	3대 매몰
사고형태	천장판 130m 추락
개통연도	1977. 12. 20.
사고원인	노후화 및 관리 부실

이 사고 이후 일본 정부는 '인프라 노후화 대책 추진 관계부처 연락 회의'를 신설하고, 이를 통해 '인프라 장수명화 기본계획'을 수립했다. 국토교통성에 신설한 '사회자본 노후화 대책회의'에서 '인프라 장수명화 계획(행동계획)'을 수립·발표하는 등 인프라 관리체계와 계획을 근본적으로 재정비하였다. 법적 기준도 강화해서 터널, 교량 등 도로 시설물을 5년에 1회, '근접 육안 점검'하도록 의무화하였다. 그리고 실제 2014년부터 5년 동안 모든 시설물을 조사하였다.

<그림 2-34> 일본의 도로 시설물 전수 점검

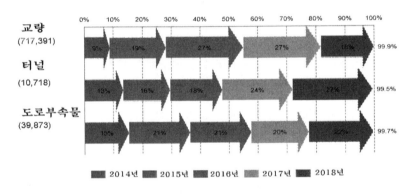

<그림 2-35> 일본의 도로 시설물 점검 결과

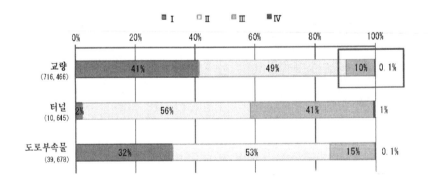

　　　　　　　　　　　　　　　　아픔을 딛고 안전 사회로

일본의 교량 숫자를 보면 70만 개가 넘는데, 이는 시설물안전법의 규정[64]에 따라 연장 100m 이상의 교량을 위주로 관리하는 우리나라와 달리 일본은 연장 2m 이상을 모두 법적으로 관리하고 있기 때문이다.

〈그림 2-35〉는 일본이 5년에 걸쳐 도로 시설물을 전수 점검한 결과를 보여준다.[62] 상태등급은 네 가지로 구분하는데, 긴급조치가 필요한 IV단계도 0.1~1%를 차지한다. 구조물에 지장이 생길 우려가 커 조기 조치가 필요한 III단계 시설물도 10~41%에 이르는 등 확연히 노후한 인프라 상태를 보여주고 있다. 일본은 교량 보수예산의 대부분을 중앙정부의 교부금으로 충당하는데 도도부현·정령시는 67.3%, 시구정촌은 87.0%에 달하고 있다. 말하자면 중앙정부의 지원이 없으면 지방자치단체 자체적으로는 낡아가는 시설물을 관리할 수 없다. 일본 국토교통성이 관리하는 도로, 치수, 하수도, 항만, 공영주택, 공원, 해안, 공항, 항로 표식, 관청시설 등 10개 분야의 사회자본 중 국가, 지방공공단체, 지방도로공사, 수자원 기구가 관리자로 있는 시설을 대상으로 추산한 인프라의 유지관리·갱신비가 2038년에는 6.0~6.6조 엔에 이를 것으로 예상한다.[63] 2021 회계연도 일본 정부의 일반회계 예산 총액이 105조 엔인 것을 참작하면 2023년도 인프라 유지관리·갱신 예산이 5%를 상회한다는 것을 알 수 있다.

---

64) 시설물안전법 시행령 별표1과 별표2에 따르면 도로교량을 1종·2종·3종으로 구분하는데 2종 시설물이 '경간장 50m 이상 한 경간 교량 또는 연장 100m 이상의 교량'으로 되어 있어 연장 100m 이상의 교량은 법적으로 완전히 의무화되어 있는 반면, 연장 100m 이하의 교량은 중앙행정기관의 장이나 지방자치단체의 장이 제3종 시설물로 지정·고시할 수 있어 대부분의 법적 관리 대상에서 제외되어 있음

〈표 2-19〉 일본의 유지관리·갱신비 추산 규모

년도	추산 결과
2018	약 5.2조 엔
2023	약 5.5~6.0조 엔
2028	약 5.8~6.4조 엔
2038	약 6.0~6.6조 엔

　일본은 이와 같은 재정적인 압박과 미국의 열악한 인프라 상황을 타산지석으로 삼아 인프라를 지금 이상으로 건설·관리하여 국가 경제를 뒷받침하고 국민의 풍요를 이어가기 위해 '위기를 기회로' 바꾸는 정책을 시행하고 있다. 일본의 '인프라 장수명화 기본계획'의 특징이다. 유지관리 산업 분야에서 세계의 선두로 올라서 2030년까지 인프라의 점검·보수와 센서·로봇 등의 세계 시장의 30%를 점유하겠다는 목표를 정하고 이를 총력적으로 추진하고 있다. 이를 뒷받침하는 전국적인 플랫폼으로 2016년 11월 '인프라 메인테넌스 국민회의'라는 조직을 구축했다. 이 조직을 통해 '산학관민의 기술과 지혜를 총동원'하여 혁신적 기술을 개발하고 이를 해외 시장으로 확산시켜 나가는 계획을 추진하고 있다. 2022년 4월 현재 국민회의에 참여하고 있는 회원은 기업회원이 917개소, 행정기관이 1,151개소, 단체회원 166개소, 개인회원이 274개소로 모두 2,508개소에 이른다.

　　　　　　　　　　　　　　　　　　　　아픔을 딛고 안전 사회로

우리는 어떨까

　미국과 일본에 비해 많게는 50년 이상 뒤늦게 인프라 정비를 시작한 우리나라도 〈그림 2-28〉에서 본 것처럼 대략 2015년부터 인프라 노후화 시대에 접어들었다. 일본은 자체적으로 2010년에 인프라 노후화가 심화한 것으로 분석하고 있지만[57], 사실상 도쿄를 비롯한 일본의 대도시에서 노후화 징후가 나타나기 시작한 것은 1990년대 초부터라고 할 수 있다. 일본의 공영방송 NHK가 1993년 8월부터 5개월간 방영한 다큐멘터리 '테크노 파워, 세계의 거대건설' 마지막 편인 '거대도시 재생의 조건'[64]은 일본이 거대도시 뉴욕의 노후화 현상을 반면교사로 삼아 도쿄의 당시 인프라 상황은 어느 정도인지 살펴보는 프로그램이었다. 이 프로그램에서 도쿄의 하수도에 상상 이상으로 심각한 노후화가 진행되고 있다는 것을 확인하고 깜짝 놀라는 모습을 보인다.

　도쿄의 하수도는 1861년에 요코하마의 외국인 거류지에 처음 만들었다. 이를 시초로 1964년 도쿄 올림픽을 전후로 하수도 보급률이 늘어나고, 1970년대의 고도 경제성장기를 거치면서 크게 확충되어 1992년 당시 기준으로 그 연장이 14,136㎞[65]에 이르고 1994년에 보급률이 100%에 달했다.[66] 1990년에 도쿄도 하수국이 조사한 결과에 따르면, 긴급 보수가 필요할 정도의 하수관 손상이 킬로미터당 평균 39개소로 나타났는데, 손상은 하수관이 오래된 것일수록 많이 발생하였다. 하

---

65)　2019년 기준, 총 16,369㎞(구부 16,137㎞ + 타마부 232㎞)[65]

수관에 손상이 발생하면 하수로 인해 주변 토양이 오염되는 것 외에도 직접적으로는 도로에 함몰을 일으킨다. 1990년 도쿄도에는 연간 2,000개가 넘는 도로함몰[66]이 잇따라 발생할 정도로 노후화가 심각한 상황이었다.[64]

서울도 2013년 11월에 석촌호수의 수위가 1m나 낮아질 만큼 물이 빠지면서 주변 일대에서 발생하는 도로함몰이 주목받기 시작하였다. 다음 해 8월에는 지하철 9호선 공사장에서 길이가 87m에 달하는 거대한 동공이 발견되면서 도로함몰이 사회적 이슈로 떠올랐고 서울시가 긴급 대책을 발표하기에 이르렀다. 당시 제2롯데월드 공사가 석촌호수의 수위 저하나 지하철 9호선의 동공 발생에 영향을 준 것이 아닌가하는 의문이 제기되기도 했으나 서울시의 조사 결과 직접적인 연관성이 없는 것으로 드러나기도 하였다.[67]

서울은 전쟁 이후 하수도 정비를 시작해서 1984년에 보급률 84%에 연장이 7,059km에 이르렀고, 1998년도에는 9,314km로 보급률 100%를 달성하였다. 2009년 기준으로 총연장 10,261km의 하수도관이 매설되어 있었는데, 2014년 발표 당시 하수도의 노후 상태가 〈그림 2-36〉과 같은 것으로 나타났다.

이러한 하수도의 결함 때문에 발생하는 도로함몰을 포함해 2010년부터 5년간 서울에 평균 연간 681건의 도로함몰이 발생했는데, 매년

---

66) 국내 언론에서는 한때 '싱크홀'이라는 용어를 많이 사용했는데, 국립국어원이 2014년 8월 '땅꺼짐' 또는 빔을구멍 으로 순화어에 있다. '싱크홀(sinkhole)'은 석회암이나 화산계층에서 지반 성분이 물에 녹거나 침식되어 큰 동공으로 확대되면서 지반이 붕괴하는 것으로, 도로에서 하수도 결함으로 땅이 꺼지는 현상과는 다르고, 하수도 결함으로 인한 땅꺼짐이 주로 하수도가 매설된 도로에서 발생하므로 '도로함몰'이라고 사용하기도 한다.

29%씩 증가하고 있을 정도로 그 상태가 심각한 것으로 밝혀졌다. 이를 줄이기 위해서는 연간 약 300㎞ 정도의 상태가 나쁜 노후 하수도를 개축해야 했다. 문제는 예산인데, 당시 서울시는 하수도 정비예산을 증액하여 적어도 5년 동안 매년 2,200~2,500억 원 정도를 투자해야 하지만 연간 평균 약 1,000억 원 정도가 부족한 것으로 나타났다.

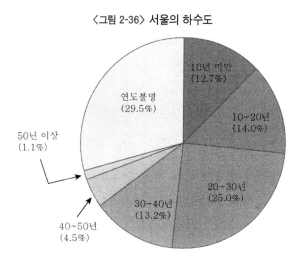

〈그림 2-36〉 서울의 하수도

서울시도 이미 인프라 노후화가 시작되었고, 그 예산이 하수도 유지보수에서도 부족한 것으로 드러난 것이다. 정부에서는 서울시가 재정자립도가 좋다는 이유로 재정지원에 소극적인 모습을 보여 아직도 노후 하수도를 제때 적절히 고치지 못하고 있는데, 시간이 갈수록 하수도 노후화도 빠르게 진행되고 있어 문제다.

<표 2-20> 주요 땅꺼짐 사례(2014~2016년)

일시	장소	피해
2014. 8. 19.	석촌지하차도 하부 87m 동공 발견	-
2015. 2. 21.	용산역 앞 공사장 옆 땅꺼짐	행인 2명 추락
2015. 3. 29.	신촌 현대백화점 앞 땅꺼짐	통행 차량 전복
2016. 7. 17.	경기도 고양시 우수관 손상 땅꺼짐	60대 여성 추락
2016. 8. 28.	부산 KTX 상부 초대형 땅꺼짐	-

도로함몰은 곳곳에서 이어져서 주요 사례만 봐도 〈표 2-20〉과 같다. 용산역 앞 공사장에서는 버스에서 막 하차한 두 젊은이가 3m 깊이로 땅이 꺼지면서 추락한 사고가 발생[67]하기도 했고, 신촌에서는 지나가던 트럭이 옆으로 넘어지면서 인도를 덮치는 사고도 일어나는 등 불안이 가중되었다. 이와 같은 사고는 서울에만 국한된 것이 아니고 경기도 고양시에서도 60대 여성이 길을 가다 꺼진 땅으로 추락하는 사고가 발생했고, 부산 도심 한복판에서도 KTX 터널 위에서 5m 깊이의 땅꺼짐이 발생하는 등 전국적으로 불안이 높아졌다.

잇따른 도로함몰 사고뿐만 아니라, 2016년 2월 17일에는 서울시 내부순환도시고속도로 정릉천 구간의 고가도로 구간에서 교량 안전에 중요한 PT 텐던이 끊어지는 사고가 발생하였다.

---

67) 도로 포트싱에 대되고로 생기는 땅꺼짐은 하수도 손상보다는 건축공사, 지하철공사 등 지하를 굴착하는 공사장에서 지하수와 토사 누출을 방지하기 위한 물막이 공사를 잘못해서 발생하는데, 이곳 역시 마찬가지였다.

아픔을 딛고 안전 사회로

〈그림 2-37〉 정릉천 PT 텐던 파단사고[68]

발견일시	2016. 2. 17. 오후 5시
사고내용	PT 텐던 파단
긴급조치	교통 전면통제
	가설벤트 설치
	손상텐던 교체
후속조치	유사교량 일제 점검

　서울시가 유사 교량에 대해 외부텐던을 위주로 일제 점검했는데, 강변북로 구간의 두모교[68]와 서호교[69]에서도 결함이 발견되어 긴급히 보수공사를 하였다. 잇따른 사고와 결함 발생으로 인프라의 노후화에 대한 인식과 경각심이 높아지면서 2016년 7월에는 서울시가 전국 최초로 노후 인프라의 체계적 관리를 위한 조례[70]를 제정하였다. 이 조례의 골자는 서울시 노후 시설물에 대해 5년마다 실태를 평가하여 보고서를 작성하고 이를 바탕으로 5년 단위로 종합관리계획을 수립하는 것이었다.

　2018년 11월에는 서울 서대문구 KT 아현지사의 건물 지하에 설치된 통신구에서 불이 나 대규모 유·무선 통신장애가 발생하였다. 연이어 12월에는 경기도 고양시 일산동구 백석역에서 노후 온수관이 파열되어 뜨거운 물이 도로에 쏟아지면서 42명의 사상자가 발생하였는데,

---

68)　강변북로상의 교량으로 반포대교에서 성수대교 간의 3.67km 구간

69)　강변북로상의 교량으로 양화대교에서 한강철교 간의 1.85km 구간

70)　'서울특별시 노후기반시설 성능개선 및 장수명화 촉진 조례', 2016. 7. 14. 제정, 김진영 서울시의회 도시안전건설위원회 위원장 대표발의

1991년에 매설된 관이 27년간 단 한 차례도 교체된 적이 없는 것으로 확인되었다. 정부도 노후 인프라의 연이은 사고로 국민의 불안감이 가중되자 2018년 12월 인프라의 노후화에 대비한 '기반시설관리법'[71]을 제정하였다. 이 법의 제정을 통해 5년마다 기반시설 관리에 대한 기본계획을 수립하고, 기반시설 유형별로 '최소 유지관리 기준'을 설정하여 고시하도록 하였으며, 특히 재원 마련과 지원 규정이 마련되었다. 정부는 정부 차원의 대응을 위해 2018년 12월부터 '노후 기반시설 안전강화 범정부 TF'를 구성하고 공공시설 외에도 공공성이 높은 민간시설까지 포함하여 국민 생활 안전에 큰 영향을 미치는 15종의 기반시설을 대상으로 종합대책을 수립하였다.[69]

〈표 2-21〉 대상 15종 기반시설[69]

대분류	소분류	기반시설
중대형SOC	교통시설	도로·철도·공항(국토부), 항만(해수부)
	방재시설	댐(환경·산자부), 저수지(농식품부), 하천(국토부)
지하시설물	지하관로	상수·하수도(환경부), 가스·열수송·송유관(산자부)
	지하구	전력구(산자부), 통신구(과기부), 공동구(국토·행안부)

71)   '지속가능한 기반시설 관리 기본법', 2018. 12. 31. 제정, 2020. 1. 1. 시행

정부는 2020년 3월, 기반시설관리법에 따라 '제1차 기반시설관리 기본계획'을 수립·발표하였다. 중대형 기반시설 중 도로·철도·항만 등 경과 연수 30년 이상 된 시설이 36.8%인데, 20년 후에는 78.9%로 2배 이상으로 늘어나고, 방재시설 중에서도 저수지가 30년 이상 경과한 시설이 96%나 되는 등 전반적으로 노후화가 높은 수준으로 드러났다. 2014년부터 2019년까지 6년간 노후 기반시설 관리에 약 59.3조 원이 투자[72]되었는데, 불과 5년 만에 74.5%가 늘어났다. 동 계획에서는 계획 대상 기간인 2020년부터 2025년까지 기반시설 관리 강화에 연평균 13조 원[73] 정도가 필요한 것으로 예측한다.[70] 정부에서 미래 소요 비용을 추계한 것을 보면 2050년에는 이 비용이 53조에 이르러 2019년의 12조 원의 약 4.4배로, 향후 30년간(2021년~2050년) 인프라 유지 관리에 약 1천조 원이 소요될 것이라고 한다.[71]

〈그림 2-38〉 향후 30년간 기반시설 관리비용[71]

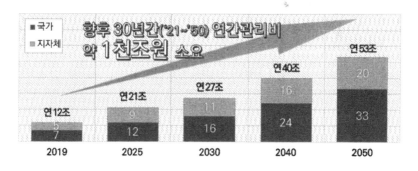

---

72) 2014년 7.2조 → 2015년 9.1조 → 2016년 9.2조 → 2017년 10.1조 → 2018년 11.0조 ↗ 2019년 12.6조

73) 국비 5조 원 내외, 지방비 5조 원 내외, 공공·민간 3조 원 내외

이처럼 인프라의 관리 비용은 급증하는 반면, 재원확보에는 한계가 있어서 특단의 대책이 필요하다. 인프라의 노후화를 적기에 예방하지 못하면 시민 일상생활의 편의와 국가 경제의 번영에 큰 저해 요인으로 작용할 수 있다. 그런데 이처럼 정부와 지방자치단체가 노력하고 있음에도 불구하고, 인프라를 직접 관리하는 현장에서는 예산 부족 문제가 벌써 나타나고 있다.

2019년 3월, 서울시 중구에 있는 서소문고가차도의 교각을 덮고 있는 미장재와 수십 개의 콘크리트 덩어리가 고가차도 아래로 떨어지는 사고가 일어났다. 다행히 사고 당시 통행 차량이 없어서 인명사고가 발생하지는 않았지만, 철근이 녹슬어 체적이 늘어나면서 콘크리트 덩어리를 밀어내는 속칭 '탈락' 현상은 철근콘크리트로 만들어진 구조물이 노후화하면서 흔히 발생하는 사고다. 예를 들어, 2020년 6월에는 미국 플로리다주의 루즈벨트(Roosebelt)교에서도 콘크리트 덩어리가 떨어져 내려 교량을 폐쇄한 일이 있었다.

〈그림 2-39〉 콘크리트 탈락

(a) 서소문고가 탈락(2019. 3. 25.)   (b) 루즈벨트교 탈락(2020. 6. 17.)

아픔을 딛고 안전 사회로

교량의 붕괴 등 큰 사고만이 아니라 이와 같은 사고도 방지하기 위해 시설물안전법 시행령은 시설물을 점검한 결과 중대한 결함을 발견할 때는 3년 이내에는 조치를 완료하도록 규정[74]하고 있다. 그런데 결함 조치율이 그다지 높지 않다.[72]

예를 들어, 〈그림 2-40〉처럼 교량의 방호벽은 차량이 교량 밖으로 추락하는 것을 방지하는 시설물로 교량 구간에는 대부분 칠근콘크리트 구조물로 되어 있는데, 건설된 지 30년 정도 지나면서 대부분 노후화 현상이 진행되고 있다. 특히 콘크리트가 중성화[75]되고 철근이 녹슬면서 체적이 늘어나 콘크리트에 균열이 생기고 결국 〈그림 2-40〉의 (b)처럼 들뜨는 현상이 생긴다.

〈그림 2-40〉 교량의 방호벽 손상

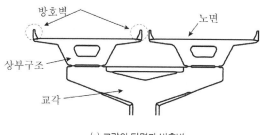

(a) 교량의 단면과 방호벽   (b) 방호벽 손상

---

74) 시설물의 안전 및 유지관리에 관한 특별법 시행령 제19조(중대한 결함 등에 대한 보수·보강조치의 이행) 관리주체는 법 제24조제1항에 따라 법 제13조제6항에 따른 조치명령 또는 법 제22조제1항·제2항에 따른 통보를 받은 날부터 <u>2년 이내에 시설물의 보수·보강 등 필요한 조치에 착수해야 하며</u>, 특별한 사유가 없으면 <u>착수한 날부터 3년 이내에 이를 완료해야 한다.</u>

75) 콘크리트는 pH 13 정도의 강알칼리로 철근의 부식을 방지하는 역할을 하는데, 자동차 배기가스 등에 포함된 CO_2 가스 등의 영향으로 중성화되면 부식방지 기능을 상실하는데 이를 '중성화' 또는 '탄산화'라고 한다.

이때 적절한 보수를 하지 않으면 서소문고가차도나 미국의 루즈벨트 교에서처럼 콘크리트 덩어리가 떨어지는 사고가 발생한다. 그런데 예상하지 못한 낙하물은 고속으로 주행하는 도시고속도로 구간에서는 운전자에게 지극히 위험하다. 그러나 이와 같은 위험이 예산 부족 등을 이유로 법령의 규정대로 즉각 해소되지 못하고 있다.

이와 관련해서 두 가지의 문제가 있다. 우선, 점검·진단을 통해 유해·위험요인이 발견되어도 예산이 부족해서 장기간에 걸쳐 보수·보강을 해야 하는 경우가 적지 않을 것이다. 그런데 이와 같은 경우에 연차별 계획만 수립하고 실제 보수·보강을 하기 전에 중대시민재해가 발생한다면 과연 법상 면책이 될 수 있는지 의문이다. 만약 그렇다면 법 시행전과 달라지는 게 없다. 또 하나는 법에서 정한 예산 확보 의무를 공공 분야에서조차도 재원이 없어 이행하기 어렵다는 것이다. 이와 같은 문제는 전국의 공공기관이 비슷하리라 생각한다. 시설물의 안전점검은 공공기관이 시설물안전법 규정에 따라 잘하고 있지만, 이를 통해 발견된 유해·위험요인의 조치율도 챙겨볼 필요가 있다.

〈표 2-22〉 2022년 산재예방프로그램 지출[73]

예산 구분	예산액(기금)	지원비율
안전보건재정지원		
• 유해위험요인 시설개선	1,197억 원	50~70%
• 산업예방시설 융자	3,563억 원	
안전보건기술지원		
• 취약계층 고위험환경 개선 지원	664억 원	100%

공공 분야의 사정도 이런데 과연 민간 분야에서는 적시에 비용을 투입해서 유해·위험요인을 해소할 수 있을까 싶다. 민간도 업종에 따라서 차이가 나겠지만, 노후 기계·장치·장비·시설의 교체 또는 개축에 적지 않은 비용이 소요되는 것은 공공 분야와 비슷할 것으로 추정된다. 특히 중소기업일수록 작업환경이 열악함에도 자금 사정이 어렵기 때문에 고용노동부도 중소기업을 집중적으로 지원하고 있지만, 그 지원 예산조차 충분해 보이지 않는다. '유해위험요인 시설개선' 예산 1,197억 원[76]은 그 지원 대상도 중대재해처벌법 적용이 유예되거나 배제된 소기업에 국한된다. 그리고 중대재해처벌법 입법을 위한 법사위 심의 중에 고용노동부차관이 언급한 것처럼, 이 정도의 돈으로는 대상 기업에서도 수많은 사업장의 시설개선이나 장비 개선을 하기 어렵다.[74] 따라서 기업 대부분은 정부로부터의 지원은 기대하기 어렵고 필요한 비용을 자체 조달해야 한다. 지극히 일부 대기업을 제외하고는 공공 분야나 민간기업 대부분은 사실상 중대재해처벌법의 규정에 맞춰 유해·위험요인을 해소하기 위한 예산을 적기에 충분히 투입하는 것은 어려워 보인다. 이러니 중소기업의 절반 이상(53.7%)이 중대재해처벌법에 따른 의무 준수가 불가능하다는 답변이 나오는 것이다.[75]

여수국가산업단지 등에서도 노후로 인해 잇따라 폭발 사고가 발생하고 있다. 이에 따라 국가산업단지에서도 시설과 장비의 노후화로 인한 문제가 쟁점화되고 있다.[76] 노후화와 재원 부족의 문제는 다 같이 머

---

76)   동일사업 2020년 예산액 1,001억 원

리를 맞대고 해결책을 찾아나가야 한다. 예산 확보 의무만 부여하고,
안 되면 처벌하겠다는 방식은 해결책이 아니다.

3.
안전은 간데없고

안전은 뒷전, 대형 로펌만 대박

〈그림 2-41〉은 중대재해처벌법의 문제점과 대안모색 방안에 대한 독자의 이해를 돕기 위해 필자가 고안한 그림인데, 편의상 '위험관리곡선'이라고 이름 붙였다. y축은 위험의 크기 또는 위험에 대응하는 역량을 나타내고, x축은 역량의 유형을 표시하는데 대표적인 역량으로 세 가지를 선정하였다. 이 그림은 그 대상을 개인이나 기업, 기관, 사회 전체 중 어느 것으로 상정해도 똑같다.

〈그림 2-41〉 위험관리곡선

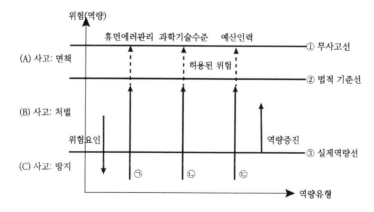

어떤 조직이 모든 위험을 100% 완벽하게 관리하고 통제할 수 있는 역량을 갖춘다면 ①의 '무사고선'처럼 사고가 전혀 없는 상태가 된다. 그런데 전술한 대로 인적 오류, 과학·기술적 한계, 예산의 부족 등 다양한 원인으로 인해 사실상 ①의 무사고선에 도달하기는 어렵다. ②의 곡선은 법규·지침·매뉴얼 등을 통해 위험을 관리하도록 정한 객관적 기준 또는 법적 기준이다. 통상 이 기준을 준수하였음에도 사고가 발생한 경우, 즉 그림에서 (A) 영역에 해당할 때는 행위자에게 책임을 묻지 않고 처벌하지 않는데, 이를 형법 교과서에서는 '허용된 위험'이라고 한다.[77][78]

이 '허용된 위험'의 개념은 1871년 독일에서 루드빅(Ludwig von Bar)이 다소 위험스럽지만 인간이 삶을 영위하기 위해 꼭 필요한 공장이 존재하며, 시간이 가면서 그 위험 때문에 일정 수의 직원이 목숨을 잃을 수도 있지만 그렇다고 해서 공장의 운영을 중단할 수 없다는 것을 처음 언급한 데서 비롯되었다. 이 개념은 사고의 위험성을 내포하고 있지만, 그런데도 사회적 유용성이 더 크기 때문에 개별 법규에서 정한 일정한 주의 규정이나 기술 요건에 근거해서 행위를 하는 한 그 위험한 행위를 허용할 수밖에 없는 것을 말하며, 대형 건축물이나 원자로의 건설을 그 예로 들고 있다.[77][80]

③의 곡선 아래 (C) 영역은 위험이 예방조치 등으로 통제되어 사고가

---

77) 허용된 위험'의 다른 유형[79] ① 사회적 경제적 유효성 때문에 허용되는 경우(자동차·항공기 교통, 공장의 생산설비, 에너지시설의 이용 등) ② 위험한 구조행위의 경우(화재 시 아이를 구하기 위해 창밖으로 던지는 행위, 인질을 위협하는 납치범을 쏘는 행위 등)

없는 상태를 뜻하고, 실제 역량이나 예방조치가 ②에 못 미쳐 법적 기준을 준수하지 못한 상태에서 사고가 발생한 (B) 영역은 처벌받는다. 조직에 따라서는 실제 역량선(곡선 ③)이 법적 기준(곡선 ②) 이상의 위험 관리 역량을 보유하고, 또 조직의 목표를 전혀 사고가 발생하지 않는 무사고선(곡선 ①)으로 설정하여 노력할 수도 있겠지만, 이는 쉽지 않은 일이다. 따라서 대부분 치벌받지 않을 목적으로 실제 위험관리 역량 수준을 최소한 법적 기준 이상으로 올리기 위해 노력한다. 이런 노력이 '위하력'의 효과라고 생각한다.

중대재해처벌법도 경영책임자가 법에서 정한 보건·안전 의무를 위반하여 중대재해에 이르게 된 경우에 경영책임자가 처벌받고, 사고가 발생해도 법적 의무를 준수한 경우에는 처벌받지 않는다는 것은 〈그림 2-41〉의 개념과 같다. 그런데 중대재해처벌법과 관련해서 가장 큰 문제는 〈그림 2-42〉처럼 ②의 법적 기준선이 명확하지 않다는 것이다. 예를 들어, "재해 예방에 필요한 인력 및 예산 등"의 '필요한'처럼 애매하다.

〈그림 2-42〉 중대재해처벌법의 위험관리곡선

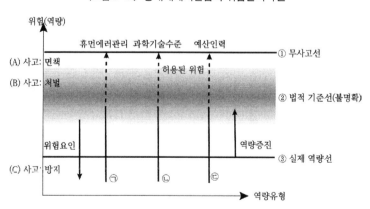

일부에서는 판례가 쌓이면 이런 불확실성이 사라진다고 말하기도 하는데[81][82][83], 항소심까지 모두 마쳐 대법원 판례로 나올 때까지 수년 이상 걸린다. 다양한 분야에 지침이 될 만한 판례들이 축적되기까지 사회를 불확실성 속에 방치하는 것은 타당하지 않다.

중대재해가 발생해도 인과관계를 입증하기 어려워 처벌받지 않았던 경영책임자를 처벌할 구실을 만들기 위해, 법을 만들면서 경영책임자에게 부과한 의무규정은 주로 경영방침 또는 관리상의 행위에 국한된다. 현장에 존재하는 위험을 줄이거나 현장의 안전 역량을 높이는 일과는 괴리가 있다. 다시 말해 경영책임자가 의무를 충실히 이행한다고 해서 현장의 위험이 줄거나 안전 역량이 높아진다고 보기 어렵다.

처벌은 무거운데 지켜야 할 의무 기준이 불명확해서 경영책임자는 처벌을 면하기 위한 면피성 업무에 몰입할 수밖에 없다. 위험을 줄이거나 안전 역량을 올리는 일보다 대형 로펌을 찾아 어떻게 하면 처벌을 면할 수 있는지 법률전문가의 조력을 받게 된다. 그런데 그 의무 기준이 현장과 동떨어져 있으니 법 시행 이후에도 사고가 반복되는 것이다. 〈그림 2-42〉는 중대재해처벌법의 법적 의무 기준 ②의 폭이 넓고 그 경계가 모호하다는 것을 보여준다. 아무리 노력해도 사고는 발생할 수밖에 없는데 어디까지 그 기준을 만족시켜야 처벌을 면하는지 예측하기 어렵다. 경영책임자는 그 높은 불확실성 때문에 법률적인 방어에 우선할 수밖에 없는 것이다. 〈그림 2-42〉와 같은 상황에서는 안전관리 역량을 높이는 정상적인 노력은 그 우선순위가 뒤로 밀릴 수밖에 없다. 어차피 사고가 발생하면 처벌받기 쉬워, 우선 면피용 증서를 남

아픔을 딛고 안전 사회로

기는 데 집중하게 된다. 이런 상황에서는 처벌을 강하게 할수록 그 '위하력'의 본래 의도는 사라진다. 객관적 기준이 불명확한 상황에서 가혹한 처벌로 범죄를 예방하겠다는 '위하력'은 겁박·위협에 불과할 뿐이다.

치밀하지 않은 정부, 혼란 가중

법 시행 후 중대재해가 발생할 때마다 경찰, 고용노동부가 기업의 본사를 압수수색하는 등 어떻게든 중대재해를 막아보겠다는 몸짓을 하고 있다. 그러나 경영책임자가 겁을 먹을수록 처벌을 회피하기 위한 면피성 업무를 하느라 한정된 예산 및 인력 등의 자원 소모가 많아져 현장의 안전은 더욱 취약해진다. 요컨대, 현장의 안전은 더 뒷전으로 밀려 나빠지고 처벌을 면하기 위한 법률서비스 수요만 잔뜩 높아져 대형 로펌이 때아닌 문전성시를 이루고 대박이 날 수밖에 없다.[84][85][86] 이런 세태를 반영하듯 최근 로펌 소속 변호사들이 언론에 광고성 칼럼을 올리는 사례가 많아졌다. 전문 컨설턴트 업체도 기업들의 이런 수요에 발 빠르게 움직이고 있는데, 이들 역시 로펌과 마찬가지다. 한번 걸리면 자칫 공중분해될 수도 있다는 두려움 때문에 기업들이 어쩔 수 없이 로펌에 기댈 수밖에 없게 만들고 있는데, 과연 이게 기업이나 사회의 안전 역량 증진에 정말 도움이 될지 의문이다.

한편 사고 위험이 큰 건설업계는 중대재해처벌법이 시행되면서 '멘붕'

에 빠질 정도로 위축되고 있다는 보도가 잇따르고 있다.[87][88][89] 보도에 따르면, 중대재해처벌법이 시행된 2022년 1월 27일 직후인 29일 토요일부터 사실상 설날 연휴가 시작되면서 건설업체들이 법 적용 대상 '1호'로 처벌받는 것을 피하려 법 시행일부터 설 연휴 기간을 늘려 일주일 이상 공사를 중단하는 일이 늘어났다.[90] 통계청의 2022년 「2월 산업활동 동향」 자료에 따르면, 건설업 생산이 8.5% 줄어 7년 만에 최대 폭으로 감소한 것으로 나타났고, 한국건설산업연구원은 2022년 1월 건설기업경기실사지수(CBSI)[78]가 전달에 비해 17.9p 하락하면서 1년 5개월 만에 최저치를 기록하였다고 밝혔다. 이는 법 시행 바로 직전에 발생한 광주 아파트 붕괴사고와 함께 건설업계가 몸을 잔뜩 움츠렸던 때문으로 보인다. 이와 함께 인력이나 자금 여력이 부족한 영세한 중소기업은 비용도 부담되고 무엇을 어떻게 해야 할지 몰라 '패닉'에 빠져 사실상 손을 놓고 있는 상황으로[91][92] 이에 따른 부작용도 만만치 않아 보인다. 이는 비단 건설업계와 중소기업에만 해당되는 얘기는 아닌 듯하다. 기업 대부분에 안전 비용과 사법 리스크 등 각종 부담이 늘어났음에도, 현장의 사고는 줄어들고 있지 않다. 한편으로는 사고 위험이 큰 건설, 화학 등의 업종에 대해 금융기관들이 투자를 꺼린다는 지적까지 있다.[93]

<그림 2-42>처럼 법적 기준선이 불분명한 상황에서 중대재해가 발

---

78) 건설기업경기실사지수(Construction Business Survey Index): 업계의 체감경기를 알려주는 지수로, 향후 경기동향에 대해 기업가의 의견을 들어 긍정은 더하고, 부정은 감하는 방식으로 계산한다. 기준값은 100으로, 이보다 크면 긍정이 많은 것이고 작으면 부정이 많은 것을 의미한다.

아픔을 딛고 안전 사회로

생했음에도 주로 면피성 문서작업으로 보건·안전 의무를 준수한 것으로 인정받아 경영책임자가 처벌을 면하게 되면, 현장에서의 투자와 노력은 그 상태에서 정지될 우려가 있다. 적어도 그 조직은 유사 사고가 발생해도 처벌을 면할 수 있다는 신호가 되어 더 이상의 투자에 대한 유인요인이 없기 때문이다. 또 이는 다른 조직도 더더욱 면피성 문서작업에 매진하게 할 것이다.

2022년 4월 4일의 보도에 따르면 민주노총 관계자가 "1년 유예기간에 실제 현장을 바꿀 근로자 작업 거부권이나 체계가 하청 근로자까지 적용되는지를 살피지 않았다"라며 "유예기간 기업은 책임을 피할 방법을 찾는 데 집중했고 고용노동부는 의무만 지키면 처벌은 없다는 신호를 줬다"라고 비난한 것은 앞의 두 가지 문제에 대한 지적이라고 볼 수 있다.[94]

PART 3

이제 미봉책으로는 안 돼
- 근본대책의 기본방향

재해를 예방하는 일을 축구에 비유하자면 뜨거운 스포트라이트를 받기 어려운 '수비'에 해당한다. 평소 재해 예방 업무는 외면받기 일쑤고 대형 재해가 발생해도 정부는 여론이 들끓는 그때만 넘기려는 미봉책을 반복해왔다. 중대재해처벌법도 그 범주에서 크게 벗어나지 못하였다고 할 수 있다. 그러나 대형 참사와 산재가 반복되면서, 더 이상 미봉책만으로는 안전 사회에 대한 국민의 열망을 만족시킬 수 없다. 시간이 걸리더라도 대응책을 제대로 마련해야 한다.

1.
강력한 처벌을 한다지만, 구멍만

반복되는 사고, 엄벌을 선포했지만

중대재해처벌법 시행을 보름 정도 앞둔 2022년 1월 11일 광주광역시 서구 화정동에서 공사 중이던 ○○아파트의 바닥 슬래브가 38층부터 23층까지 순식간에 무너져내렸다. 이 사고로 사고 당시 작업 중이던 근로자 6명이 건물 잔해에 깔려 실종되었다가 모두 숨진 채로 발견되었다. 국토교통부가 사고 이후 약 2개월간 조사한 결과 주요 원인으로 39층 바닥층의 시공 방법과 지지 방식을 설계도서와 다르게 무단으로 구조 변경한 것 외에 가설 지지대의 조기 철거, 콘크리트 강도 부족, 감리자의 역할 미흡 등을 지적하였다.[95]

〈표 3-1〉 광주 ○○아파트 사고 개요

사고일시	2022. 1. 11. 오후 3:46경
인명피해	근로자 6명 사망
물적피해	23~38층 바닥판 붕괴
시공회사	H개발(하도급: K건설산업)
행정조치	국토부 서울시에 등록말소 등 최고 처분 요청

국토교통부는 사고의 중대성과 국민적 우려를 고려해 H개발의 본사 소재지로 행정처분권을 가진 서울시에 건산법에 따라 등록말소 또는 영업정지 1년의 엄중한 행정처분을 요청하였고, 서울시도 원도급회사에 대해 강력한 행정처분을 검토하겠다고 밝혔다.[96] 하도급사 역시 본사 소재지인 광주광역시 서구청에 같은 처분을 요청하였다. 국토교통부가 부실공사로 중대재해를 일으킨 시공회사와 하도급사 모두를 '등록말소'라는 엄중한 처벌을 통해 사실상 업계에서 퇴출을 시키겠다고 국민 앞에 공표한 것이다.

그리고 2021년 6월 9일 H개발이 광주광역시 동구 학동에서 학동4구역 재개발사업을 위해 빌딩을 철거하던 중에 빌딩이 무너지면서 시내버스를 덮쳐 9명의 시민이 목숨을 잃고 8명이 부상한 사고에 대해 서울시도 해체계획서와 다르게 시공한 '부실시공 혐의'로 2022년 3월 30일 건산법에 따라 8개월의 영업정지 처분을 하였고,[97] 이어서 4월 13일에는 '하수급인 관리의무 위반'으로 추가로 8개월의 영업정지 부과 처분을 하는 등 정부와 지방자치단체가 모두 강력한 처벌 의지를 밝혔다.[96]

〈표 3-2〉 광주 학동 건물철거 중 붕괴사고 개요

사고일시	2021. 6. 9. 오후 4:23경
인명피해	9명 사망, 8명 부상
시공회사	H개발
행정조치	서울시 1년 4개월(8개월+8개월) 영업정지 처분

아픔을 딛고 안전 사회로

국토교통부는 "건산법을 개정해 시설물 중대 손괴로 일반인 3명 또는 근로자 5명 이상 사망 시에는 바로 등록말소하는 등 무겁게 처벌하겠다"라고 밝혔다. 그리고 지방자치단체에서 처분까지 상당한 기간이 소요되고 있어 처분 권한을 국토교통부로 환원하여 직접 처분하는 등 강력한 처벌을 도입함으로써 부실공사를 근절하겠다는 방안을 발표하였다.[98]

문제는 이와 같은 정부의 의지가 과연 어느 정도 실효성이 있는지다. 서울시가 '부실시공 혐의'로 부과한 영업정지 8개월 처분에 대해 H개발이 바로 법원에 '집행정지 가처분과 행정처분 취소소송'을 제기했고, 서울행정법원 재판부는 2022년 4월 14일, "회복하기 어려운 손해가 발생할 우려가 있고 손해를 예방하기 위한 긴급한 필요가 있다고 인정된다"라는 이유로 "본안소송 선고 후 30일이 되는 날까지 영업정지 8개월의 효력을 정지하라"라고 판시하였다.[99] 사실상 본 소송이 완료되기 전까지 실제 시공회사가 영업정지를 당할 가능성은 없어졌다. 정부의 역대급 처벌 의지도 소송이 완료될 때까지는 유예되었다. 2022년 4월 18일에는 H개발이 서울시에 '하수급인 관리의무 위반'으로 부과한 8개월 영업정지 처분을 '과징금' 처분으로 변경을 요청했고, 서울시는 건산법 규정에 따라 과징금으로 변경하고 서울시가 영업정지를 강행할 수 있는 재량이 없음을 밝혔다. 어떻든 정부와 지방자치단체가 밝힌 강력한 처벌 의지의 실현 여부는 불투명해졌다.[100]

그런데 H개발은 이런 일이 처음이 아니다. 그냥 인터넷 검색만 해봐도 2014년 10월 공정거래위원회가 서울 지하철 9호선 3단계 ○○공구

공사담합을 이유로 '관급공사 입찰 제한'처분을 한 적이 있는데, 이때도 역시 '집행정지 신청 및 제재 처분 취소소송' 제기를 통해 실질적인 제재를 피했다. 2008년에 K시에서 발주한 하수관거 공사에서 저지른 비리로 5개월간의 '관급공사 입찰 제한' 처분을 받았는데, K시에 70억 원을 사회 공헌하기로 약속하고 1개월로 감경 처분받은 적이 있기도 하다. 이와 유사한 사례는 H개발에만 있는 게 아니다. 보도에 따르면, 시공업체가 등록말소된 사례는 성수대교 사고 이후 단 한 건도 없고, 부실시공으로 인해 실제 행정처분을 받은 것은 모두 20건에 불과하다.[101]

요컨대, 대형 사고가 발생하면 정부가 이번처럼 마치 사고를 일으킨 기업 자체를 아주 퇴출하거나 엄청난 불이익을 주는 것처럼 언론에 발표하지만, 사실 기업에서 정부의 행정처분에 대해 곧바로 법원에 '집행정지 가처분'을 신청한다. 그리고 서울행정법원이 판시한 것과 유사한 이유로 가처분 신청을 받아들이면, '영업정지'든 '등록말소'든 효력이 정지해서 기업은 아무 일 없었던 듯 영업을 지속하고 수년 뒤 국민이 그 사고 자체를 다 잊어버렸을 즈음에 무죄선고를 받아 흐지부지되는 일이 반복되고 있다. 어쩌면 정부도 거센 국민의 여론을 가라앉히는 데만 관심이 있을 뿐, 등록말소나 영업정지라는 극단의 조치를 해서 실제로 기업들을 퇴출하는 것에는 관심이 없는지도 모른다.

2017년 12월 T건설의 경기도 김포시 도시형생활주택 건설 현장에서 하도급업체 소속 근로자 2명이 질식사하는 사고가 있었다. 이 사고에 대해 T건설도 '행정처분 취소소송 및 집행정지 가처분 신청'을 세기애

아픔을 딛고 안전 사회로

서 영업정지가 바로 적용되지 않았는데, 행정처분 취소소송 1심에서 패소해서 영업정지 처분을 받은 것을 공시했다. 그런데 이 또한 T건설이 항소하면 다시 그 효력이 정지된다.

통상 행정처분이 부과된 후 가처분 신청부터 소송 완료까지 몇 년 정도 소요된다. 〈그림 3-1〉의 망각곡선[79]에서 보듯이 사람은 시간이 지나가면서 빨리 잊어버리게 되어 있어서 몇 년 전에 무슨 일이 있었는지 사회적으로 반복해서 이슈화시키지 않는 한 정확하게 기억하기 쉽지 않다. 최근 보도에 따르면, 특히 사람이 수면 상태에서 뇌가 나쁜 감정은 차단하고 좋은 작업만 남기는 분류작업을 하는데, 이는 나쁜 감정이 기억으로 남아 과도한 공포 반응을 일으키는 것을 방지하기 위한 것이라고 한다.[102] 요컨대 나쁜 일일수록 빨리 잊는 것이다.

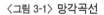

〈그림 3-1〉 망각곡선

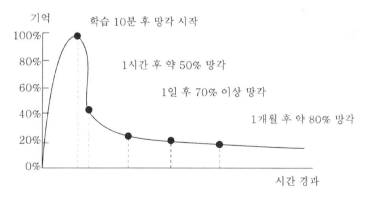

---

79)   19세기 말 독일의 헤르만 에빙하우스(Herman Ebbinghaus)가 고안

생업에 바쁜 일반인이 4~5년 전에 정부 발표대로 어떤 기업이 사고에 대해 책임을 지고 실제 영업정지를 받았는지에 대해 관심을 두기는 쉽지 않다. 일반인뿐만 아니라 담당 공무원도 순환보직제에 따라 수시로 바뀌어서 4~5년이 지난 사고에 대해 끝까지 그 업체를 처벌하겠다는 의지도 약해지기 쉽다. 현안 이슈를 쫓아다니기에도 바쁜 언론의 관심도 시간이 가면서 옅어질 수밖에 없다. 이러다 보니 사고를 낸 기업이나 처벌하는 정부나 그때만 잘 넘기면 된다는 인식이 깊게 자리잡고 있다.

한편 그 기업에 소속되어 생계를 꾸려가는 사람들이 한두 사람이 아닌 상황에서 등록말소나 1년에 가까운 영업정지를 실제 강행하는 것은 무리인지도 모른다. 처벌이 너무 무거우면 오히려 실제로 적용하기가 더 어려울 수도 있는 것이다. 더구나 건산법 제14조 규정[80]에 따라 실제로 영업정지나 등록말소를 처분받아도 그 처분을 받기 전에 도급계약을 체결하였거나 인허가받아 착공한 건설공사는 계속 공사를 할 수 있다. 그런데 실제로 등록말소된 기업이 대규모 아파트단지를 계속 공사한다면, 그 공사의 품질 또는 안전이 보장될 수 있을까 의문이다. 사회적으로는 위험이 더 커질 수도 있다. 너무 무거운 처벌은 그런 이유로 실현되기가 쉽지도 않다.

보통 사람들은 나쁜 기억을 잊어버리고 일상생활에 전념할 수밖에

---

80) 건산법 제14조(영업정지처분 등을 받은 후의 계속 공사) ① 제82조, 제82조의2 또는 제83조에 따른 영업정지처분 또는 등록말소처분을 받은 건설사업자의 그 포괄승계인은 그 처분을 받기 전에 도급계약을 체결하였거나 관계 법령에 따라 허가, 인가 등을 받아 착공한 건설공사는 계속 시공할 수 있다. 건설업 등록이 제20조의2에 따른 폐업신고에 따라 말소된 경우에도 같다.

　　　　　　　　　　　　　　아픔을 딛고 안전 사회로

없겠지만, 적어도 정부는 일정 수준 이상의 경각심과 관심을 유지해서 유사한 사고나 재해가 재발하지 않도록 문제점을 파악하고 정책적으로 보완을 해나가야 한다. 그런데 재발 방지를 위한 정책마저도 반짝 시늉하는 것에 그치는 경우가 적지 않다는 게 더 문제다. 이를 〈그림 3-2〉로 살펴본다. 사고가 발생하면 사회적인 관심이 ①곡선처럼 빠르게 상승한다. 사고 성격과 규모에 따라 다르기는 하지만, 대개 짧은 기간 관심이 집중되다가 다른 정치·사회적 이슈가 나타나면서 그 관심은 급격히 떨어진다.

유사 사고를 방지하기 위해서는 기본 이상의 관심과 정책이 ②곡선 이상으로 유지되어야 한다. 그리고 적어도 안전을 담당하는 기관이나 부서에서는 ③곡선처럼 관심과 긴장도를 지속해서 유지할 뿐 아니라 현재의 미비점을 찾아 보완·개선하는 노력도 해야 한다.

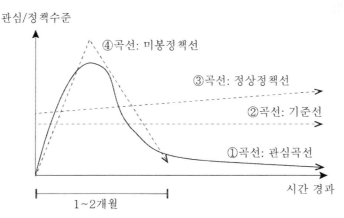

〈그림 3-2〉 사회적 관심 곡선

일반인은 금방 잊더라도 적어도 제도권에서 안전을 담당하는 사람들은 모두가 기준 이상의 경각심을 유지해야 한다. 그런데 정부 기관부터 ④곡선처럼 사고 초기에는 마치 모든 것을 다 할 것처럼 새로운 정책을 내놓기도 하다가 사회의 관심이 뚝 떨어지면 언제 그런 일이 있었느냐는 식이다. 관심과 경각심이 기준보다도 훨씬 밑으로 떨어진다. 정부가 발표한 정책과 대책은 여론을 무마하기 위한 미봉책으로 그치고 곧바로 폐기되어버린다. 이런 행태가 우리 사회에 뿌리 깊게 박혀 있다. 사고가 반복되는 것은 이런 미봉책 위주의 대응 때문이다.

일본의 사고대처 사례와 비교해보면

이와 같은 사례는 실제로 어렵지 않게 찾아볼 수 있다. 개통한 지 불과 1년밖에 안 된 KTX 강릉선에서 2018년 12월 8일 열차가 탈선하는 사고가 발생하자, 12월 10일 막 취임한 부총리가 처음 주재한 국무회의에서 "국민의 안전을 담보해야 할 공공기관에서 발생한 사고라는 점에서 사안의 엄중함과 심각성을 무겁게 받아들여야 한다"라며 "국민 안전, 생명 가치는 효율성 등 그 어느 것보다 우선하고 중요한 가치이며, 사고 발생, 재발 방지 대책 마련 이후 또다시 사고가 발생하는 악순환은 반드시 끊어야 한다"라고 강조하였다. 이어서 당시 잇따라 발생한 사고에 대한 사고원인과 책임소재를 철저히 규명하고, 관계부처와 함께 공공기관의 사회기반시설 안전 실태에 대해 전수조사하겠다고 발표하였다.[103] 이 발표 사흘 뒤 기획재정부는 제1차 '공공기관 안전관리 강화 회의'를 개최해 부처별로 '공공기관 안전관리 강화 TF'를 구성하여 전수조사를 조속히 추진하기로 하였다. 그런데 핵심 시설과 취약 시설에 대한 전수조사 완료 기간은 이듬해 1월 말까지였다. 여타 시설은 국가안전대진단과 연계하여 마무리하겠다고 발표하였다.[104] 공공기관이 관리하는 철도·공항·도로·항만 등 물류 시설, 발전·송배전 및 배관 시설, 댐·보·제방 등 수자원 시설, 화학물질·유류 등 저장 시설, 병원 등 다중이용 시설 등이 당시의 전수조사 대상에 망라되어 있는데, 건설관리공사, LH 등 10여 개 시설 안전 공공기관 전문인력 100여 명이 고작 한 달 만에 이 모든 시설을 전수조사하겠다고 발표한 것이다.[103]

발표 불과 며칠 전인 2018년 12월 13일, 서울 강남구 소재 D빌딩에서 인테리어 공사 중에 기둥이 부풀고 콘크리트가 떨어져나가는 등 위험한 것으로 드러나 강남구청에서 긴급 점검을 통해 붕괴 위험 등급인 E등급을 부여하고 건물을 긴급 폐쇄 조치한 일이 있었다. 이 D빌딩의 안전점검 또한 9개월 전에 국가안전대진단 프로그램에 따라 시행되었다. 보도에 따르면, 9명의 건축사가 700개의 건물을 점검하게 되어 있어 한 건물당 건축사 한 명이 1~2시간 만에 점검하였다고 한다.[103] [105] 점검 자체가 날림이었던 것으로 밝혀진 것인데, 이와 같은 보도가 나오고 있는 시점임에도 불구하고 전국의 시설을 모두 한 달 만에 조사하겠다고 천연덕스럽게 발표하였다.

전술한 바 있지만, 일본에서 사사고 터널 붕괴사고가 일어난 후 일본 정부의 대처와는 사뭇 다르다. 〈표 3-3〉은 간단하게 그 차이를 정리한 것이다. 일본은 사고 후 약 1년 반의 준비 기간을 거쳐 5년 동안 도로시설물 일체를 조사한다. 교량만 해도 연장 2m 정도의 아주 작은 교량까지 모두 조사한다. 말 그대로 '전수조사'다. 더 중요한 것 중의 하나는 모든 조사를 '근접 육안 조사'를 하였다는 것이다.

〈표 3-3〉 한국과 일본의 대형 사고 후 대처 비교

구분	한국	일본
배경 사고	KTX 강릉선 탈선 등 (2018. 12. 8.)	사사고 터널 천장 붕괴 (2012. 12. 2.)
대상 시설	주요 공공시설물 전수조사	도로시설물 전수조사
점검 방식	지침 없음	근접 육안 조사(장비 사용)
점검 기간	약 1개월 (2018. 12. 21. ~ 2019. 1. 31.)	5년 (2014. 1. ~ 2018. 12.)

시설물을 점검할 때 '근접'이라는 것은 통상 한쪽 팔을 들었을 때 그 팔 길이 이내에서의 점검[81]을 말한다. 의사들이 환자를 진찰할 때 그 정도 거리에서 환자의 얼굴 등을 살피는 것을 생각해보면 왜 그런지 쉽게 알 수 있다. 어떻든 일본은 교량만 해도 70만 개가 넘는데 그 모든 교량을 모두 팔 길이 이내의 짧은 거리에서 모두 살펴봤다. 그리고

---

81)   영어로는 'hands-on inspection'이라고도 함

아픔을 딛고 안전 사회로

그 결과를 매년 공개하고 조사 과정에서 노출된 조사 과정의 문제점들을 개선해가면서 연차적으로 세밀하게 조사하고, 그 결과를 바탕으로 중앙정부를 비롯한 공공기관 전체가 보수·보강 등 노후 시설물 장수명화 이행계획을 수립하여 추진하고 있다.

그에 반해, 우리는 탈선사고가 발생한 KTX 시설뿐만 아니라 공공기관에서 관리하는 시설을 진반직으로 다 살펴보겠다는 것이다. 그런데 사실은 전수가 아니고 일부 핵심·취약 시설에 대해 한 달 정도에 걸쳐 살펴보겠다는 것으로 그마저도 점검을 위한 준비 기간을 빼면 실제 점검할 수 있는 날짜는 며칠 되지도 않는다. 더구나 한겨울 날씨에 시설물을 면밀하게 점검하기에는 너무 춥다는 것을 고려하면 점검의 질을 보장할 수 없는, 시늉만 내는 점검에 불과하다고 할 수 있다. 어떤 사람이 병으로 갑자기 죽었다고 의사 한두 명 불러서 수백, 수천 명이 넘는 직원들의 건강을 단 며칠 만에 전부 진찰해달라고 하면 제대로 된 건강검진이 될 리가 없는데, 시설물이라고 다를 바 없다.

이런 정책은 〈그림 3-2〉에서 본 것처럼, 사회의 관심이 빠르게 올라갔을 때만 나빠진 여론을 무마하기 위해 미봉책으로 내놓은 졸속 대책일 뿐이다. 이런 미봉책일수록 대체로 표현이 자극적이고 내용이 획기적이다. 전수조사니 근절이니 하는 단어들이 많이 쓰이는 편이다.

구멍 뚫린 사각지대, 사고로 이어져

정부에서는 우리도 일본 못지않게 시설물을 정기적으로 관리하고 있다고 항변할 수도 있다. 물론 성수대교 붕괴사고 이후에 제정된 시설물안전법의 규정에 따라 교량·터널·항만·댐·건축물 등 구조물에 대해 관리주체가 정기적으로 안전점검 및 안전진단을 시행하고 있다. 다만, 성수대교가 무너진 이후 비상 상황에서 급하게 만들어진 특별법이 큰 변화 없이 지금까지 계속 유지되고 있는데, 문제는 관리가 의무화되어 있는 곳은 규모가 큰 대형 시설물에 국한되었다는 것이다. 일본이 관리하는 교량 수가 70만 개가 넘는 것에 비해 우리나라에서 시설물안전법에 따라 관리하는 교량 수는 3만 개를 갓 넘는다.

일반법인 도로법이나 건축법은 구체적으로 도로시설물이나 건물에 대한 점검과 진단에 대한 의무를 부과하고 있지는 않다. 2020년 12월부터 '소규모 공공시설 안전관리 등에 관한 법률'이 시행되었다. 이것도 도로법이나 하천법 등 다른 법률에 따라 관리되지 않는 소교량, 세천 등의 관리에 대한 것으로 도로상에 규모가 작은 교량이나 우리 주변의 작은 건축물의 관리를 규정하고 있는 것은 아니다. 시설물안전법에 따라 관리되는 건축물 수가 108,363동인데, 이는 전국의 건축물 현황이 2021년 기준으로 7,314,264동인 것을 고려하면[106] 겨우 1.48%의 건축물만 관리되고 있고 나머지 98.52%, 즉 건축물의 대부분은 법에 따른 의무적 관리 대상에서 벗어나 있다.

아픔을 딛고 안전 사회로

〈표 3-4〉 1·2·3종 시설 지정 현황[106][107]

구분	1종	2종	3종	계
교량	4,903	7,542	20,416	32,861
터널	1,876	2,222	846	4,947
건축물	3,188	72,762	28,913	104,363

우리나라도 성수대교 붕괴사고 이전에는 시설물 점검이 법적 의무사항이 아니었는데, 법적으로 의무화된 것과 아닌 것과는 안전 측면에서 큰 차이가 있다. 대부분 우리나라에서 무너진 교량은 성수대교가 유일한 것으로 알고 있다. 그런데 한 자료에 따르면, 1964년부터 2007년까지 44년 동안 국내에서 모두 7,533개의 교량이 태풍과 폭우로 무너졌나.[108] 세계적으로도 교량이 무너지는 원인 중에 가장 많은 게 하상세굴(scour)이다. 오랜 기간에 걸쳐 반복되는 홍수에 의해 기초 주변이 조금씩 파여나가다 어느 순간에 예고도 없이 무너지는데, 이런 경우가 대체로 거의 반 이상이다. 그런데 우리나라는 거의 100%가 이 때문에 무너진다. 대개는 홍수 때 쓸려가기 때문에 자연재해로 치부하고 있지만, 사실 교량이라는 것은 홍수 때도 사람들이 하천을 건너기 위해 만들었다는 것을 고려하면 홍수라고 무너져서는 안 된다. 따라서 이는 관리 부실에 의한 사고라고 볼 수 있고, 법적으로 의무화되어 있지 않은 중소규모의 교량에서 많이 일어나고 있다는 점을 정부는 잘 살펴봐야 한다.

자연재해도 유사

자연재해 얘기가 나왔으니 조금 더 부언하자면, 우리나라도 여름철이면 장마와 태풍 때 집중호우로 침수 피해를 보는 일이 여전히 반복되고 있다. 거의 매년 반복되는 일이라 그동안 정부와 지방자치단체가 꾸준히 하천 정비도 하고 제방도 튼튼히 쌓고 빗물을 하천으로 퍼내기 위한 펌프장도 이곳저곳에 많이 건설해서 피해가 눈에 띄게 줄어들기도 했다. 그런데 집중호우로 인해 피해가 크게 발생하면 그때마다 부풀려진 풍수해 대책이 발표되기도 한다. 역시 마찬가지로 수해가 났을 때 여론을 잠재울 요량으로 실현 가능성과 타당성을 깊이 따져보지 않고 발표부터 하는 사례를 볼 수 있다.

〈표 3-5〉 서울시 수해 피해

일시	2010. 9. 21.	2011. 7. 26. ~ 29.
강수량	1시간 98.5mm 3시간 233.5mm	1시간 최대 113mm 3일 연속 587.5mm
인명피해	-	15명 사망, 1인 부상
주요 피해	17,905동 주택 침수 5,482개소 상가 등 침수	우면산 산사태

예를 들어, 2010년 추석 연휴에 발생한 집중호우 피해에 이어 2011년 7월에도 잇따라 폭우에 의해 우면산 산사태가 발생하는 등 대규모로 피해가 발생하자 서울시가 상습침수지역의 방재시설 복표 수준을

'시간당 75㎜' 수준에서 '시간당 100㎜'로 상향시키겠다고 발표했다. 다음 해인 2012년 8월 소방방재청은 '지역별 방재성능목표 설정기준'을 발표했는데, 그 기준에 따르면 서울시의 경우 서울시에서 발표한 것과 유사한 '시간당 95㎜'에 이른다.

〈표3-5〉에서 볼 수 있듯이 시간당 100㎜가 넘는 어마어마한 집중호우[82]가 내려 사상자가 발생하는 등 사회직 관심이 크게 높아신 상황이라 서울시나 정부가 다급하게 이런 발표를 한 것도 충분히 이해되기는 하지만, 그 발표 내용을 실현 가능성 측면에서 한번 따져볼 필요는 있다. 서울시와 정부가 발표한 내용은 기존의 '강우빈도' 기준에서 '방재성능목표'를 도입하겠다는 건데, 말하자면 어떤 방재시설이든지 시간당 95~100㎜의 집중호우에도 견딜 수 있도록 만들겠다는 의미다. 그런데 이를 빈도 개념으로 환산하면, 서울의 발표 내용은 기존의 '10년 빈도[83]'에서 '50년 빈도'로, 중앙정부는 '30년 빈도'로 올린다는 뜻이다.

〈표 3-6〉 강우빈도별 1시간 지속강우량(서울)

빈도(년)	1시간 지속강우	비고
10	73.6	기존 75mm
20	84.8	
30	91.2	소방방재청 95mm(5mm 단위 상향)
50	99.2	서울시 2011년 발표 100mm

[82] 통상 시간당 50~80㎜의 비가 내리면 폭포같이 쏟아지며, 80mm 이상이면 가슴이 답답한 압박과 공포가 느껴지면서 대규모 재난이 발생하곤 함

[83] '10년 빈도의 강우'는 연 초과확률이 1/10인 강우와 동일한 의미로, 10년에 1회만 내리는 강우라는 뜻이 아니고, 그 이상의 강우가 내릴 확률이 1/10이라는 뜻

일본의 정책과 비교한 〈그림 3-3〉을 보면, 서울은 비록 상습침수지구에 한정되기는 하지만 시간당 100㎜의 목표를 불과 10년도 안 되는 기간 내에 완료하겠다고 정하였다. 이에 반해 도쿄는 자산이 집중된 도쿄 도심에 시간당 75㎜의 강우에 대비하는 시설을 만드는 데만 약 30년의 목표를 두고 있다. 이런 측면에서 보면 소방방재청 기준[109]은 상습침수지역에 국한되는 게 아니고 모든 시설[84]에 적용되는데, 그 비용과 재원을 고려한 것인지 잘 모르겠다. 다만, 소방방재청 기준은 서울시나 도쿄와 달리 그 완성 기한이 정해져 있지는 않다. 목표 기한이 정해지지 않았다는 것은 달리 말하면 공허한 목표일 수 있다. 이처럼 자연재해에 대해서도 다른 재해와 유사하게 부풀려진 목표를 가지고 실현 가능성을 꼼꼼히 따져보지도 않고 그때만 넘기면 된다는 식으로 대응하는 것을 볼 수 있다.

〈그림 3-3〉 서울과 도쿄의 대책 비교

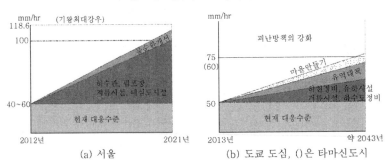

(a) 서울

(b) 도쿄 도심, ()은 타마신도시

---

84)　소방방재청 '지역별 방재성능목표 설정기준' 7. 지역별 방재성능목표 적용 대상 ○ 자연재해대책법 시행령 제14조의2제1항에 따라 구도의 계획 및 이용에 관한 법률 제36조제1항제1호에 따른 도시 지역 내에 있는 다음 각 호의 시설 ㉮ 소하천정비법 제2조제3호에 따른 소하천 부속물 중 제방 ㉯ 국토의 계획 및 이용에 관한 법률 제2조제6호 마목에 따른 방재시설 중 유수지(遊水池) ㉰ 하수도법 제2조제3호에 따른 하수도 중 하수관거 ㉱ 자연재해대책법 시행령 제55조제12호에 따라 소방방재청장이 고시하는 시설 중 소방방재청장이 정하는 시설

　　아픔을 딛고 안전 사회로

2.
방향을 잘 잡아 꾸준히

위험은 줄이고, 역량을 높여야!

사고가 날 때마다 여론을 무마하기 위해 파격적으로 부풀려진 정책을 내놓는 방식은 더 이상 국민이 신뢰하지 않는다. 이제는 구태의연한 방식을 버리고 정책을 잘 만들어서 꾸준히 추진해나가면서 국민의 신뢰도 회복하고 실제 재해도 줄이는 게 바람직하다.

〈그림 3-4〉는 향후 정책의 바람직한 기본방향을 설정하기 위해 앞에서 설명한 〈그림 2-1〉과 〈그림 2-41〉을 합쳐서 하나로 만든 것이다. 이 그림은 처벌의 강도가 인적 오류에만 영향을 미치는 것이 아니라 사회의 안전 역량 전반에 비슷하게 영향을 준다고 가정한 것이다. 예를 들어 처벌을 너무 강조하면 과학기술이나 예산 분야 역시 처벌을 회피하기 위해 적지 않은 역량을 사용할 수밖에 없으므로 이 가설이 크게 틀리지는 않을 것으로 생각한다. 설령 다소 틀린다고 해도 사고나 재해의 상당수가 인적 오류로 인해 발생하는 점을 고려하면, 정책의 기본방향 설정을 위해 위 그림을 그대로 사용한다고 해도 큰 무리는 없을 것이다.

〈그림 3-4〉에서 우리 사회가 향해 가야 할 목표는 당연히 ①의 '무사고선'이다. 재난·사고나 산재가 전혀 발생하지 않는 것을 목표로 해야 한다. 그런데 전술한 대로 현실적으로는 불가능하므로 객관적인 기준, 즉 법적 기준을 정하고 이를 준수할 때는 사고가 발생해도 부득이 처벌을 면제할 수밖에 없다. 재난·사고와 산재는 위험이 실제 역량선(곡선 ③)보다 위에 있어 클 때 발생한다. 실제 역량이 ②의 법적 기준선보다 위쪽에 있을 때 발생하면 면책받지만, 그보다 아래쪽에 있을 때는 처벌받는다.

〈그림 3-4〉 기본방향의 설정

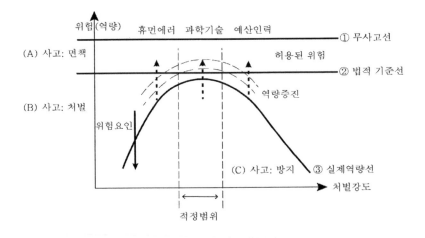

그러므로 처벌의 강도를 너무 약하거나 지나치게 강하지 않도록 적정선을 찾는 노력을 통해 역량을 높게 유지한 상태로 법적 기준선을 넘어 ①의 무사고선을 향해 나아갈 수 있도록 부순히 개선하는 노력

아픔을 딛고 안전 사회로

을 해야 한다. 우리 사회 곳곳에서 재난·사고와 산재 위험을 높이는 요소들을 찾아 없애는 노력도 병행해야 한다. 그리고 〈그림 2-42〉처럼 법적 기준선이 불확실하고 그 경계조차 모호하지 않도록 최대한 명확하게 규정을 해서 수범자에게 이 기준을 준수하면 처벌받지 않는다는 신뢰를 주는 것도 중요하다. 특히, 위험요인을 찾아 줄이고 역량을 높이는 작업은 처벌보다는 적극적으로 격려도 하고 과감한 인센티브를 부여해서 독려할 필요가 있다. 처벌만으로는 안 된다.

이와 같은 작업이 지속성을 갖고 추진될 수 있도록 해야 한다. 사고나 재해가 발생했을 때만 반짝 시늉에 그치지 않고 꾸준히 개선될 수 있도록 시스템화해야 한다. 시간이 걸리더라도 현장 실무진과 전문가들의 의견을 들어 종합계획을 수립하고 이를 로드맵과 같이 공개하여야 한다. 국민 누구나 알 수 있도록 매년 날을 정해 지난해의 성과와 문제점, 이듬해의 계획을 발표함으로써 언론과 의회에서 계획의 추진 상황을 감시·평가하는 시스템을 공식화할 필요도 있다. 그래야 여론 무마용 땜질식 대책이 자리를 못 붙인다.

현장의 실태와 우리 정책 역량의 실상을 직시해야 한다. 일본이 사사고 터널 붕괴사고를 계기로 장장 5년에 걸쳐 모든 도로 시설물에 대해 근접 육안 점검을 하고 각 기관의 인력과 예산 현황을 빠짐없이 파악하여 정책을 수립하는 모습에서 자신의 문제와 역량을 직시하려는 노력을 찾아볼 수 있다. 개인이 다이어트를 할 때도 저울에 올라 몸무게를 재는 일부터 한다. 맵시를 내려면 거울부터 봐야 한다. 거울은 자신이 좋아하는 자세로만 보기 때문에 실제 자기 모습을 놓치기도 한다.

다른 사람이 나 모르게 찍은 사진이나 동영상으로 보는 게 더 확실하다. 사람들은 몸무게를 줄인다고 마음먹고도 저울을 꺼리기도 한다. 직시(直視)는 그만큼 어렵다. 직시한다고 하면서도 거울 보듯 보고 싶은 대로만 보기도 한다. 재해나 사고처럼 끔찍하고 처참한 일일수록 외면하게 되기 쉽다. 그런데 적어도 정책의 경영책임자와 안전 담당자는 문제를 바로 봐야 하고 그렇게 시스템을 만들어야 한다. 때때로 우리 눈으로만 봐서는 정책의 문제점을 보기 어렵다. 그래서 외국 정책과 비교도 해야 한다. 마지막으로 재해 예방은 모두에게 소중한 가치이므로 다 같이 지혜를 모으고 힘을 합쳐야 한다. 배려와 소통을 통해 접점을 찾아가야 한다.

아픔을 딛고 안전 사회로

PART 4

위험 저감과 역량 증진

위험을 줄이고 안전 역량을 높이기 위한 좋은 정책이 많을 것이나, 필자가 현직에 있으면서 직접 경험하고 개선한 것 위주로 정리한다.

이 장에 제시한 사례는 보편적인 재난·사고를 예방하기 위한 것으로, 현행 중대재해처벌법의 규정에 따른 보건·안전 의무이행과 일치하는 것은 아니다.

1.
일반 사례

위험도 알아야 보인다

필자가 서울시설공단(이하 '공단') 이사장으로 취임한 것은 2019년 7월로, 중대재해처벌법이 제정되기 1년 반 정도 전이다. 공단은 서울의 자동차전용도로, 공동구, 지하도상가, 청계천, 상암월드컵경기장, 고척돔경기장, 공영수차장, 공공자전거 '따릉이', 장애인콜택시, 소규모공사감독 등 24개의 다양한 사업과 사업장을 위탁받아 관리하는데, 소속 직원도 약 4,000명에 이르는 규모가 꽤 큰 기관이다. 언제든지 재난·사고 또는 산재로 일반시민이나 소속 직원들이 재해를 입을 수 있다고 생각해서 취임하면서 제일 먼저 내놓은 메시지가 '안전'이었다. 취임식을 생략하고 취임 첫날부터 '홍지문터널' 관리사무소와 2016년 1월 'PT 텐던'이 끊어지는 사고가 발생했던 정릉천 고가도로 내부를 점검하는 것으로 대신하였다.

터널 내 차량 화재는 관리사무소 근무자가 즉각 대응하지 않으면 대형 참사[85]로 이어진다. 경영책임자가 사고 발생 시 그 중요성을 잘 모르거나 터널관리소가 산속에 있어 평소 관심을 보이기도 어려워서 제일 먼저 그곳에 들러 격려하고 훈련 상태를 챙겼다. 경영책임자의 '안전 경영' 방침을 문서화해서 조직 전체가 체득하는 것도 중요하지만, 취임하면서 평소 소홀히 하기 쉬운 곳을 직접 가보는 게 더 효과적인 메시지 전달 방법이라고 생각했기 때문이다.

〈표 4-1〉 서울시설공단 개요[110]

설립		1983. 9. 1.
조직·정원		1감사 6본부 27처, 3,842명(93%가 현장 직원)
예산		4,351억 원
업무	시설관리	자동차전용도로, 공동구, 청계천, 글로벌센터, 상상나라
	시설운영	고척돔, 월드컵, 장충, 어린이대공원, 시립승화원, 추모공원, 공영주차장, 공영차고지
	교통시설	공공자전거(따릉이), 장애인콜택시, 교통정보, 혼잡통행료
	수익시설	지하도상가, 주차장상가
	기타	위탁공사감독, 상수도공사감독, 수도계량기 검침·교체, 체납징수, 청계천 문화디지털

---

85) 최악의 터널 화재사고는 긴급힌 대로 1999년 3월 24일 발생한 몽블랑 터널 화재다. 우리 나라두 2021년 11월 3일 성남 내곡터널에서 화물차에 화재가 일어나 5명이 경상을 입는 등 터널 화재가 적지 않게 발생한다.

아픔을 딛고 안전 사회로

필자는 2015년 7월에 서울시를 퇴직한 이후 줄곧 서울시립대학교 대학원 재난과학과에서 각종 재난·사고의 실제 사례를 위주로 국내외 정책을 비교하는 내용의 강의를 하고 있다. 소방직을 대상으로 개설한 강좌이지만, 타과 학생들에게도 개방해서 누구든 참여할 수 있게 하고 있다. 행정학과, 경영학과, 도시공학과 등 평상시 재해·재난과 직접 관련이 없는 일반학과 학생들도 꽤 많이 듣는다. 매번 강의 첫 부분을 할애하여 지난 수업 이후에 발생한 실제 사고들을 뉴스 영상과 관련 자료를 중심으로 설명한다. 불과 몇 시간 또는 며칠 전에 일어난 사고나 재해를 직접 영상으로 보면서 그 발생 배경, 반복되는 사유와 문제점 등을 외국의 정책과 비교해서 설명하면 일반학과 학생들도 흥미를 갖고 듣는다. 위험을 바라보는 학생들의 안목도 점차 좋아지는 걸 느낀다. 그리고 영상을 통해 사고 사례를 직접 보여주는 게 글과 말로 설명하는 것보다 뚜렷한 효과가 있다. 영상으로 보는 게 기억도 오래간다. 필자는 대학원 수업을 위해서도 매일 아침 뉴스를 보면서 사고와 재해 사례를 스크랩하는 게 습관이 되었다. 그 동영상들이 수년 동안 쌓여서 수업 자료와 함께 클라우드에 저장되어 있는데, 필자가 재난·사고에 경각심을 유지하는 데 많이 도움이 되는 것도 사실이다.

　공단 취임과 함께 곧바로 '위험도 알아야 보인다'라는 짧은 메시지와 함께 필자가 갖고 있던 동영상을 안전 담당 부서에 전달하고, 내부 전산망의 맨 앞에 게시하도록 하였다. 공단은 관리하는 시설물도 다양하고 소속 직원의 93%가 서울시 공공자전거 '따릉이'를 수거·배송하는 것

같은 현장 업무를 수행하고 있어 시민재해와 산업재해가 모두 발생[86] 한다. 이를 고려해 공단의 업무에서 발생할 수 있는 사고 사례를 임직원들이 스스로 찾아 올리도록 '사고 사례 영상 발굴 경진대회'를 개최해서 우수 사례에 대해서는 시상까지 했는데 2021년 12월 말까지 모두 172건의 동영상을 찾아 게시하였다. 월평균 7.5건이 새로 게시되었는데 누적 조회수가 62천여 건에 달한다. 공사 중에 크레인 등이 넘어지는 장면, 에스컬레이터 발판이 빠져 사람이 죽거나 발목이 절단되는 사례, 터널 내에서 차량에 화재가 발생하는 영상 등을 보는 것은 임직원에게 재난·사고와 산재에 대한 경각심을 높여주는 역할을 하였다.

동영상 시청에 그치지 않고 실제 안전 업무 개선으로 이어진 사례도 있다. 월드컵경기장의 경우 일반 가설무대에 적용되는 풍속 기준인 초당 10m를 적용하고 바람의 세기에 따른 단계별 대응 기준이 없었다. 그런데 미국의 가설무대가 돌풍에 무너져 관객을 덮치는 사고[87] 영상을 보고, 약 1년간 현장에서 풍속을 조사하고 전문가 자문을 거쳐 월드컵경기장 가설무대 설치 풍속 기준안을 마련하고 행사 중 풍속에 따라 단계별 대응 방안을 마련하였다.[112] 이외에도 공연 중 무대가 꺼지거나 화재가 발생[88]하는 등의 사고는 고척돔까지 포함해 공연을 위해

---

86) 2017년 이후 최근 5년간 직원 산업재해 평균 10건 정도 발생, 포트홀, 장애인콜택시, 공공자전거 교통사고 등으로 인한 시민재해 평균 194건 발생, 중대재해는 없음[111]

87) 2011년 8월 13일, 미국 인디애나주 페어(fair) 축제 중 무대의 지지 능력을 초과한 돌풍에 무대가 갑자기 붕괴하면서 7명이 사망하고 3명이 다치는 사고가 발생하였다. 폭풍우나 바람에 무대가 붕괴한 사고는 벨기에(2011년, 사망 5명, 부상 70여 명), 브라질(2017년, 사망 1명) 등에서도 발생하였다. 국내도 원주(2011년, 부상 12명)에서 돌풍으로 무대가 전도된 사고가 있었다.

88) 공연 중 무대가 꺼지는 사고는 상당히 잦은데, 중국에서 2019년(1명 사망, 14명 부상)과 2015년(2회, 8명 부상)에 발생했고, 미국(2015년, 12명 부상), 캐나다(2012년, 1명 사망, 3명 부상) 등 곳곳에서 반복되고 있다.

아픔을 딛고 안전 사회로

공단 체육시설을 대관할 때 대관업체가 무대 구조와 화재 안전을 더 꼼꼼히 챙기게 만드는 계기가 되기도 하였다.

〈표 4-2〉 서울월드컵경기장 풍속별 조치기준[112]

풍속기준	초당 16.2m		
행사 중 경고단계	1단계(주의)	초당 8.0m	비상조치 준비
	2단계(경계)	초당 10.0m	공연 일시중지
	3단계(심각)	초당 14.6m	공연 중지

경영진이 현장을 직접 봐야

취임하면서 '현장 경영'을 제일 중요한 경영원칙 중의 하나로 내세웠는데, 그 개요가 〈그림 4-1〉에 표현되어 있다.

직원들의 93%가 현장 업무를 하고 있어 격려도 필요했고, 위해·불편 요소가 방치되거나 긴장이 풀린 곳은 없는지 직접 현장을 다니면서 확인했는데, 원칙적으로 주 3일을 현장에 나갔다. 대개 경영진은 보고·결재·회의와 외부 행사 등으로 현장 나가는 시간을 확보하는 게 쉽지 않은데 현장 업무가 많은 공단에서는 현장이 우선이라고 생각해서 보고·결재·회의 방식을 모두 바꿨다. 대면보고와 결재를 없애고 카톡이나 메일로 보고 받고, 비대면으로 결재하였다. 주요 현안 회의를 제외하고는 참석자들이 회의서류를 미리 읽고 참석해서 요점만 논의하였다. COVID-19 이후에는 대면 회의를 없애고 모두 화상회의로 바꿔서 간부들이 본사까지 들어오는 불편도 없앴다. 간부들이 시간이 모자라 현장을 소홀히 하는 일이 없도록 했다.

〈그림 4-1〉 '현장 경영' 개요[113]

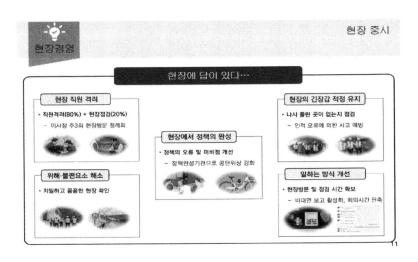

이와 같은 현장 경영을 통해 현장에 긴장감을 유지하고, 위해·불편 요소를 찾아 개선하기도 하였다. 그 예로 홍지문터널 배기구 앞에 큰 나무가 서 있었는데, 만약 홍지문터널에서 차량에 불이 나면 이 배기구를 통해 나오는 뜨거운 연기가 이 나무를 불쏘시개 삼아 북한산으로 번질 위험이 있었다. 현장에서 이를 확인한 후 바로 제거하였다.

아픔을 딛고 안전 사회로

자동차전용도로상의 노후 방호벽을 서울시에 전면 보수하도록 건의하기도 하였다. 지하도상가 식음료 점포에서 사용 중인 도시가스를 인덕션으로 바꿔서 폭발·화재 위험을 줄였다. 그리고 공공자전거 '따릉이'의 뼈대 구조를 개선해서 잦은 균열로 인한 사고 위험을 방지하기도 하였다.[113]

〈그림 4-2〉 현장 경영을 통한 개선 사례

(a) 균열에 취약한 구조   (b) 개선된 따릉이

매뉴얼의 정비

재난·사고는 때와 장소를 가리지 않는다. 근무체계가 상대적으로 취약한 휴일이나 야간에 발생하기도 한다. 평소 업무 중이더라도 예기치 않은 재난이 갑자기 발생하면 누구라도 당황하여 우왕좌왕하기 쉽다.

재난 발생 시에 이런 혼란을 피하고 일사불란하게 대응해서 피해 확대를 방지할 목적으로 재난 유형별로 매뉴얼을 만들어 운용한다.

우리나라는 '재난 및 안전관리 기본법' 제34조의 5 규정에 따라 재난 분야 '위기관리 매뉴얼'을 작성·운용하고 있는데, 〈표 4-3〉처럼 2021년 12월 말 기준 11,559개에 이른다. 이는 2015년에 비해 두 배나 되는 숫자다. '표준매뉴얼 → 실무매뉴얼 → 행동매뉴얼'의 3단계로 재난 유형에 따라 각 기관이 해야 할 일을 세세하게 규정해놓은 장점도 있지만, 그 숫자가 너무 많아 기관장이나 안전 담당자가 이를 숙지하여 활용하는 게 쉽지 않다는 단점도 있다.

〈표 4-3〉 재난 대응 매뉴얼 체계

구분	개수	내용
계	11,559	
위기관리 표준매뉴얼	50	재난관리체계 및 기관별 임무와 역할 규정
위기관리 실무매뉴얼	486	표준매뉴얼에 따라 재난 대응에 필요한 조치 사항 및 절차 규정
현장조치 행동매뉴얼	11,023	실무매뉴얼에 따라 재난 현장 임무 수행기관의 행동 절차 수록

미국은 연방재난관리청(FEMA)[89]이 재난의 예방, 대비, 대응, 복구를

---

89) 영문 약자: FEMA(Federal Emergency Management Agency), NRF(National Response Framework) EOP(Emergency Operations Plan), SOP(Standard Operating Procedure), ESF(Emergency Support Function), SF(Support Function)

아픔을 딛고 안전 사회로

총괄한다. 재난 대응을 위한 지침서인 「국가대응체계(NRF)」에 따라 지역의 재난관리와 관련된 모든 부분에 대한 계획으로 재난 대응의 목적, 주관기관과 유관기관, 역할 및 책임, 자원 동원 등을 규정한 '지역별 재난 대응계획(EOP)'을 수립한다. EOP에서 규정한 임무와 역할 수행을 위한 절차 및 방법을 규정하는 문서가 '표준행동절차(SOP)'이다. EOP가 기관별 할 일(what to do)을 규정하는 것이라면, SOP는 EOP를 수행하기 위한 구체적인 방법(how to do)을 제시하는 문서다. 미국은 EOP에 재난 대응 시 원활한 현장 지원을 위해 투입되어야 할 15개의 긴급지원기능(ESF)[90]과 8개의 행정지원기능(SF)[91]을 규정하여 모든 재난에 공통으로 적용하고 있다. 어떤 유형의 재난이든 그 대응은 유사한 점이 많다는 점을 고려해서 하나의 매뉴얼시스템으로 모든 재난에 적용한다는 게 우리와 가장 크게 다른 점이다.

재난·사고 발생 초기에 대응을 잘해야 피해를 줄일 수 있다. 그런데 사고 초기에는 당황해서 우왕좌왕하기 쉽고 수많은 매뉴얼 중에서 상황에 적합한 매뉴얼을 찾아내기도 쉽지 않다. 이 때문에 초기 대응 실패로 피해가 확산되거나 여론의 비판을 받는 경우가 발생하기도 한다.

서울시는 이런 점을 고려해서 2013년도부터 '재난·사고 초기 대응 매뉴얼'을 만들어 운용하고 있다. 산하단체까지 포함해서 재난·사고의 신고접수, 상황 파악 및 전파, 긴급 구조 및 구급, 기관장의 현장 이동, 피

---

90)   수송, 통신, 공공사업 및 토목공사, 소방, 재난관리, 주민 보호, 자원관리, 공중위생 및 의료, 수색구조, 유류 및 위험물질 대응, 농업 및 천연자원, 에너지, 공공안전 및 안보, 장기복구, 외부 협력 등 15개 분야
91)   국가기반체계와 주요 자원, 재정관리, 지방정부 상호 원조 및 주 정부 간 조정, 보급관리, 민간협력, 자원봉사 및 기부금 관리, 작업 안전 및 보건 등 8개 분야

해 상황 확인, 대외 발표 및 시민 소통, 후속조치 등을 규정하고 있다. 그리고 SNS 망을 통해 사고 상황을 즉시 공유해서 '집단지성'으로 혼란스럽기 쉬운 초기 상황에 대응한다. 이를 통해 재난·사고 담당 책임자가 경험이 부족하더라도 집단지성으로 보완·지원한다. 재난·사고와 관련해서 개인의 실패가 조직 전체의 실패로 이어지지 않도록 만드는 효과가 있다. 지금은 이 방식이 보편화되었지만, 2014년 4월 세월호 침몰 사고 때 학생들은 SNS 단체방을 통해 상황을 공유하고 있는데, 중앙재난대책본부는 전화통을 붙잡고 대처하고 있던 모습은 지금 봐도 안타깝다. 서울시는 이 방식을 세월호 사고 이전에 이미 '재난·사고 초기 대응 매뉴얼'을 통해 재난·사고 대응의 기본으로 삼고 있었다.

공단 취임 후 이 매뉴얼이 제대로 작동하는지도 바로 챙겨봤다. 공단에서 대형 재난·사고가 발생하면 자칫 서울시와 일부 혼선이 생길 우려가 있는 점을 발견해서 보완·개선하였다. 재난·사고가 발생하면 즉시 SNS 망을 가동하고, 상황이 파악되는 대로 안전 담당 부서에서 해당 사고의 법령에 따른 '현장조치 행동매뉴얼'을 SNS 망에 올려 공유하도록 했다. '재난·사고 초기 대응 매뉴얼'의 역할은 초기에 피해 확대를 방지하는 것 이외에도 소홀히 하기 쉬운 부분들을 규정하는 역할도 한다. 피해자·유가족 지원팀을 미리 정해놓아 지원팀이 후송병원으로 즉각 배치되도록 한다든지, 언론 브리핑을 정례화한다든지 하는 것들이 이에 해당한다.

특히 재난·사고가 발생했을 때, 구의역 김 군 사고나 태안화력발전소고 김용균 씨 사고처럼 책임을 회피하거나 오히려 피해자에게 책임을

아픔을 딛고 안전 사회로

전가하는 일도 있다. 평소에는 탁월한 업무 역량을 발휘하는 사람도 재난·사고 초기에 언론을 통해 나쁜 상황을 알리는 것에 익숙하지 않아 사태를 더 악화시키는 사례가 종종 있다.

<그림 4-3> 위기관리 커뮤니케이션 우선 가치[114]

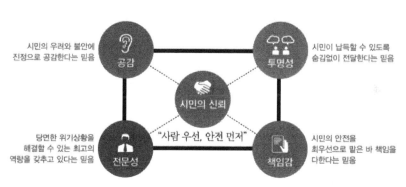

이 때문에 '위기관리 커뮤니케이션 지침'을 만들었는데, 그 핵심적 내용은 <그림 4-3>과 같다. 어느 경우든 사람과 안전을 우선해서 시민의 신뢰를 잃지 않도록 하라는 것이 요체다. 책임자가 뒤로 숨거나 나쁜 상황을 국민에게 알리지 않으려는 경우가 있는데, 위기 상황에서 책임자는 나쁜 소식도 국민에게 사실대로 전하되, 일반 대중이 혼란에 빠지지 않도록 현실 수준에서 미래에 대한 희망을 품을 수 있도록 배려하는 것도 중요하다.[115] 매년 반복되는 풍수해 대응처럼 상대적으로 체계가 잡힌 예도 있지만, 예상치 못한 사고가 갑자기 발생할 때는 일을 그르치는 수

도 있어서 조그만 사고에도 이 시스템이 제대로 가동되도록 챙겼다.

요컨대 재난·사고 초기에 경험 부족 또는 판단 오류로 인한 개인의 실패가 조직 전체의 실패로 나타나지 않도록 '집단지성'으로 대응할 수 있도록 시스템을 정비하고, 그 시스템이 체질화될 수 있도록 평소에 자주 훈련하는 게 중요하다.

유해·위험요인의 파악 및 해소

공단 취임 후 약 6개월이 지난 2021년 1월, 중대재해처벌법이 제정되었다. 시행까지 일 년이 남았지만, 언제 될지 모르는 시행령 제정을 기다리기는 어려웠다. 우선 사업장별 안전 담당자를 위주로 TF를 구성해서 월 1회 정례적으로 회의를 개최하였다. 그 첫 업무로 최근 10년간 국내외 공단과 유사 기관에서 발생한 사고 사례를 조사·분석하였다. 모두 586건의 사례를 조사해서 그중 480건은 공단에서도 발생 가능하다고 판단해서 해당 사업장에 공유하고 대비책을 마련하도록 하였다.

이 책 뒷부분에 480건의 분석 자료 중 대표적인 사례 두 개를 첨부하였다. <표 4-4>는 주요 사고 사례를 정리한 것이다. 재난·사고를 예방하기 위한 일 중의 하나가 그 사업장에 어떤 위험이 있는지를 파악하여 위험 요소를 미리 제거하거나 대비하는 것이다. 산안법에 '위험성

평가'를 하도록 규정[92]하고, 중대재해처벌법 시행령에서도 사업장의 유해·위험요인을 확인하여 개선하는 절차를 마련하도록 규정[93]한 이유도 이 때문이다. 자체적으로 위험 요소를 찾아내는 것도 가능하겠지만, 유사 사업장에서 어떤 사고가 있었는지를 조사하고 그 발생 원인을 분석해서 공단이 관리하는 사업장에도 그와 비슷한 원인이 존재하는지, 또 존재한다면 어떻게 관리하고 있는지 살펴보는 게 훨씬 효율적이다.

〈표 4-4〉 주요 사고 사례

재해 유형	주요 사고 사례	관련 작업
떨어짐 (40%)	• 고소 작업대(차량) 작업 중 떨어짐 • 개구부 출입제한 시설 불량으로 떨어짐	• 시설물 관리 • 토목건축공사
끼임·깔림 (16%)	• 거푸집 설치 중 전도되어 깔림 • 작업 중 장비와 구조물 사이에 끼임	• 토목건축공사
맞음·부딪힘 (14%)	• 굴삭기 인양 작업 중 인양물에 맞음 • 강풍에 날아온 물체(나뭇가지, 합판)에 맞음	
무너짐 (8%)	• 관로 매설 중 사면이 무너짐 • 콘크리트 타설 중 거푸집이 무너짐	
감전 (4%)	• 자재, 장비 운반 중 고압선 접촉 • 수중펌프 누설 전류로 인한 감전	• 시설물 관리 • 전기토목공사
화재 (2%)	• 용접 작업 중 불티에 의한 화재 • 맨홀 내 방수시트 작업 중 폭발 화재	• 시설건축공사

---

92)   산안법 제36조(위험성평가의 실시) ① 사업주는 건설물, 기계·기구·설비, 원재료, 가스, 증기, 분진, 근로자의 작업행동 또는 그 밖의 업무로 인한 유해·위험요인을 찾아내어 부상 및 질병으로 이어질 수 있는 위험성의 크기가 허용 가능한 범위인지를 평가하여야 하고, 그 결과에 따라 이 법과 이 법에 따른 명령에 따른 조치를 하여야 하며, 근로자에 대한 위험 또는 건강장해를 방지하기 위하여 필요한 경우에는 추가적인 소시를 하여야 한다.

93)   중대재해처벌법 시행령 제4조(안전보건관리체계의 구축 및 이행조치) 3. 사업 또는 사업장의 특성에 따른 유해·위험요인을 확인하여 개선하는 업무절차를 마련하고, 해당 업무절차에 따라 유해·위험요인의 확인 및 개선이 이루어지는지를 반기 1회 이상 점검한 후 필요한 조치를 할 것

구의역 김 군 사고나 태안화력발전소 고 김용균 씨 사고에서 모두 '2인 1조' 규정을 준수하지 않은 것으로 밝혀졌는데, 이와 유사한 일이 공단에서도 일어날 수 있다는 점을 고려해서 공단 내 모든 사업장을 대상으로 관련 안전·보건 법령 중 이행하지 않고 있거나 이행하기 어려운 법규·지침을 발굴하도록 하였다. 약 두 달의 기간을 정해 현장 직원들의 공모를 진행했고, 우수 의견에 대해서는 순위를 정해 포상하였다. 모두 190건이 발굴되었는데 유형별 현황은 〈표 4-5〉와 같다.

〈표 4-5〉 직원 공모 결과

유형별	현장 개선	제도 개선	법률 개선	기타
190(건)	121(60%)	29(15%)	21(11%)	19(10%)

유형별로 현장에서 개선이 필요한 사항은 우선 급한 것부터 즉시 개선하도록 했고, 자체적으로 개선할 제도는 바로 조치하고 법률 개정도 요구하였다. 이 사례처럼 법령·지침 등 관련 규정이 다양한 이유로 사업장에서 지켜지지 않거나 지켜지기 어려운 경우도 있다. 규정을 만들면서 모든 여건을 충분히 고려하지 못해 생기는 문제일 수도 있고, 사업장의 특성상 규정 준수가 어려울 수도 있다. 예산이나 인력이 부족할 수도 있고, 규정이 사문화되고 잘못이 관행화되어버린 것도 있는데, 일반적으로 현장 근무자들이 이런 문제에 대해서는 제일 잘 안다. 평소에 이들이 상급자나 부서에 개선을 요구해도 예산·인력의 제한 등을 이유로 무시당하기 쉬웠는데 포상금을 걸고 현장의 문제점을 공모하니

아픔을 딛고 안전 사회로

반응이 나쁘지 않았다. 이처럼 현장의 위험 요소를 찾는 것뿐 아니라, 현장에서 규정과 달리 겉돌고 있는 문제점들을 수시 또는 정기적으로 발굴해내고, 직원들이 언제든 불합리한 규정과 운영 방식에 대해 문제를 제기할 수 있는 시스템을 갖추어야 한다.

공단에서 발생할 수 있는 사고 사례 분석(480건)과 공모를 통해 발굴된 사례(190건)를 통해 확인된 문제를 해결하기 위해 예산 절감분과 불용예산을 우선 활용하도록 방침을 정했다. 부족한 예산은 추경 편성을 요구하되 중대재해처벌법이 시행되는 2022년도에 가능한 한 모두 편성될 수 있도록 요구하였다. 공단이 관리하는 많은 시설 중 중대재해처벌법의 적용 대상이 되는 '공중이용시설'의 종류를 규정한 시행령이 2021년 10월 5일 제정되었는데, 예산 실무 작업이 사실상 완료된 상태였다. 시행령에 따르면 확인된 유해·위험요인 개선에 필요한 예산을 편성·집행하도록 되어 있는데, 이 조항도 법 시행 이후에 발견된 유해·위험요인에만 적용되는 건지 불확실하였다. 어떻든 공단은 모든 분야에 걸쳐 필요한 예산을 모두 편성 요구[94]하였다. 〈그림 4-4〉는 2021년에 현장에서 우선 조치한 사항이다.

'2인 1조' 작업 역시 현장에서 잘 지켜지지 않는 규정 중의 하나다. 인력이 부족한 때도 있을 수 있고, 일을 급히 처리하려다 규정을 위반하는 일도 있을 수 있다. 관련 규정[95]에 따라 2019년 9월, 공단은 노동

---

94) 참고로 서울시설공단은 서울시에서 위탁받은 24개 사업별로 서울시 담당 부서에 예산 편성을 요구하여 서울시의회의 승인을 얻어야 함

95) 지방공공기관 안전관리 가이드라인 제14조(안전보건조치) ① 지방공공기관은 근로자가 2인 1조로 근무하여야 하는 위험작업과 해당 작업에 대한 근속기간이 6개월 미만인 근로자가 단독으로 수행할 수 없는 작업에 관한 구체적인 기준을 마련하여 운영하여야 한다.

조합과 '산업보건위원회'를 열어 공단에 '2인 1조' 작업을 적용할 위험작업을 이미 규정하여 운영하고 있었는데, '근속 6개월 미만'의 근속의 의미를 명확히 해서 혼선이 없도록 하였다. '근속'이 처음 입사 후를 말하는지 보직 변경 후를 말하는 것인지 명확하지 않아서 행정안전부에 확인하여 해당 업무 숙련도를 기준으로 판단하도록 결정하였다. '2인 1조' 작업을 혼자 수행하도록 한 부당한 지시에 대해 해당 직원이 이의신청을 해도 인력 부족 등을 이유로 받아들여지지 않는 경우가 있을 수 있기에 후술하는 '위험작업 거부권'의 대상으로 정해서 직원의 안전권을 보장하였다.

<그림 4-4> 현장 개선 사례

(a) 기계식 주차장 추락방지망   (b) 수직 사다리 방호울타리

공단 사업장에서 발생했던 '아차사고'[96] 사례를 통해 잠재된 위험요인을 적극적으로 찾아내어 개선하는 일도 시행하였다. 사고가 날 뻔했던 일은 그냥 지나치기 쉬운데 방치하면 언제든 사고로 이어질 수 있는

---

96) 아차사고(Near Miss): 작업자의 부주의나 현장 설비 결함 등 잠재된 사고요인으로 사고가 일어날 수 있는 상황이 발생하기는 했지만, 직접적으로 사고로 이어지지 않은 경우를 말한다.

아픔을 딛고 안전 사회로

위험이라서 이를 근본적으로 개선하기 위해 사업장별로 아차사고 사례를 조사하였다. 2022년 1월부터 약 2개월에 걸친 조사 결과, 111건의 아차사고와 위험요인을 찾아 그중 62건을 시정하였다.

〈표 4-6〉 서울시설공단 2인 1조 직업 적용 대상

구분	전기 작업	밀폐공간 작업	고소 작업	기타
공종	전기 작업	맨홀 작업 정화조 작업 시설물 점검	고소 작업대 이동식 사다리 천장 작업	보일러 작업 용접 작업 암모니아 취급

사업장의 유해·위험요인 조사 또는 위험성 평가 등이 재난·사고를 방지하는 데 아주 중요한 과정임에도 불구하고 요식행위에 그치거나 일회성 행사에 그친다면 대단히 위험하다. 특히 건설 현장처럼 위험이 고정되어 있지 않고 수시로 변동하는 때에는 아차사고를 포함해서 다양한 사고 사례를 바탕으로 유해·위험요인을 파악해서 미리 제거하거나 발견되는 대로 해소할 수 있는 시스템을 갖추어야 한다.

시설 점검 및 관리 첨단화 추진

공단이 관리하는 공중이용시설의 안전점검이나 보수 작업 등은 일반적으로 인력으로 수행하는데 사고 위험이 큰 곳도 있다. 예를 들어, 서울월드컵경기장이나 고척스카이돔의 지붕과 외벽을 점검하거나 외벽을 청소하는 일은 자칫 작업원이 추락하거나 자재·장비 등이 떨어지기 쉬워 지나가는 시민에게도 매우 위험하다. 지하 밀폐공간에서 작업을 하는 직원들 또한 질식사고의 위험이 크다. 이런 위험 공간에서의 작업을 인력 대신 드론·로봇·인공지능(AI)을 융합한 첨단기술을 활용하도록 바꿨다.

<그림 4-5> **첨단기술 적용 사례**

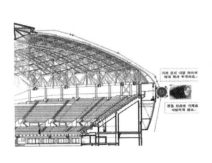 

(a) 고척돔 청소로봇   (b) 드론에 의한 점검

다만, 첨단기술이 만병통치약은 아니다. 전술한 대로, 늘 '새롭고 익숙하지 않은 것'에서 재난·사고가 발생하기가 쉽다는 점을 고려해서 현장에 적용하기 전에 미리 충분히 검증하고 훈련을 통해 시행착오로 인한 사고를 줄이는 노력도 병행해야 한다.

아픔을 딛고 안전 사회로

조직체계 정비와 협업

중대재해처벌법 시행령에 따라 공단은 산업재해 전담 조직[97]을 두어야 하는데, 기존의 '안전처'에 산업재해와 시민재해를 모두 담당하는 팀이 있었는데 이 팀에서 산업재해 업무만 전담하도록 바꿨다. 법령에 따라 변경하기는 했지만, 사실 어떤 실익이 있는지는 모를 일이었다. 공공기관에서 산업재해만 떼서 따로 전담한다는 게 무슨 의미가 있는지 분명하지 않았다. 시민재해도 공중이용시설을 관리하는 부서별로 관리하고 산업재해도 사업장별로 각각 관리하고 있어서 차이가 없는데 산업재해만 별도로 전담 조직을 두라는 시행령의 규정은 이해하기 어려웠다. 어떻든 '안전처'를 이사장 직속부서로 두고 중대재해처벌법 관련 사항을 총괄하도록 하였다.

노동조합과는 대표노조와 노사 각각 11명으로 구성된 '산업안전보건위원회'를 정기적으로 개최하였다. 중대재해처벌법 시행령 규정에 따르면 산업안전보건회를 통해 논의하거나 심의·의결한 경우에는 사업장의 안전·보건에 관한 사항에 대해 종사자의 의견을 들은 것으로 간주하게 되어 있다. 이런 법적 요식행위보다는 현장 직원들이 경영진이나 간부들에게 쉽게 얘기하지 못하거나 말을 했어도 부당하게 거부당한 사례들이 없는지 살피고, 혹여라도 그런 사례가 있으면 개선하는 역할을

---

97) 중대재해처벌법 제4조(안전보건관리체계의 구축 및 이행 조치) 법 제4조제1항제1호에 따른 조치의 구체적인 사항은 다음 각호와 같다. 2. 「산안법」 제17조부터 제19조까지 및 제22조에 따라 두어야 하는 인력이 총 3명 이상이고 다음 각 목의 어느 하나에 해당하는 사업 또는 사업장인 경우에는 안전·보건에 관한 업무를 총괄·관리하는 전담 조직을 둘 것

할 수 있도록 하였다. 특히, 대표노조 위원장과는 매주 30분씩 정례적으로 차담회를 가져 안전 문제를 비롯해 직원들의 애로를 경청하고 경영진에서 필요한 사항도 협조를 구하였다. 안전은 경영진만 노력해서 될 일도 아니고 직원들만 애태운다고 될 일이 아니다. 노사 양측이 합심해서 같이 유해·위험요인을 찾아 힘을 합쳐 해결하는 노력을 하는게 중요하다.

내부의 조직만 정비해서 될 일이 아니고, 관련되는 단체·기관 등과의 협업도 매우 중요한 일이다. 예를 들어, 지하도상가는 하나로 연결된 지하공간이 공단만이 아니라 서울교통공사, 한국철도공사, DX LINE[98], 주변 건물주 등 다양한 주체가 공간을 점유하고 있는데, 재난·사고에 대해서도 점유 공간만 제각각 관리하고 있다. 2020년 7월 강남역을 시작으로 COVID-19 공동 대응을 비롯해 연동망 구축, 공동 대응 매뉴얼 작성, 합동훈련 시행 등 다자간 비상협력체제인 '지하도상가 재난안전관리협의체'를 구성하였다. 지하에서 화재가 발생하면 '대구 지하철 방화 사건'[99]과 같은 참사가 벌어질 수도 있는데, 그동안 하나로 연결된 지하공간에서 점유 공간별로 따로 재난·사고에 대응하게 방치되어 있었다. 이 문제는 사실 서울만이 아니고 전국적으로 살펴봐야 할 일이다.

공단 자체적으로 꾸준히 재난·사고를 줄이기 위한 노력을 했지만, 앞서 언급한 대로 거울 보듯이 자기가 보고 싶은 대로만 보는 오류를 저

---

98)   신분당선 운영기업
99)   2003. 2. 28. 지하철 방화로 192명 사망, 6명 실종, 151명 부상

아픔을 딛고 안전 사회로

지를 수도 있어서 사실 객관적인 시각으로 준비상황에 대해 검증을 받는 것도 중요한 과정이다. 따라서 노동안전 분야 외부 전문가로 구성된 '노동안전보건위원회'를 구성하였다. 반기에 1회 개최하는 것을 원칙으로 하되, 수시로 개최할 수 있도록 규정하였다. COVID-19로 인해 '줌'을 통한 화상회의로 개최한 첫 번째 회의에서 공단이 준비한 2022년 '안전보건관리계획'과 그동인의 준비사항을 보고하고 논의했는데 위원 한 분이 중대재해처벌법에 관해 여러 기관·기업의 회의에 참여해봤지만 '경영책임자의 처벌 회피'가 아닌 실제 재난·사고의 예방을 위한 내용을 보고받고 자문 의견을 내는 것은 처음이라고 한 말이 기억에 남는다.

교육과 토론을 강화

재난·사고를 줄이기 위한 업무가 그 자체로 고되기도 하고 평소 업무에 더해 피로를 가중할 수도 있어서 직원들의 공감대를 확보하는 것도 중요하다. 더욱이 법령이 불확실하고 애매해서 준비에 어려움을 겪는 일이 적지 않았다. 불확실한 규정을 정부에 물어보면 답이 없고, 로펌에 물어보면 답이 서로 달랐다. 〈그림 2-42〉처럼 객관적인 기준이 모호하고 경계가 불확실하면 준비하는 직원들은 더 힘들다. 따라서 직원들과 경영진이 같이 토론을 통해 가능하면 공단 자체적으로라도 경계를 명확히 정해주고자 노력하였다. 토론회 안건을 준비하는 일부 직원들은 토론회 자체를 힘들어하기도 했지만, 토론회를 통해 법령에 대해 이해의 폭을 넓힌 것도 사실이다. '줌'을 이용한 화상회의로 진행된 토론회는 임원 외에는 참여가 의무화되지는 않았고 관심 있는 직원들만 참여토록 했는데, 대체로 직원들은 임원 앞에서 실명으로 의견을 내는 것에 부담을 느끼는 일도 적지 않아 익명으로 실시간 의견을 제시할 수 있는 '슬라이도(slido)'[100]라는 프로그램을 같이 활용하였다. 준비된 안건을 임원이나 간부들이 토론하는 동안에 슬라이도 게시판에 익명으로 의견을 제시하면 이사장이나 임원이 답변하는 방식으로 진행되었다. 익명으로 의견을 제시할 수 있고, 회의에 대한 만족도 평가도 할 수 있는 슬라이도는 조직 내의 권력 거리지수(PDI)를 낮추는 효과가 있다. 상사 앞에서 조직이나 상사의 잘못을 지적하기는 어려워도, 익명으로는 상대적으로 쉽게 의견을 내기 때문이다.

외부 강사를 초빙해 임직원들이 모두 중대재해처벌법에 대해 강의를 듣기도 하였다. 세 차례에 걸쳐 강의를 들었는데, 법에 대한 관심도를 높이는 역할을 한 것으로 평가한다. 2022년 1월부터는 매일 아침 9시에 10분 동안 주요 재난·사고 사례와 예방을 위한 동영상을 임직원들이 같이 시청하는 등 조직의 긴장이 이완되지 않도록 주의를 기울였다.

---

100)   https://www.sli.do/

아쉬운 점

    지금까지 인적 오류와 유해·위험요인을 줄이고 조직의 안전 역량을 높이기 위한 공단의 준비사항을 정리하였다. 너무 진부하거나 다소 실효성이 떨어지는 방안이라고 생각되는 것은 제외하였다. 다소 아쉬움이 남는 것은 공단의 모든 사업장에 대해 인적 오류가 사고로 이어지지 않도록 설계 측면에서 개선 사항이 있는지 체계적으로 살펴봤다면 어땠을까 하는 것이다. 인적 오류로 인한 사고를 완벽하게 방지하기는 어렵겠지만, 하나의 위험이라도 줄일 수 있다면 그것만으로도 충분히 의의가 있지 않나 생각한다.

2.
위험작업 거부권

산안법상 '작업중지권'과 그 한계

　산안법 제52조에 근로자의 '작업중지권'이 규정[101]되어 있다. 산업재해가 발생할 '급박한 위험'이 있는 경우 근로자가 작업을 중지하고 대피할 수 있는 권한이다. 작업중지권은 2019년 1월 15일 산안법 전부개정을 통해 근로자에게 명확하게 부여되었다.[116]

　그런데 실효적인 측면에서 봤을 때, 눈앞에 갑자기 급박한 위험이 닥쳤을 때 사람들 대부분은 당황해서 상황을 냉철하게 판단하지 못하고 자칫 주저하다가 사고를 당하기 쉽다. 또 하나는 급박한 위험이 닥쳤을 때 이를 인지해서 즉각 작업을 중지하더라도 그 위험을 회피하지 못하고 사고를 당할 수밖에 없는 상황도 있다는 게 작업중지권의 한계로 파악되었다. 터널을 예로 들 수 있다. 〈그림 4-6〉은 공단에서 관리하는 내부순환도시고속도로상 홍지문터널의 개요도인데, 그림에서 보듯이 차량이 다니는 공간 위로 환기를 위해 밖에서 팬을 통해 맑은 공기를 넣어주는 '풍도(風道)'라는 공간이 구획되어 있다. 풍도에는 터널 관리를

---

101)　산안법 제52조(근로자의 작업중지) ① 근로자는 산업재해가 발생할 급박한 위험이 있는 경우에는 작업을 중지하고 대피할 수 있다.

위한 각종 케이블 등도 같이 포설되어 있다. 터널 구조물뿐만 아니라 케이블, 장치 설비 등의 점검과 보수·보강 등을 위해 터널 관리자나 외부 도급업체 소속 직원들이 이 풍도로 자주 드나든다. 문제는 터널 내에서 화재가 발생하면 터널 관리자는 팬을 반대로 회전시켜 터널 내의 연기를 밖으로 빼내는데, 이게 지체되면 터널 내의 시민이 위험하므로 즉각 대응해야 한다. 그런데, 이때 터널 풍도에 작업을 위해 사람이 들어가 있다면, 이들이 급박한 상황임을 인지하고 작업을 중지하는 것은 의미가 없다. 이미 뜨거운 화염과 연기가 덮쳤을 가능성이 크기 때문이다.

<그림 4-6> 터널 내 풍도와 화재 시 위험 상황

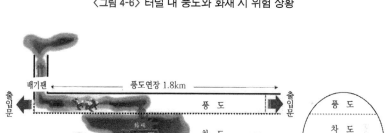

이와 같은 위험을 회피하기 위해 풍도에 대피 공간을 곳곳에 설치하는 방안도 검토해봤다. 뜨거운 화염과 연기를 장시간 피하기 위해서는 꽤 육중한 구조물을 내부 곳곳에 설치해야 하는데, 구조적으로 설치하기도 어렵다. 설령 설치한다고 해도 몽블랑 터널 사고[102]처럼 화재가

---

102) 몽블랑 터널 내에는 대피소(safe refuges)가 있었고, 2시간 정도 견딜 수 있게 설계가 되어 있었으나 2일 이상 화재가 지속되면서 화재 발생 지점 주변 대피소는 파손되었다.[117]

오래 지속되면 보호공간 안에서도 안전이 보장되지 않는다. 결국 작업하는 동안에는 차량 통행을 차단하고 작업하는 게 작업원의 안전을 가장 확실히 담보하는 방법이다. 그런데 터널 내의 차량 화재가 자주 있는 일이 아니라서 그동안에는 이런 위험에도 불구하고 차량 통행 제한으로 인한 시민 불편을 우선하여 차량을 통제하지 않고 작업해왔다. 다행히 작업과 차량 화재가 동시에 발생하는 일이 없었지만, 만에 하나라도 두 가지가 겹치면 대형 참사를 면하지 못하게 된다.

터널 풍도에 작업하러 들어가는 시점처럼 눈앞에 당장 급박한 위험은 없지만, 풍도 내에서 작업하다 불이 나는 것처럼 급박한 상황이 발생했을 때 달리 회피할 방법이 없다면 작업 방법을 근본적으로 바꾸는 게 맞다. 이런 점에서 산안법의 작업중지권은 한계가 있다. 그래서 공단에서는 작업중지권을 더 확장된 개념으로 보완·강화했는데, 작업 시행 전 또는 작업 도중이라도 언제든지 작업을 중지하거나 거부할 수 있도록 하였다. 직원 누구든 스스로 위험을 인지하면 어느 때든 상관없이 '위험작업 거부권'을 행사함으로써 실질적으로 소속 직원의 안전을 보장할 수 있게 하였다. 이 제도는 앞서 언급한 임직원 토론회 과정에서 고척스카이돔 근무 직원이 처음 제안했는데, 당시 삼성물산이나 포스코건설 등에서 시행 중인 내용을 참고하였다고 보고받았다. 제안자를 포상하고, 공단 자체 검토를 거쳐 행사 요건, 행사 시기, 작업 거부권 적정성 판단 등의 절차를 마련했다. 노사 협의를 거친 후 2021년 12월 1일 공단 전 사업장을 대상으로 '위험작업 거부권'을 전격 시행했는데, 이는 공공기관으로는 처음이었다. 외수업체 송사자까시 확내하면 '작업 지연의 책임' 문제로 분쟁 발생 시 자칫 예산이 늘어날 우려가 있어 외주업체에는 의무화하는 대신 서울시와 협의를 마칠 때까지 우선 협조를 구하는 것으로 결정하였다.

〈그림 4·7〉 위험작업 거부권 처리 질차

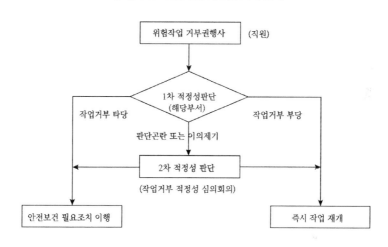

위험작업 거부권의 행사와 처리 절차는 〈그림 4-7〉과 같다. 직원 스스로가 산업재해가 발생할 위험을 인지하면 언제든 행사할 수 있다. 때로는 주관적인 판단이나 판단 착오로 거부권을 행사할 수도 있지만, 그렇더라도 재난·사고가 발생하는 것보다는 낫다는 판단이었다. 대상이 될 만한 사례를 예시로 들어 공지했는데, 대표적으로 다음 세 가지 사례를 들었다.

1	안전모 등 안전 장비를 지급하지 않았거나 도로 작업 시 안전지원 차량을 배치하지 않고 작업지시를 하는 등 '안전시설 미비'로 인해 위험 요소가 있다고 판단되는 경우
2	고소공포증이 있는 직원에게 고소 작업을 시키거나 전염병 등으로 육체·정신적으로 활동이 어려운 경우처럼 '개인 신체 질환 및 정신건강 질환'에 따른 사고 우려가 있을 때
3	위험 업무에 대한 '2인 1조' 등 규정에 따른 인력이 배치되지 않은 경우

작업을 거부할 때 직원은 즉시 팀·소장 등 상급자에게 바로 보고해야 하는데, 그 방법은 대면, 유·무선 전화, 부서 자체 SNS 망 등 어느 것이든 이용할 수 있도록 제한을 두지 않았다. 작업 거부를 보고받으면 해당 부서장이 주관하고 안전처에서 참관한 상태에서 1차 작업 거부 적정성 판단 심의를 하는데, 24시간 이내 또는 1 근무일 이내 개최를 원칙으로 하였다. 자체 판단이 어려운 복잡한 상황 외에는 두세 시간 정도면 충분히 판단 결과를 얻을 수 있을 것이다. 판단 기준은 '산업안전보건기준'과 '부서별 위험성 평가 결과' 등을 이용하고, 작업중지로 인해 시민에게 피해가 발생하지 않는지도 고려해야 한다.

1차 위원회에서 판단이 곤란하거나 직원이 이의를 제기하면 2차 위원회로 이관되는데, 안전처가 주관하되 10명 정도로 구성된 노사공동 위원회가 판단하되, 필요하면 외부 전문가로 포함된다. 48시간 이내 또는 2 근무일 이내에 2차 위원회를 개최해서 판단한다. 노동조합은 1차 심의에서는 참여하지 않고, 2차 심의 때 노사 동수로 참여한다. 일부에서는 노동조합이 이 제도를 악용하는 사례가 있을 수 있나는 우

아픔을 딛고 안전 사회로

려를 표명하기도 한다.[118] 그러나 우려와 달리 거부권 행사 전에 직원이 제기한 유해·위험요인을 작업 시행 전에 해소하는 긍정적인 효과가 나타나고 있다. 적어도 아직은 노동조합이 거부권을 악용할 수 있다는 우려는 기우에 그치고 있다. 예를 들어, 시행 후 약 5개월여가 지난 2022년 4월을 기준으로 공단에서는 실제 거부권 행사로 꼭 필요한 작업이 중지된 사례는 없고, 직원들이 담당 부서에 위험 요소를 지적해서 시정되거나 진행 중인 사례가 6건으로 나타났다.

〈표 4-7〉 위험작업 거부권 심의

구분		주요 내용
1차 심의	주관	담당 부서(노조 미참여)
	시한	24시간 또는 1 근무일 이내
	조치	안전보건 필요사항 조치 또는 즉시 작업재개 작업중지로 인한 시민 피해 여부 판단 및 조치 판단 곤란 또는 이의 제기 시 2차 위원회로 이관
2차 심의	주관	안전처, 노사공동위원회, 외부 전문가
	시한	48시간 또는 2 근무일 이내
	조치	안전보건 필요사항 조치 또는 즉시 작업재개

그중 네 건은 직원이 도로에서 작업할 때 후방에서 작업원의 안전을 보호하는 역할을 하는 안전 차량이 지원되지 않거나 이동 동선에 안전 사다리 등의 안전시설이 제대로 갖춰지지 않았을 때였다. 〈그림 4-8〉은 점검통로가 낡고 손상되어 터널 점검자가 터널 상부의 결함 점검에

집중하다가 자칫 빠지면 크게 다칠 수도 있는 위험을 보여준다. 이런 위험 요소들이 직원들의 제안에 따라 해소되었다. 고척스카이돔 내야 4층의 일부 구간 바닥이 샌드위치 패널로 되어 있어 청소할 때 추락 위험이 있다는 직원의 의견 제시에 따라 별도 조치 때까지 청소 작업을 하지 않도록 하고 개선대책을 마련하고 있기도 하다.

〈그림 4-8〉 위험 요소 해소 사례

(a) 파손된 통로

(b) 보수 후 통로

이처럼 거부권 제도를 통해 현장의 변동 위험이나 사전에 파악하지 못한 유해·위험요인을 찾아내어 미리 해소하는 효과를 높이기 위해 포상 등 인센티브를 부여하도록 하였다. 그럴 리는 없겠지만, 혹여 앞으로 일부에서 우려하듯이 노동조합이 이를 악용해서 작업중지가 장기화하는 일이 있더라도, 이와 같은 현장의 갈등을 노사가 같이 해소해나가는 경험들이 재난·사고 발생 후 경영책임자의 처벌 여부에 집중해 법원에서 판례로 축적되는 것보다는 훨씬 안전하고 건강하다는 생각이나.

아픔을 딛고 안전 사회로

〈그림 4-9〉 위험작업 거부권 내부 홍보물

3.
오픈이노베이션

휘발되어 사라지는 경험과 지식

전술한 대로 필자는 성수대교 붕괴사고 전후로 원효대교 보강공사를 담당하고 있었다. 원효대교는 당시 기준으로 2등급 교량이었는데, 이를 1등급으로 올리는 성능개선 공사도 병행하였다. 개인적으로 대규모 교량의 성능개선 및 보강공사 경험도 없었고, 관련 지식도 짧았다. 그래서 국내 서적도 보고 해외 자료도 찾아봤는데 그중 하나가 영국 써리대학교(University of Surrey)에서 발행된 「Bridge Management」란 교량 유지관리 컨퍼런스 논문집이었다. 교량 결함의 유형, 보수 방법, 보수·보강 사례, 성과 등 생생한 정보와 함께 세계 주요국의 정책도 살펴볼 수 있는 유용한 자료였다. 당시에는 영국의 써리대학교에서 4년마다 컨퍼런스가 개최됐는데 그 자료들을 모두 구해서 봤다. 그 논문집 1권에는 한국에 관련된 논문이 딱 한 편 있었는데, 국내에서 건설된 네 개의 사장교, 즉 올림픽대교, 돌산대교, 진도대교, 신행주대교를 감리했던 오스트리아의 엔지니어 벤첼(Helmut Wenzel)이라는 사람이 쓴 논문이었다.

아픔을 딛고 안전 사회로

그 논문에는 참고할 만한 내용이 몇 가지 있는데, 특히 한국은 민·관할 것 없이 모두 순환보직제 때문에 담당자들이 1~2년이면 바뀌어서 기술이 축적되지 않을 뿐 아니라 기껏 가르쳐서 대화가 될 만하면 다른 부서로 이동해서 다시 처음부터 가르쳐야 해서 문제라는 것이었다.[119] 그런데 사실 이 문제는 지금도 마찬가지다. 이 논문이 나온 지가 30년이 넘었는데 바뀐 게 없다. 개인이 업무를 수행하면서 얻은 지식이나 경험, 지혜가 인사이동과 함께 그 부서에서 휘발되어 같이 사라지고 이전에 경험했던 시행착오까지 다시 겪어야 하는 문제가 아직도 고쳐지지 않고 있다.

상황을 악화시키는 또 하나의 요인은 '부서 간 장벽'이다. 부서별 업무가 뚜렷하게 정해져 있어 자기 담당 업무 외에는 다른 사람의 업무영역에는 관여하기도 힘들고 부서 간에는 더더욱 그렇다. 어떤 개인이 이전 부서에서 아무리 아는 게 많고 풍부한 경험을 쌓았어도 타 부서로 발령 나는 순간부터 이전 부서 업무에는 한마디 말도 보태기 어렵다. 그게 우리 조직문화다.

공단 취임 후에 이 문제를 임직원들과 논의하면서 의견을 들어봤다. 특히 기술 분야에는 '순환보직제'보다는 가능하면 '보직경로제'를 도입해봤으면 하였다. 가능하면 같은 계열에서 정책과 현장을 오가는 시스템을 도입했으면 했다. 예를 들어, 공사감독 분야와 시설물 관리 분야로 크게 나누어서 인사를 분리하는 방안을 갖고 의견을 들었는데, 직원들의 반발이 만만치 않았다. 승진하려고 지금 고생하는 부서에 와 있는데 승진 후에는 다소 편한 부서로 이동할 수 있다는 희망이 사라진다는 게 주요 이유였다. 결국 직원들 간 승진과 보직에 따른 업무 강도 차이 등을 해결하기 힘들어서 순환보직제 폐지는 접을 수밖에 없었다. 3년으로 한정된 임기 내에 오랫동안 고착되어버린 인사제도를 고치는 것은 무리였다.

하지만 순환보직제와 부서 간 장벽으로 인해 개인이나 조직이 쌓은 경험과 지식 등 주요한 자원이 그냥 휘발되어 사라지는 것을 그대로 두고 볼 수는 없었다. 그래서 떠올린 것이 '오픈이노베이션'[103]이었다.

전술한 PSC 교량의 탐지되지 않는 내부텐던의 위험 문제를 오픈이노베이션의 주제로 선정하였다. 전임 이사장이 만들어놓은 TF 조직인 '기술혁신센터'와 PSC 교량을 직접 관리하는 '도로관리처' 두 개 부서를 주관부서로 정하였다. 그리고 주제 선정 사유와 운영 방식에 대해 직접 기술 분야 임직원들에게 특강을 하였다.

2019년 첫해는 공단 내부 임직원의 공감대를 형성하고 낯선 방식을 조직에 체화시키는 데 집중하였다. 서울시에 재직할 때부터 서울시립대에서 강의하면서 모아둔 국내외 문헌 자료부터 모두 두 부서를 통해 직원들에게 공유하였다. 차례를 정해 문헌 중 중요 자료부터 발표하고 질의·토론하는 방식으로 진행했는데, 부서를 가리지 않고 누구나 참여할 수 있게 하였다. 그리고 외부 전문가 몇 분을 초빙해서 같이 의견을 나눴다. 모든 자료는 직원들 누구에게나 공개하였고, 발표부터 토론 과

---

103) Open Innovation(개방형 혁신). 2003년 미국 버클리대학의 헨리 체스브로(Henry Chesbrough) 교수가 소개한 혁신이론으로 기업이 내부뿐만 아니라 외부 아이디어 연구개발 자원을 함께 활용해 대학, 새로운 제품이나 서비스를 만드는 제도('ICT 시사상식 2015' 인용)

아픔을 딛고 안전 사회로

정을 모두 촬영하여 이것도 공개하였다. 공단 홈페이지에 오픈이노베이션 사이트[104]를 따로 만들어 모든 자료를 공개·공유하였다. 특히 문헌 조사를 강조해서 기술혁신센터에는 자원한 우수 직원들을 배치했다. 영어, 일어에 능통한 직원들이 많아서 조사된 문헌 내용 중에 궁금한 것이 있으면 직접 미국·영국의 교통국(DOT)과 일본 국토교통성 등에 전화나 이메일을 통해 알아보고 그 결과를 공유하였다.

2019년 7월에 시작해서 2020년 1월까지 내부 인지원을 대상으로 모두 13회에 걸친 오픈이노베이션 토론회를 개최했다. 해외 문헌을 위주로 내부텐던의 결함 유형, 결함 조사, 보수·보강 사례 등을 발표하고 토론하는 등 학습하면서 오픈이노베이션의 효과와 필요성에 대해 공감대가 조금씩 늘어갔다. 적어도 공단 내부에서는 앞으로 순환보직에 의해 PSC 교량의 위험관리가 휘발되어 사라지지 않겠다는 믿음이 생겼다.

2020년 2월부터는 공단 내부에 그치지 않고 외부로 확대해서 산학관민 누구나 참여할 수 있도록 참여 대상을 확대하였다. 2020년 11월까지 모두 7회의 토론회를 통해 공단이 조사·학습한 내용을 외부에 공개·공유하고 외부의 전문가 의견을 들었다. COVID-19로 인해 '줌'을 이용한 화상회의 방식으로 진행했는데, 참여율이 높아 모두 550명이 넘는 사람들이 참여하였다. 그동안은 공단 내에서도 부서 간에 장벽이 있어 서로 정보를 공개하거나 공유하는 일이 많지 않았는데, 이 과정

---

104)   PSC 오픈이노베이션, 이때 만든 사이트가 지금까지 그대로 운영 중임(https://www.sisul.or.kr/open_content/bbs/bbsMsgList.do?bcd=innovation1&pgno=2)

을 통해 공단의 높은 담을 헐어내고 외부와 장벽 없이 말 그대로 속살을 내보이는 단계까지 이르렀다.

　2020년 9월 4일 PSC 교량 형식인 청담1교에서 내부텐던이 부식되어 발생한 균열이 발견되었다. 처음 경험하는 상황이었지만 차분하게 대응할 수 있었다. 문헌 조사와 토론, 그리고 문헌 조사 결과에 근거해서 미파괴조사(드릴링+내시경) 기술을 개발하고 모형실습까지 마친 그동안의 노력이 도움이 된 것은 물론이다.

〈표 4-8〉 청담1교 손상 발견 및 대응 상황[120]

손상 발견		2020. 9. 4.
조치 사항	긴급 점검	9. 4.
	하부 통제	9. 4. ~ 9. 7.
	정밀진단	9.10. ~
	중량 제한	9. 28. ~ 11. 30.
	결함 보수	~2021. 5. 30.

〈그림 4-10〉 청담1교 결함 사례

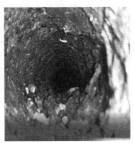

(a) 정착구 부식　　　　(b) 텐던 내부 부식　　　　(c) 텐던 내부 공극

아픔을 딛고 안전 사회로

특히 미파괴조사 결과 해외 문헌에서 봤던 각종 결함이 청담1교에서도 비슷하게 발견되면서 오픈이노베이션에 대한 공감대도 더욱 확대되었다. 적어도 여러 사람이 같이 인지한 위험은 쉽게 사고로 이어지지 않는다. 청담1교 손상과 관련해서 공단이 대처해나가는 과정 모두를 오픈이노베이션을 통해 외부에 그대로 공개·공유하였다.[120] 전국에 다양한 형태의 PSC 교량이 건설되어 있는데, 이와 같은 경험을 공유함으로써 해당 기관이 유사한 결함을 미리 찾아낼 수도 있고 결함 발견시 대응에 시행착오를 줄일 수 있기 때문이다. 2020년 12월에는 한국교량및구조공학회와 MOU를 체결하여 공동주관으로 바꾸었다.

〈표 4-9〉 PSC 오픈이노베이션의 확산

구분	기간	횟수	주요 성과
공단 내부 출범	2019. 7. ~ 2020. 1.	13	서울시설공단 내부 직원 공감대 형성 PSC 관련 해외 문헌 조사 사례 공유 및 적용
외부 공개	2020. 2. ~ 2020. 12.	7	외부기관(산학관민)으로 공개 대상 확대 미파괴조사 기술 습득 및 청담1교 대응
전문학회 공동 주관	2020. 12. ~ 2021. 7.	4	전문학회와 공동주관 및 참여 확대 공단의 경험 외부 공개·공유 확대
공공기관 참여 확대	2021. 8. ~	4	한국도로공사 등 공공기관 참여 확대 공공기관별 사례 공유

이를 통해 학계의 관심과 전문가의 참여율도 높아져서 한국콘크리트학회, 한국구조물진단유지관리학회 등과도 잇따라 MOU를 체결하였

다. 2021년 8월부터는 한국도로공사와 국토안전관리원 등 공공기관과 대학, 지방의 시설관리공단 등도 참여하면서 노후 인프라에 대한 사회적 인식 확대와 PSC 교량의 위험관리 관련 우리나라의 역량 증진을 위해 노력하고 있다.[121]

아직은 PSC 교량에 국한되어 있지만, 어떻든 공단 내부에서조차 순환보직제와 부서 간 장벽으로 인해 문제 해결 과정에서 얻은 지식·경험·지혜가 활용되지 못하고 사장되던 관행을 극복한 것이다. 관리 중인 시설의 결함 등 부정적인 정보일수록 공개에 소극적이었던 과거의 폐쇄적인 모습을 버리고 홈페이지를 통해 산학관민 모두에게 실상을 공개·공유하고 집단지성으로 힘을 모아 대응 역량을 높이는 오픈이노베이션 방식은 분명히 새로운 문제 해결 방식이다. 2020년 4월 기준으로 모두 28회에 걸쳐 진행된 오픈이노베이션은 회를 거듭할수록 전문가의 참여가 늘면서 그 질과 수준이 높아지고 있다. 공단의 오픈이노베이션 방식을 기본으로 개선·발전하여 다른 분야로 확산시키는 게 바람직하다. 그래서 2021년 12월 PSC 오픈이노베이션 참여 단체를 중심으로 도로 인프라 노후화 문제에 힘을 합쳐 대처한다는 취지로 '도로 인프라 대응연합'을 출범시켰다.[122] 이를 통해 국내의 인프라 노후화 문제에 대응하고, 특히 2장에서 전술한 대로 일본이 '국민회의'를 구성하고 첨단기술을 개발해 세계의 인프라 유지관리 시장을 점유한다는 구상에도 적절히 대응한다는 취지다. 이 역시 위기를 기회로 삼아 도약하려는 시도다. 아직 15개 단체로 많지 않지만, 외형보다는 내실이 더 중요하고 지속해서 성과를 내다 보면 참여 단체는 자연히 늘어날 것이나.

아픔을 딛고 안전 사회로

<표 4-10> 도로 인프라 대응연합 참여 단체

구분	참여 단체
공공	한국도로공사, 국토안전관리원, 국토교통과학기술진흥원, 서울시설공단
대학	서울대학교, 한양대학교, 서울시립대학교, 영남대학교
학회	대한토목학회, 한국교량및구조공학회, 한국콘크리트학회, 한국구조물진단유지관리공학회
연구소	한국건설기술연구원, 차세대융합기술연구원
민간	한국전자정보통신산업진흥회

4.
건설생산시스템

반복되는 건설 현장의 사고

2022년 1월, 공사 중에 무너진 광주 아파트 붕괴사고는 여전히 와우아파트 붕괴사고나 삼풍백화점 붕괴사고의 망령이 사라지지 않고 있음을 보여준다.

우리나라는 전쟁과 1970년대 압축적인 고도 경제성장을 거치면서 도시로 몰려드는 인구로 인해 주택과 도로, 상하수도 등 도시 인프라가 턱없이 부족하기만 하였다. 이 시기에는 잘 만드는 것보다는 빨리, 많이 만들어서 공급하는 게 훨씬 중요하였다. 1960년대에 서울의 인구가 급증하면서 확산한 무허가 건물을 정비하려 시민아파트를 건설하였는데, 그 빠르기가 1969년 1년 동안 32개 지구에 406동을 건설했을 정도였다.

1970년 4월 8일, 건설 중이던 와우아파트가 무너지면서 33명이 사망하고 38명이 다치는 사고가 발생하였다. 사고원인을 조사한 결과, 5층 건물을 단 6개월 만에 건설하면서 기둥에 들어가야 할 철근 70개 중에 다 빼먹고 5개만 설치되고 콘크리트도 시멘트가 안 보일 성도로 녕

터리였다. 사고 후 나머지 시민아파트를 조사했는데 405개 동 중에 349개 동이 안전기준에 미치지 못하는 것으로 드러났다.

1993년도 1월 17일, 화재로 인해 LP가스가 폭발하면서 청주의 우암상가 아파트가 무너졌는데, 애초 지상 3층으로 허가받았음에도 공사 중에 4층과 옥탑을 증축하였고, 역시 콘크리트에 불량 골재가 사용되었고 철근도 조잡하게 시공된 것으로 밝혀졌다.

1995년 6월 29일에는 결국 502명의 사망자가 발생한 삼풍백화점 붕괴사고가 발생하였다. 삼풍백화점은 애초 아파트 종합상가로 승인받은 건물을 5층 백화점으로 용도 변경한 것이다. 시공사인 W건설이 변경을 반대하자 계약을 파기하고 삼풍종합건설로 시공사를 변경한 후 변경에 따른 구조검토도 없이 공사를 강행하였다. 매장 공간을 더 확보하기 위해 상가 건물의 벽을 없애고 기둥이 힘을 더 받게 만들면서도 기둥 규격은 줄였다. 에스컬레이터 설치를 위해 바닥판을 잘라내기도 하였다.

이와 같은 부실이 겹쳐 대형 참사로 이어졌고, 사고 이후 전면책임감리제도가 도입되기도 했지만 부실공사로 인한 사고는 지금까지 끊이지 않고 있다. 부실공사로 인한 주요 사고를 〈표 4-11〉로 정리하였다. 건설 현장의 산업재해 역시 〈그림 2-26〉에서 본 것처럼 다른 산업보다 높다.

이렇게 부실공사로 인한 사고와 산업재해가 끊임없이 반복되는 이유는 여러 가지가 있겠지만, 고도 경제성장 시기에 '질(質)보다는 양(量)'을 우선시할 수밖에 없었던 시대의 건설생산시스템이 여전히 시대의 변화에 따라 바뀌지 않고 뿌리 깊게 자리 잡고 있기 때문이다.

<표 4-11> 부실공사로 인한 주요 사고

발생연월	사고내용	인명피해
2022. 1.	광주 아파트 붕괴	6명
2021. 7.	광주 학익동 철거 중 붕괴	
2017. 9.	부산 신축 아파트 기울어	
2016. 11.	부산 동아대 주차장 토류벽 붕괴	
2016. 7.	서울 홍은동 주택 공사 중 붕괴	1명
2015. 5.	충남 아산시 신축 오피스텔 기울어	
2015. 2.	서울 사당종합체육관 공사 중 붕괴	(10)
2014. 2.	경주 마우나 오션리조트 체육관 붕괴	10명(100)
2013. 7.	서울 방화대교 접속도로교 붕괴	
2013. 7.	서울 노량진 상수도 터널 수몰사고	

도급공사의 특성

건설공사는 일반적으로 도급계약으로 시행된다. 도급계약이란 일방(수급인)이 어느 일을 완성할 것을 약정하고 상대방(도급인)이 그 일의 결과에 대해 보수 지급을 약정함으로써 성립되는 계약이다. TV나 스마트폰처럼 물건을 다 만들어놓고 판매하는 상품과는 달리 미리 계약을 통해 목적물을 만들기로 약정하고 목적물이 완성되면 대금을 지급하는 방식이다. 최근에는 대부분이 양복을 기성품으로 구매해서 입지

아픔을 딛고 안전 사회로

만 양복을 맞춰서 입는 것도 도급계약의 일종이다. 건설공사를 시행하는 절차는 복잡하고 다양해서 이 책에서 모두 다루기는 어렵지만, 대개 〈그림 4-11〉과 같다.

〈그림 4-11〉 건설공사 시행 절차

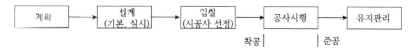

계획을 수립하고 그에 따라 설계하는데, 직접 하거나 설계 전문회사에 의뢰하기도 하고 설계·시공 일괄입찰 방식에서는 시공사가 설계하기도 한다. 그 설계금액에 근거해서 예정가격을 정하고 입찰 과정을 통해 시공사(수급인)를 결정한 후 공사를 시작한다.

그런데 도급공사의 이윤구조는 상품 판매와는 다르다. 상품을 잘 만들어 많이 팔수록 이윤이 커지는 상품과는 달리, 도급에 의한 건설공사는 목적물을 잘 만들었다고 해서 다음 공사를 낙찰받을 수 있다는 보장이 없다. 그나마 아파트는 브랜드가 있어서 좋은 브랜드의 아파트가 집값이 비싸기도 하고 인기도 좋은 편이지만, 공공 건설공사는 원칙적으로 최저가 낙찰방식에 의해 업체를 선정하기 때문에 목적물을 잘 만들고 사고 없이 공사를 진행하는 것과 이윤은 직접적인 관계가 적다. 도급공사에서는 계약 범위 안에서 최대의 이윤을 창출해야 한다.

계약금액에는 공사를 위한 비용과 이윤이 포함되어 있는데, 이윤을 늘리려면 인건비, 자재비, 장비 비용 등 공사비용을 절감해야 한다. 새로운 자재·기술·공법을 사용해서 투입 인력을 줄이고 비용도 절감하고 공기도 줄이려 노력한다. 목적물의 품질·성능·가치를 떨어뜨리지 않고 비용을 줄여 목적물을 생산해내는 기법을 가치공학(VE, Value Engineering)이라고 한다. 그동안 국내 업체들도 신기술개발과 현장관리 기법의 혁신을 통해 눈부신 발전을 해왔고, 해외에서도 인정받는 우리나라 건설 분야 발전의 밑거름이 되기도 하였다. 혁신을 통한 비용 절감으로 이윤을 창출하는 기법은 권장하고 독려해야 할 건설적이고 긍정적인 모습이다. 반면에, 전술한 사고 사례처럼 저렴하고 질이 떨어지는 저급한 자재나 장비를 사용하거나 수량을 적게 투입하여 비용을 줄이기도 한다. 고임금의 숙련된 고급인력 대신 저임금의 비숙련공을 쓰거나 안전관리비처럼 꼭 필요한 비용까지 줄이는 것도 한 예다.

언제 공사를 수주할지 모르는 수주산업의 특성상 건설회사가 공사에 필요한 모든 인력과 장비를 상시 보유하는 것은 불가능하다. 따라서 공사 수주 후 목적물을 만드는 데 필요한 공사를 하도급을 통해 시행하기 마련이다. 원도급사가 하도급계약을 맺으면서 공사비를 깎는 것도 이윤을 높이는 방법이다. 하도급업체가 역량이 충분해서 적정한 방법으로 목적물의 품질·성능·가치를 떨어뜨리지 않고 공사를 수행할 수 있는 여건이라면 문제가 없겠지만, 줄어든 공사비만큼 질이 떨어진다면 문제다. 하도급이 다단계로 시행되면서 공사에 쓰여야 할 돈이 중간에 엉뚱하게 새어나가는 것은 더 큰 문제다. 이처럼 저급한 인력·자재·공법을 쓰거나 불법하도급으로 부적정한 공사비를 가지고 시공하면 목적물도 부실하게 되고 공사 중에 안전사고가 발생하기도 한다.

따라서 이런 부정적인 방법으로 이윤을 얻으려는 잘못된 유혹을 차단하고 수급인(시공사)이 목적물을 제대로 만들도록 감시인을 붙여 상시 감독하는 게 일반적이다.

공사계약관리에서는 비용, 공기, 품질, 안전이 중요하다. 계약금액으로 정해진 기한 이내에 요구되는 품질과 성능을 만족시키는 목적물을 안전하게 만들어내도록 관리해야 한다. 그런데 설계 과정에서 아무리 조사를 잘해도 땅속의 상황은 파보기 전에는 완벽하게 추정하기 어렵다. 따라서 실제 공사를 하면서 나타난 상황에 따라 물량을 정산하기 마련인데, 이처럼 사전에 예측이 어려운 물리적 상황에 대해서는 추가로 필요한 비용과 공기를 수급인에게 보장[105]해준다. 이에 따라 계약금액이 늘어나기도 한다. 설계변경은 비용과 공기에 영향을 끼치므로 계약관리 중에서 중요한 부분이다. 따라서 현장에서 발생하는 변경 사항을 챙겨서 변경에 대한 신속한 의사결정과 함께 계약약관에 따라 비용 부담과 공기연장(또는 지연)의 책임이 도급인과 수급인 중 누구에게 있는지 관리해야 한다.

따라서 목적물의 품질·성능·가치가 요구 사양(仕樣)대로 제대로 확보되는지 감독하고 비용··공기 등 계약관리도 하는 감독시스템을 운영하는 것이 보편적이다.

---

[105] (회계예규)공사계약일반조건 제19조(설계변경 등) ① 설계변경은 다음 각호의 어느 하나에 해당하는 경우에 한다. 1. 설계서의 내용이 불분명하거나 누락·오류 또는 상호 모순되는 점이 있을 경우 2. 지질, 용수 등 공사 현장의 상태가 설계서와 다를 경우 3. 새로운 기술·공법 사용으로 공사비의 절감 및 시공기간의 단축 등의 효과가 현저할 경우 4. 기타 발주기관이 설계서를 변경할 필요가 있다고 인정할 경우 등. 제25조(지체상금) ③ 계약담당공무원은 다음 각호의 어느 하나에 해당되어 공사가 지체되었다고 인정할 때에는 그 해당일수를 제1항의 지체일수에 산입하지 아니한다. 6. 제19조에 의한 설계변경(계약상대자의 책임없는 사유인 경우에 한한다)으로 인하여 준공기한내에 계약을 이행할 수 없을 경우

우리나라 감리제도의 변천

36년간 일본의 식민 지배를 거치면서 우리나라의 건설제도는 일본의 영향을 받았다. 일본은 근대화 과정에서 아시아를 탈피해서 서구로 가자는 탈아입구(脫亞入歐)를 목표로 서구를 따라잡기 위해 노력했는데 일본의 법·제도는 독일·프랑스 등의 대륙법 체계를 따랐다. 여기에 지정학적으로 일본과 같은 위치에 있는 영국을 벤치마킹하고, 제2차 세계대전 이후에는 미국의 제도를 적극적으로 받아들였다. 우리나라의 건설제도도 일본의 제도를 바탕으로 미국·영국 등 영미권의 건설제도를 이식하고, 우리나라의 특수사정이 반영되면서 독특한 건설제도로 발전되어왔다.[123]

우리나라의 건설감리제도는 1962년 건축법이 제정되고 1963년 건축사법이 시행되면서 처음 도입되어 민간 건축공사에 적용되기 시작하였다. 공공 분야는 구 예산회계법령[106]에 공사감독제도가 도입되어 소속 공무원이 공사감독을 맡아 설계서, 계약서 등의 관련 서류에 따라 공사감독을 해왔다.

1986년 8월 독립기념관 화재 사건을 계기로 '건설기술관리법'을 제정, 민간의 우수한 기술 인력을 활용하여 부실공사를 방지한다는 목적으로 민간에 의한 '시공감리제도'를 도입하였다. 그런데 시공감리제도 또한 공사감독관과 민간감리원이 동시에 감독·감리업무를 수행하면서 권

---

106)　현행 '국가를 당사자로 하는 계약에 관한 법률 및 동 시행령'

한과 책임 한계가 불분명하고 감리원에게 공사중지 명령권 등의 권한이 주어지지 않는 등 사실상 공사감독 보조요원 역할에 그쳤다.

1990년대 초에 팔당대교[107]와 신행주대교[108]가 잇따라 공사 중에 무너지면서 1994년 1월에 50억 원 이상 건설공사에 대해 '책임감리제도'를 도입하였다.[124] 1994년 10월 21일 성수대교 붕괴사고와 1995년 6월 29일 삼풍백화점 붕괴사고를 계기로 책임감리제노가 전국의 공사현장으로 확산하였다.

이후 책임감리 외에 '시공감리'와 '검측감리'를 추가하였다. 국토교통부는 2014년 5월 23일 기존의 '건설기술관리법'을 '건설기술진흥법'으로 제명을 변경하고 전면 개정하면서, 감리와 건설사업관리를 '건설사업관리'로 통합하였다.

〈그림 4-12〉 건설사업관리

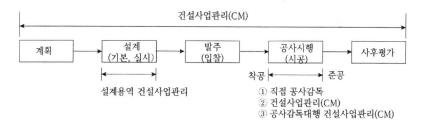

건설사업관리(CM, Construction Management)[109]는 건설공사의 기획부터 사후관리까지 전반적인 업무 중 전부 또는 일부를 발주청으로부터 위탁받아 수행하는 것을 말한다.

1960년 미국에서 시작된 건설사업관리[110]는 성수대교와 삼풍백화점 사고 이후인 1997년에 국내에 도입되었다. 건설기술진흥법은 규모가 크거나 기술적으로 어려운 건설공사나 발주청의 기술 역량이 부족할 때는 민간의 전문업체에 시공 중의 공사감독뿐 아니라 기획부터 시공 후 단계까지의 업무 중 일부 또는 전부를 건설사업관리 업체에 위탁 시행할 수 있도록 규정하였다. 사업 전반에 걸쳐 민간의 전문 역량을 활용할 수 있다는 면에서 보면 진일보한 시스템이다.

공사 중 감리시스템의 비교

건설공사 수준에 영향을 미치는 것은 건설업 면허, 예산, 공사비 산정, 발주, 입찰, 보증 등 다양한 분야의 제도와 관련되어 있다. 그러나

---

109) 건설산업기본법 제2조(정의) 8. "건설사업관리"란 건설공사에 관한 기획, 타당성 조사, 분석, 설계, 조달, 계약, 시공관리, 감리, 평가 또는 사후관리 등에 관한 관리를 수행하는 것을 말한다.

110) 건설사업관리는 용역형(CM for fee)과 책임형(CM at risk)으로 구분하는데, 용역형은 설계나 시공에 직접 간여하지 않고 발주자에게 조언하는 역할만 한다. 이와 달리 책임형은 시공사가 처음부터 참여해서 시공사의 기술력을 바탕 실제에 반영하고 일루지의 합의한 최대공사비(GMP, Guaranteed Maximum Price) 범위 내에서 책임지고 공사를 완료하는 제도인데, 건산법에는 '시공책임형 건설사업관리'로 규정되었고, 2017년부터 LH가 아파트 건설공사에 시범 적용한 이후 확대되고 있다.

아픔을 딛고 안전 사회로

그 모든 제도를 다 다루기는 어려워, 이 책에서는 시공 중의 감독시스템을 위주로 논의하기로 한다.

건설공사의 시공 중 민간의 전문업체가 공사감독을 대행하는 경우는 건설기술진흥법과 건축법, 주택법 등에 규정되어 있는데, 그 내용은 〈표 4-12〉와 같다. 건설기술진흥법도 건설사업관리의 한 과정으로 감리를 포함하고, 감리[111]를 "설계도서 등에 따라 공사가 적정하게 시행될 수 있도록 관리하는 건설사업관리 업무"라고 규정하고 있어 이 책에서 논의하고자 하는 의도에도 부합한다. 따라서 편의상 이 책에서는 '감리'로 용어를 통일한다.

공공 건설공사에서는 발주청이 건설사업관리자를 입찰로 선정하여 계약하고, 건축법에 따른 건축공사에서는 허가권자가 공사감리자를 지정해서 건축수와 공사감리자가 감리계약을 한다. 주택법에 따른 주택건설사업은 사업승인권자가 지정하고 사업 주체[112]와 감리계약을 한다.

〈표 4-12〉 국내의 민간 전문업체에 의한 공사감독

관계법	명칭	자격	선정주체	계약주체
건설기술진흥법	공사감독 대행 CM	건설엔지니어링사업자	발주청	발주청
건축법	공사감리	건축사, 건설엔지니어링사업자	허가권자	건축주
주택법	감리		승인권자	사업주체

---

111) 건설기술진흥법 제2조(정의) 5. "감리"란 건설공사가 관계 법령이나 기준, 설계도서 또는 그 밖의 관계 서류 등에 따라 적정하게 시행될 수 있도록 관리하거나 시공관리·품질관리·안전관리 등에 대한 기술지도를 하는 건설사업관리 업무를 말한다.

112) 국가·지방자치단체, 한국토지주택공사 또는 지방공사, 등록된 주택건설사업자 또는 대지조성사업자 등

업체선정과 계약주체가 같은 공공 분야부터 먼저 살펴본다. 그동안 우리나라의 감리제도가 지속해서 발전하면서 관련 법령과 지침 등이 많이 체계화되었음에도 대형 사고가 날 때마다 왜 감리에 대한 비판이 끊이지 않는지 외국의 시스템과 비교해본다.

FIDIC 약관

일반적으로 공사계약서류에는 입찰유의서, 계약조건(계약약관), 설계 도면, 시방서, 물량명세서 등이 포함되는데, 공사계약약관으로는 국제 컨설팅엔지니어링협회(FIDIC)[113]의 계약약관이 국제표준계약서로 널리 사용된다. 세계은행, 아시아개발은행을 비롯한 세계 60여 개 국가에서 표준계약서로 사용하고 있다.

1999년도에 기존의 약관을 일부 수정·추가해서 개정 신판(new FIDIC)이 제정되었는데, 설계책임과 공사 위험(risk)을 발주자와 시공자 중 누가 부담하느냐에 따라 다양한 약관이 존재한다. 약관의 표지 색깔에 따라 Red Book, Yellow Book, Silver Book, Green Book 등으로 구분한다. 일반조건인 1부와 특별조건인 2부로 나뉘는데, 일반조건은 발주국가, 발주자, 공사 특성과 무관하게 수정 없이 사용할 수 있도

---

113)   FIDIC(Fédération Internationaledes Ingénieurs Conseils): 국제 컨설팅엔지니어링 협회, 1913년 설립, 회원국 94개국, 우리나라는 1982년 한국엔지니어링진흥협회가 가입하여 활동 중

록 작성되어 있고, 이의 변경이 필요한 경우 2부 특수조건에 반영한다.

〈표 4-13〉 FIDIC 계약약관 종류 및 내용

호칭	Red Book 1999	Yellow Book 1999	Silver Book 1999
대상공사	일반건설공사	플랜트 및 설계시공	EPC/턴키공사[114]
설계주체	발수자	수주자 (발주자 성능사양 제공)	수주자 (발주자 비관여)
완성시험	-	성능기준 합치 확인을 위해 인도 즉시 시행	
엔지니어 (감리)	엔지니어가 **계약관리**, 공사감독 및 **지불증명**		없음 (계약은 발주자 관리)
계약금액 지불	수량명세서에 기초 - **품목별 수량을 계측** - (수량×단가)로 산출	일괄총액(Lump Sum) - 공정이 **주요관리점에** **도달 시 지급**	확정일괄총액 계약 - 계약금액 변동 제한 - 계약금액·공기 내 완료
예측불가 물리상황	발주자 부담 수주자는 공기연장이니 추가비용 번제받을 권리		수주자 부담
클레임	엔지니어에 통지		발주자에 통지
분쟁조정	상설	임시(분쟁 발생 시 설치)	

〈표 4-13〉은 FIDIC 약관의 종류와 주요 내용을 정리한 것인데, 국내에서도 발주청이 설계도서를 제공하고 시공만 도급하는 공사 대부분이 Red Book에 해당하고, '설계·시공일괄입찰공사'가 대체로 Yellow Book과 유사하다. FDIC 약관의 '엔지니어'가 국내의 '감리'에 해당

---

114) EPC(Engineeing, Procurement and Construction), Turnkey(EPC+a fully equipped facility, ready for operation), 우리나라는 설계시공일괄입찰(Design-Build)을 턴키로 표현하지만, FIDIC에서는 엔지니어링, 조달, 시공에 더해 설비와 시운전까지 포함하고 있어, 수주자가 모든 책임을 지고 키만 돌리기만 하면 되는 완전한 상태로 인도하는 것을 말함

한다. 그런데 Red Book과 Yellow Book 모두 계약관리와 지불증명에 대한 권한까지 감리자에게 부여하고 있다는 게 눈에 띈다.

일본의 공사감독

일본에서 '감리'라는 용어는 두 가지 형태로 쓰인다. 건축사법에 따른 '공사감리'는 건축사의 독점업무로, 공사 내용을 설계도서와 대조·확인하는 것을 말하며, 통상 건축주와 건축사사무소 간에 감리업무 위탁계약을 체결하여 시행한다. 이는 국내의 건축법에 따른 '공사감리'와 내용이 크게 다르지 않다.

건설업법에 '감리기술자'라는 용어가 사용되고 있는데, 이는 우리와 전혀 다른 개념이다. 일본은 발주청에 공무원인 공사감독직원을 두고, 공사감독관이 공사에 관한 전권을 행사하여 최종 의사결정은 모두 공사감독관에 의해서만 이뤄지는 시스템을 유지하고 있다. 〈그림 4-13〉처럼 일본의 감리기술자는 하도급 감독을 위해 원도급업체에 배치된 기술자를 말한다. 일본의 건설업법은 모든 현장에 시공관리를 담당하는 '주임기술자'를 배치하도록 규정하고, 하도급 총액이 4,000만 엔(건축공사 6,000만 엔) 이상이면 '주임기술자'[115] 대신 '감리기술자'[116]를 배치하

---

115) 주임기술자는 고등학교 지정학과 졸업 후 5년 이상, 고등전문학교 지정학과 졸업 후 3년 이상, 대학 지정학과 졸업 후 3년 이상, 이외에 10년 이상의 실무경력이 있거나 국토건설성장관이 인정하는 자(1급 또는 2급)

116) 감리기술자는 1급 국가자격을 가진 자 또는 주임기술자 중 4,500만 엔의 공사실적이 있는 자

아픔을 딛고 안전 사회로

도록 하고 있다. 따라서 감리기술자 등은 원도급업체에 직접 고용된 기술자로, 발주청에 고용관계를 입증하는 서류를 의무적으로 제출해야 한다. 감리기술자는 공사 현장마다 전임으로 근무해야 하며, 다른 공사장과 중복하여 배치해서는 안 된다. 2019년 10월부터는 '특례 감리기술자'라는 제도를 새로 만들어 전임으로 '감리기술자 보좌'를 둘 때는 복수의 현장에 겸임도 가능하게 하였다.[125]

<그림 4-13> 일본의 공사감독시스템

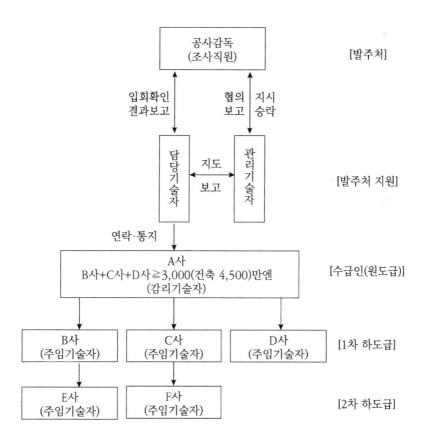

공사감독관은 민간업체에 감독업무 지원을 위탁할 수 있다. 위탁용역을 통해 공사 목적물의 규격이나 사용 재료의 적합성 등을 확인하거나 시공자로부터 제출되는 자료와 설계도서·현장의 일치 여부 확인, 설계변경 및 보고사항에 필요한 조사, 간이 측량 및 도서 등 자료 작성과 같은 감독을 보조하는 업무를 수행하게 한다. 이와는 별도로 2007년부터는 공사품질 저하를 방지할 목적으로 발주청이 직접 품질검사원을 확보하거나 품질검사를 위탁계약하여 품질검사를 하고 공사감독이 확인하도록 하고 있다.

요컨대, 일본은 발주청 소속의 공사감독관이 모든 권한과 책임을 지고 공사감독과 계약관리를 하되, 민간업체에 감독보조 또는 품질검사 업무를 위탁할 수 있도록 하고 있다. 그리고 원도급업체에는 하도급사를 전담하는 감리기술자를 원청사 소속 직원 중에서 배치하고 하도급사에는 주임기술자를 배치하도록 하고 있다.

어중간한 국내 감리, 책임만 커

건설기술진흥법은 발주청 소속 직원은 같은 법 시행령에 정한 발주청의 업무[117] 외에 정당한 사유 없이 감리업무에 개입 또는 간섭하거

---

117) 제60조의2(발주청의 업무범위) ① 법 제39조의4세1항에서 "대통령령으고 정하는 발주청의 업무"란 다음 각 호의 업무를 말한다. 1. 공사의 시행에 따른 업무연락 및 문제점 파악 2. 용지 보상 지원 및 민원 해결 3. 법 제55조 및 제62조에 따른 품질관리 및 안전관리에 관한 지도 4. 제59조제3항제9호에 따라 확인한 설계변경에 관한 사항의 검토 5. 예비준공검사

아픔을 딛고 안전 사회로

나 권한을 침해하지 못하도록 규정하고 있다.[118] 감리업무 수행 중 시공사가 부실시공을 하거나 안전관리 의무나 환경관리 의무를 위반하여 피해가 우려될 때는 재시공·공사중지 명령 등을 할 수 있는 권한도 부여하고, 이를 이유로 감리회사나 감리원 등에게 어떠한 불이익 조치도 하지 못하도록 규정하여 감리자의 권한을 보장하고 있다. 그러나 여전히 공사비와 공기와 관련된 권한은 발주청이 갖고 있어 감리자는 발주청에 관련 서류를 첨부하여 '실정 보고'를 하여 발주청의 승인을 얻어야 한다.

〈그림 4-14〉 국내의 설계변경 흐름도

	발주청	건설사업관리기술인	시공자
설계변경 기술검토	기술검토 (기술 TF) ←	실정보고 ←	설계변경 의견 제시
	승인 →	설계변경 통보 →	변경시행
설계변경 금액 조정	검토·확인 ←	기술검토 의견서 제출 ←	계약금액 조정요구
	승인 →	계약변경 통보 →	계약변경

---

118) 제39조의4(건설사업관리 업무에 대한 부당간섭 배제 등) ① 발주청 소속 직원은 제39조제2항에 따라 건설사업관리를 시행하는 건설공사에 대하여 대통령령으로 정하는 발주청의 업무 외에 정당한 사유 없이 건설사업관리 업무를 수행하는 건설엔지니어링사업자(이하 "건설사업관리용역사업자"라 한다) 및 건설사업관리기술인의 업무에 개입 또는 간섭하거나 권한을 침해해서는 아니 된다.

〈그림 4-14〉는 한국건설기술관리협회에서 발간한 「공공건설공사 건설사업관리 업무수행지침서」에 제시된 설계변경 업무의 흐름도로 시공자의 요청을 받아 감리자가 검토·확인 후 발주청에 보고하여 승인받게 되어 있고, 공기연장 또한 이와 절차가 같다. 용어는 '감리'에서 국제표준을 따라 '건설사업관리'라고 바뀌었지만, 그 권한은 여전히 발주청 공무원이 갖고 있다. 그리고 발주청의 업무에 공사품질과 안전관리에 대한 지도업무를 부여하고 있어 감리의 기본업무에 대해서도 발주청 공무원의 간섭과 개입을 완전히 배제하지도 않았다.

이와 같은 규정은 우수한 민간의 전문업체가 발주청을 대리해서 공사 전반을 관리하도록 함으로써 건설공사의 수준을 높이겠다는 '건설사업관리'의 도입 취지에도 부합하지 않는다. 발주청으로부터 공사품질과 안전관리에 대해 지도를 받아야 할 정도라면 애당초 건설사업관리를 수행할 역량이 떨어지는 저급한 업체라는 것을 의미하므로 제도의 앞뒤가 맞지 않는다. 더욱이 현장에서 공사품질과 안전관리의 실제 권한과 책임이 누구에게 있는 것인지 불분명하고 모호하게 만든다.

발주청으로서는 아직 국내 용역업체의 역량이 떨어지는 점을 고려해서 이와 같은 방식으로 운영할 수밖에 없다고 말할 수 있지만, 과거의 '책임감리'든 현행의 '건설사업관리'든 외형만 국제표준을 따라 바꾸었을 뿐, 그 실상을 보면 실질 권한은 발주청이 갖고 감리는 일본의 공사감독 보조 민간업체와 비슷한 역할을 할 뿐이다. 가장 중요한 공사비와 공기(工期) 관련 권한은 발주청 공무원이 보유하고 감리를 감독보조처럼 운용하면서 사고 등 문제가 발생하면 그 책임은 감리에 미룬다.

아픔을 딛고 안전 사회로

이 점이 일본과 다르다.

반면에 발주청 공무원 측면에서 보면 법적으로 감리업무 전반에 개입이나 간섭을 못 하게 하면서, 사고 발생 시 일본처럼 공사 전반에 책임을 지라고 한다면 부당하게 느낄 수 있다.

〈표 4-14〉 FIDIC, 일본, 국내의 공사관계사 비교

구분	FIDIC	일본	국내
발주청	Employer	공사감독관	공사관리관
감리자	Engineer	(감독보조 업체)	건설사업관리자
자격	대리인/조정자	감독보조	대리인
권한	전권 부여	제한적 권한	제한적 권한

FIDIC 약관상의 엔지니어는 발주자의 대리인으로 발주자를 대신해 공사와 관련된 권한을 행사하면서 한편으로는 발주자와 시공사 간에 중립적이고 공정한 이해 조정자라는 이중적인 역할까지 수행한다.[126] 이와 달리 〈표 4-14〉에서 보는 것처럼 국내의 경우 '공사계약 일반조건'에 건설사업관리 기술자와 감리원을 정부의 대리인으로 명시하고 있지만,[119] 그 권한은 일본의 감독보조 업체의 권한 수준에 머물고 있다.

---

119) (회계예규) 공사계약일반조건 제2조(정의) 3. "공사감독관"이라 함은 제16조에 규정된 임무를 수행하기 위하여 정부가 임명한 기술담당공무원 또는 그의 대리인을 말한다. 다만, 「건설기술 진흥법」 제39조 제2항 또는 「전력기술관리법」 제12조 및 그 밖에 공사 관련 법령에 의하여 건설사업관리 또는 감리를 하는 공사에 있어서는 해당 공사의 감리를 수행하는 건설산업관리기술자 또는 감리원을 말한다.

요컨대 현재 우리의 감리시스템은 감리에 전권을 부여한 FIDIC 약관과도 다르고 공무원이 전권을 쥐고 책임지면서 위탁 민간업체를 감독 보조로 활용하여 공사를 관리하는 일본식과도 달리 두 개의 제도가 섞여 이도 저도 아닌 모호한 상황이라고 할 수 있다.

가양대교 외국 감리, 모트맥도날드사와의 경험

1994년 성수대교 붕괴 직후에 가양대교 건설공사 감리를 외국 회사에 맡겼다. 성수대교 붕괴 직후 취임한 당시 최병열 시장은 "서울시에서 건설하는 교량은 세계에서 가장 튼튼하다는 신뢰를 얻기 위해 치러야 할 비용"이라고 선언하고 국내 회사에 맡기는 것보다 비싼 비용이 들더라도 외국 감리회사가 참여하도록 결정하였다.

〈그림 4-15〉 가양대교 종평면도

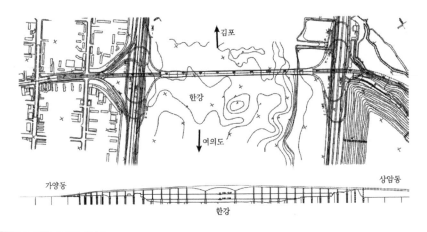

아픔을 딛고 안전 사회로

국내 회사에 맡기는 것에 비해 예산이 훨씬 더 많이 소요되고, 일부 국내 업체의 반발이 있었음에도 영국의 모트맥도널드사[120]가 국내업체와 컨소시엄으로 참여하는 것으로 결정되었다.[127][128]

필자는 가양대교[121] 건설공사 초기 단계에 약 일 년 반 정도 발주청 공무원으로서 모트맥도널드사 감리와 같이 일한 경험이 있다. 당시 서울시에서 대형 건설공사를 발주하고 공사를 관리하는 부서인 종합건설본부에서 서강대교 건설공사, 내부순환도시고속도로 건설공사, 포이~내곡 간 터널 건설공사, 원효대교 성능개선공사 등 다양한 대형 프로젝트에 참여하면서 국내 시스템에 적응해가고 있던 필자에게는 이들과 같이 업무를 했던 경험이 신선한 충격이었고, 그들이 일하는 방식은 새로운 세상이었다. 지금도 인터넷을 찾아보면 당시 첫 감리단장을 맡았던 베이스(Roger Base) 씨가 방송과 인터뷰하는 장면을 볼 수 있는데,[122] 그 당시 발주청 담당 과장으로 경험했던 일화는 이곳에 모두 옮기기가 어려울 정도로 많다.

몇 가지 간단하게 소개하면, 한강 중간중간에 세울 교각의 기초를 통상 '우물통 기초[123]'로 만드는데, 바지선을 이용해 레미콘 차량으로 콘크리트를 공급한다. 감리원이 콘크리트 품질시험을 타설 직전에 하

---

120) 1989년에 설립된 모트맥도널드(Mott MacDonald Group)사는 영국 런던 크로이던에 본사를 두고, 전 세계 150개국에 16,000명의 직원을 두고 있는 건설·토목 분야의 컨설턴트 회사임

121) 가양대교는 성산대교와 방화대교 사이에 위치하며, 강서구 가양동과 마포구 상암동을 연결하는 교량으로 1994년 12월 8일 착공하여 2002년 5월 31일에 완공된 1등급 교량임

122) https://imnews.imbc.com/replay/1995/nwdesk/article/1956491_30705.html

123) 우물통 기초(well-foundation): 철근콘크리트로 만들어진 원통 형상의 관 안에서 흙과 암반을 파내고, 파낸 만큼 다시 위쪽에서 관을 만들어가면서 순차적으로 일정한 깊이까지 내려간 후 속을 채워 기초를 만드는 방법

는데 그때 기준에 미치지 못하는 콘크리트는 반품해야 한다. 시공사는 한강 중간까지 들어가서 품질 요건을 맞추기 어렵고 통과가 안 되면 다시 바지선을 이용해 반품해야 하므로 레미콘 차량이 바지선에 타기 전에 강변에서 시험해달라고 요청하기도 하고, 현장에서 '유동화제'라는 약품을 타서 품질기준을 맞추면 되지 않느냐고 반발하기도 하였다. 처음에는 반품 비율이 70%도 넘었는데 불과 며칠도 안 지나서 100% 기준을 맞췄다. 감리사는 원칙 앞에서는 미동도 안 했고, 이미 해외에서 이들 수준의 감리를 충분히 경험하고 있었던 국내 유수의 건설사들은 오래지 않아 이들의 엄격한 요구 사항을 충족시켰다.

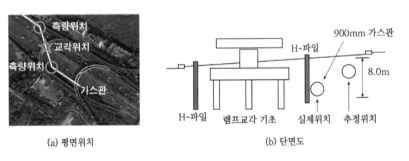

〈그림 4-16〉 가양대교 가스관 위치

(a) 평면위치　　　　　(b) 단면도

또 하나의 사례로는 자유로의 진출입 램프 교각에 말뚝기초를 설치했을 때다. 일산에서 서울로 출근하는 차들로 자유로는 가뜩이나 혼잡한데, 공사를 위해 부분 통제하는 바람에 교통이 더 막혔다. 그런데 지장물 도면에 따르면, 자유로 지하에 일산으로 공급되는 직경 900㎜

　　　아픔을 딛고 안전 사회로

의 대형 가스관이 매설된 것으로 표시가 되어 있는데, 시공사가 좀처럼 그 위치를 찾아내지 못하였다. 〈그림 4-16〉처럼 램프 교각 기초공사를 위해 흙막이 가시설 공사를 먼저 해야 하고, 지상에서 땅속 상황을 모르는 상황에서 H-말뚝을 땅속으로 깊숙이 박아야 하는데, 자칫 가스관에 손상을 주면 대형 사고가 발생할 우려가 있다. 따라서 가스관의 위치를 눈으로 확인한 다음 장비로 말뚝 시공을 위한 굴착을 해야 한다.

시공사는 〈그림 4-16〉의 (a)처럼 도로 양측에서 가스관을 확인하고 그곳에서 측량해서 가스관의 위치를 추정했다. 그런데 추정위치에서 도면에 표시된 깊이 이상으로 땅을 파내도 가스관이 확인되지 않았다. 장비로 땅을 파다가 가스관을 손상할 수도 있어 인력으로 작업했다. 어렵게 땅을 파냈다가 가스관이 없으면 혹여라도 굴착된 부분이 무너져 통행 차량에 위해를 가하지 않도록 바로 다시 덮도록 했는데, 이 작업만 두어 달 지속됐다. 차는 막히는데 외부에서 보기에 공사 진척이 없으니까 지나가는 시민들이 언론에 제보했고, 일부 언론은 비판 보도까지 하였다.

시공사는 측량에 의한 추정위치가 H-파일 시공 위치에서 상당히 떨어져 있으므로 그냥 시공하자고 감리사에 제안했는데, 감리사는 눈으로 확인하기 전까지 말뚝 시공은 안 된다며 단호했다. 그리고 결국 4개월 만에 도면보다 깊은 위치에서 가스관을 찾았는데, 그냥 시공했으면 자칫 가스관을 손상해서 자유로 상에서 가스관이 폭발하는 대형 사고로 이어질 뻔했다.

아쉽게도 가양대교 완공 때까지 근무하지 못하고 필자도 '순환보직제'에 따라 다른 부서로 옮겼다. 더 이상 이들의 감리 기법을 접하지 못하게 되었지만, 짧은 시간이나마 많은 걸 느꼈고 앞에서 든 것과 같은 사례는 열거할 수 없을 정도로 많다. 특히 초대 감리단장이었던 베이스 씨는 안타깝게도 업무 수행 중 국내에서 암으로 돌아가셨는데, 업무를 하면서 많은 대화를 나눴다. 수년 후에 유학 기회를 얻었을 때 영국으로 가게 된 것도 이분과 모트맥도날드 직원들의 성실하고 엄정한 업무 자세에서 영향을 받았던 것이 컸다. 개인적인 것을 떠나 이들과 일하면서 여러 가지 측면에서 국내의 감리와 다른 점을 느꼈는데, 이십여 년이 지난 지금도 여전히 많은 부분이 개선되지 않고 있는 것이 안타깝다.

경직된 국내의 감리원 운영 방식을 탈피해야

건설 현장에서 재난·사고가 발생하면 언론에서 종종 감리자가 공사 중에 입회하고 있었는지를 확인하고 따진다. 한강에 교량을 건설할 때 한창 바쁠 때는 현장 여기저기에서 서로 다른 작업이 진행된다. 한강 안에서도 우물통 공사와 교각 공사가 동시다발적으로 진행되고 자유로나 올림픽대로에서는 상하수도나 가스관을 옮기기도 한다. 이와 같은 작업이 적어도 수 개소, 많으면 수십 개소에서 동시에 진행된다.

아픔을 딛고 안전 사회로

그런데 국내에서는 대개 감리가 현장에 상주한다는 것은 현장에 설치된 감리사무실을 포함해 현장의 경계를 벗어나지 않고 그 안에서 근무하는 것을 뜻한다. 그런데 가양대교에서는 '검사원(Inspector)'이 작업하는 곳마다 지켜 서서 공사가 규정에 맞게 시공되는지 일일이 감시한다. 시공사들이 규정에 어긋나게 공사를 하면 여지없이 '부적합보고서(NCR, Non-Conformity Report)'를 발행한다. 그 위반 정도가 크다고 판단되면 같은 종류의 공사 전체에 공사중지를 명하기도 한다. 시공사가 아침 7시 공사를 시작하면, 그 시간에 맞춰 검사원이 현장에 나가 있다. 하루는 서울시 소속 직원이 검사원에게 아침에 출근하면 출근부에 사인해야 한다고 했다. 그랬더니 자기는 아침 일찍 공사장에 가니까, 출근 여부를 확인하려면 그 현장으로 직접 오라는 답이 왔다. 검사원들은 현장 일에 대한 책임감이 강하였다.

중대재해처벌법 시행 이후에도 건설공사장에서 추락사고가 끊이지 않고 있다. 그런데 가양대교에서는 검사원들이 현장에 설치된 안전 계단이나 발판을 일일이 확인해서 미흡하다고 판단되면 다음 단계의 시공을 허용하지 않았다.

당시에 영국의 감리방식을 이해하기 위해 영국의 책을 읽어본 일이 있다. 이번에 집필하면서 영국의 감리원 수를 살펴보러 최신판으로 다시 찾아봤다. 책에 따르면, 영국은 상주감리단 인력으로 공사비가 2,500만 파운드(한화 약 400억 원)인 중간 규모의 공사에 감리단장(RE, Resident Engineer) 밑에 두세 명의 엔지니어(AE, Assistant Engineer)와 두세 명의 검사원(Inspector)이 기본적으로 배치된다.[129] 공사 규모가 커지면 경험이 풍부한 계측 엔지니어(ME, Measurement Engineer)나 적산사(QS, Quantity Surveyor)를 추가로 투입하기도 한다.

그런데 이 책에서는 감리원 중에서 유독 검사원의 중요성을 강조한다. 주로 야외 현장에서 근무하면서 시공이 제대로 되고 있는지를 감독하는 검사원은 나이가 많은 경우가 많다. 그 풍부한 현장 경험이 감리단뿐만 아니라 시공사의 작업원들에게도 너무 소중한 자산이 되기 때문에 나이가 많은 것은 전혀 문제가 안 된다. 이들에게는 설득력, 요령, 아량, 깊은 관찰력과 단호하게 지시할 수 있는 역량이 필요한데 모든 사람이 이런 능력을 갖추고 있는 게 아니다. 다른 사람의 일을 보면서 자기가 더 잘할 수 있다고 짜증 내기 쉬운 젊은 사람에게 검사원은 적합한 일이 아니라고 한다. 우수한 검사원은 검사에 그치지 않고 작업원들에게 일을 어떻게 하는지 가르치기도 하고 시범도 보일 수 있어서 시공자에게도 보물이라는 것이다. 그래서 우수한 검사원을 확보하는 일이 감리단장에게 아주 중요하고, 다른 현장에서 같이 근무한 경험이 있는 다른 감리단장에게 추천받아 채용하는 게 일반적이다. 몇몇 회사에서는 우수한 검사원의 일이 끊어지지 않도록 한 현장이 끝나면 다른 현장으로 보내서 계속 일을 할 수 있게 관리한다고 한다. 우수한 검사원을 확보하면 행운이라고 할 정도로 검사원의 중요성에 대해 강조하고 있다.

그런데 국내 건설 현장에는 이와 같은 검사원 제도가 없다. 우리나라는 건설기술진흥법 규정에 따라 감리업무를 수행하는 건설기술인의 등급을 <표 4-15>와 같이 특급, 고급, 중급, 초급으로 나누는데, 역량지수는 자격(40점)·학력(20점)·경력(40점)과 교육 이수(5점)를 지수화하여 가산하여 구한다.

국내 현장의 임금은 건설기술인의 등급에 따라 달라지는데, 국내 기술자 분류나 등급에 '검사원'이라는 것도 구분되어 있지 않고, 학력과 자격증이 없이 현장에서 검사원으로서 경력만 쌓아서는 '초급' 자격을 벗어날 수 없다. 학벌은 좋고 경험이 짧은 젊은 사람이 감리 현장 입문 초기에 잠깐 검사원 업무를 하다가 경력이 쌓이고 자격증을 따서 등급이 올라가면 야외보다는 현장사무실에 앉아서 하는 업무 쪽으로 옮기는 것을 선호할 수밖에 없다. 따라서 우수한 '검사원'이 양성되기는 애당초 어려운 상황이다.

〈표 4-15〉 건설기술인의 등급

기술등급	건설사업관리 업무를 수행하는 건설기술인
특급	역량지수 80점 이상
고급	역량지수 80점 미만 ~ 70점 이상
중급	역량지수 70점 미만 ~ 60점 이상
초급	역량지수 60점 미만 ~ 40점 이상

건설사업관리업무 수행지침서의 '시공성과 확인 및 검측 업무' 규정에 따르면, 현장 시공 확인, 콘크리트 타설 공사 입회·확인, 검측, 시공상태 확인 등을 규정하고 있는데 입회·확인은 콘크리트 타설만으로 한정

되어 있다. 현장 시공 확인 업무는 공사 목적물을 제조, 조립, 설치하는 시공과정에서 가시설 공사와 영구시설물 공사에서 모든 작업단계의 시공상태를 확인하여야 한다고 규정하고 있지만, 입회를 요구하고 있지는 않다. 검사원의 역할에 해당하는 역할은 지극히 한정되어 있다. 이 같은 감리원의 역할 제한은 현장에 배치되는 감리원의 숫자와도 관련이 있다.

우리나라는 건설기술진흥법에 따른 '건설엔지니어링 대가 등에 관한 기준' 별표2에 따라 감리원 수를 산정한다. 전체 투입 인원수는 공사단계별 투입 인원수를 합산하게 되어 있는데, 고급기술자를 기준으로 산정된다. 감리 대가는 여기에 노임가격을 적용하여 직접인건비를 산출하고, 직접경비, 제경비, 기술료, 추가 업무비용, 부가가치세 및 손해배상보험료 등을 더해서 산출한다. 이와 같은 대가 산출 방식을 '실비정액가산방식'이라고 한다.

필자가 상기 규정에 따라 총공사비 400억 원인 공사에서 영국의 검사원 업무에 해당하는 '검측 업무를 위한 감리원 수'를 산출해봤더니, 일당 약 1.5명 정도가 되었다. 영국의 감리서에 제시한 두세 명보다 그 수가 적다.

그런데, 그나마도 이렇게 국토교통부가 정한 실비정액가산방식을 그대로 적용하기도 쉽지 않다. 감리예산을 편성하려면 기획재정부의 '예산편성세부지침'에 근거하여야 하는데, 예산지침은 공사비 요율에 따라 산출해야 한다.[130] 따라서, 현업에서는 국토교통부의 대가 기준과 기획재정부의 예산지침을 모두 만족시켜야 하는데, 쬐는 믿구에 따르면, 2017년 상반기에 조달청 나라장터에 공고된 21개 사업의 선설사업 관리 용역비는 국토부 대가 기준에 따른 용역비와 비교했을 때 평균 67.73%에 그치는 것으로 밝혀졌다.[131] 건설기술연구원에서 발주청을 대상으로 기획재정부의 '공사비 요율' 방식에 따른 예산의 적정성과 문제점 등에 대해 설문조사를 한 결과, 예산이 부족하다는 의견이 56%로 충분하다는 의견 24%의 두 배나 되었다.[132]

<표 4-16> 칭마대교 감리원 구분

직군	구분		국내	비고
ER The Engineer	ER	The Engineer	특급 (감리단장)	기술사
	DER	Deputy Engineer		
RE Resident Engineer	SRE	Senior RE	고급	관련학과 대학 졸업
	RE	RE	중급	
	ARE	Assistant RE	초급	
IOW Inspector of Works	SIOW	Senior IOW	-	경력직
	IOW	IOW		
	AIOW	Assistant IOW		

<그림 4-17> 칭마대교 감리조직

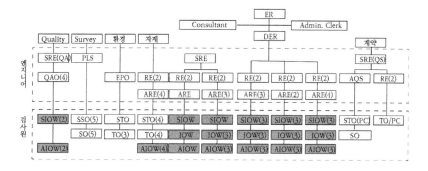

오래전의 얘기지만 모트맥도널드의 베이스 단장은 종종 가양대교의 감리원 숫자가 공사 규모에 비해 적은 편이라는 말을 하였다. 당시 국내 업체와 컨소시엄으로 구성된 가양대교 감리원 수는 감리단장과 사무원을 포함해 21명이었는데 주로 엔지니어였다. 비슷한 시기에 홍콩에서 건설 중이었던 칭마대교[124]는 많을 때는 100명도 넘는 감리원이 투입되었는데, <표 4-16>과 <그림 4-17>처럼 엔지니어와 검사원으로 구성되어 있다.

그나마 가양대교는 부실공사를 방지하겠다는 비상한 각오로 외국 감리를 도입한 것으로, 국내 업체와 컨소시엄으로 구성하면서 감리 인원이 다른 국내 현장에 비해 많이 투입되었다. 그런데도 같은 영국의 모트맥도널드사가 감리하는 홍콩의 칭마대교에 비해 많이 부족한 상태였다. 비교적 최근에 시행된 암사대교의 경우는 감리원이 5명 정도에 불과했는데, 해외 현장에 비해 국내의 감리 투입 인원이 적은 것은 일반적인 현상이다. 국내는 소수의 엔지니어가 검사원 역할을 포함해 일인 다역으로 일하고 있는데, 엔지니어와 검사원이 분야별로 전문화된 국제표준의 감리시스템과는 다르다. 여러 국내 건설업체가 2010년대에 건설된 싱가포르 도심 지하철 2단계 공사에 참여했는데,[133] 싱가포르도 우리와 다르다. 예를 들어, 921공구의 경우 설계감리에만 42명의 감리원이 참여했고, 916공구의 시공 중 감리는 엔지니어와 검사원 35명으로 구성되어 승인된 도면을 근거로 현장에서 각종 검측을 시

---

124) 칭마대교(靑馬大橋, Tsing Ma Bridge): 홍콩의 교량으로 연장 1,377m, 1992년 6월 착공하여 1997년 4월 개통

아픔을 딛고 안전 사회로

행하는 것으로 조사되었다.[134]

검사원 제도도 없고, 감리 인원이 해외에 비해 적은 것 외에도 문제가 또 있다. 기획재정부 '예산편성세부지침'의 공사비 요율에 따라 예산이 결정되기 때문에, 공사 기간이 늘어날 때 적절하게 대처하기 어렵다는 것이다. 더구나 기획재정부의 '총사업비관리지침'은 공사 기간이 연장되는 경우 감리원의 투입 인원·등급 조정 등을 통하여 감리비가 늘어나지 않도록 규정125)하는 등 감리예산을 엄격히 통제하고 있다. 발주청의 귀책 사유로 공사 기간이 연장되었을 때만 계약금액의 5% 범위에서 감리비를 조정할 수 있을 뿐이다. 감리원 운용에 발주청이 일일이 간여할 수밖에 없는 여건을 정부가 만든 것이다.

이런 상황에서 공기에 영향을 미치는 주공정(主工程, Critical Path)에 해당하는 공사에 부실공사가 발생했을 때, 감리가 소신껏 공사중지를 명할 수 있을까 의심스럽다. 부실공사가 적발되면 때로 이를 시정하는 데 수개월이 소요될 수도 있고, 후술하겠지만 시공계획서가 부실해도 해당 공정의 착수가 몇 달 늦어질 수도 있다. 이때 귀책 사유가 발주청에 있는 것이 아니므로 총사업비 관리지침에 따라 연장된 기간만큼 감리예산을 늘리는 게 허용되지 않는다. 따라서 감리의 인원이나 등급을

---

125) 제70조(감리비의 조정기준) ① 건설사업의 감리비는 공사비에 '예산안 편성 및 기금운용계획안 작성 세부지침'에서 정한 전면 책임감리비 요율을 적용하여 산정한다. 다만, 관련법령 또는 공종별·내역별 분리발주 등으로 인하여 공종별·내역별 개별감리가 불가피한 경우에는 각 공종별·내역별 공사비에 해당 요율을 적용하여 산정할 수 있다. ⑧ 제6항 및 제7항을 제외한 사유로 사업기간이 연장되는 경우 감리원의 투입 인원·등급 조정 등을 통하여 감리비가 추가로 발생되지 아니하도록 하여야 하며, 기간 연장에 따른 감리비의 추가 요구는 인정하지 아니한다. 나만, 감리원의 투입 인원·등급 조정 등으로도 감리비의 추가 발생이 불가피하고 기간연장의 책임 있는 사유가 발주처에 있는 경우에 한하여 전체 감리비 계약금액의 5% 범위 내에서 조정할 수 있다.

하향 조정할 수밖에 없는데, 이는 결국 시공사의 문제를 지적한 감리원을 현장에서 쫓아내는 것과 다름없다. 어쩌면 현장에서 엔지니어의 판단을 존중하지 않는 국내의 잘못된 관행의 단면을 보여준다고 할 수 있다. 엔지니어링 외적인 요소가 건설 현장의 정상적인 관리와 운용을 왜곡하는 것이다. 엔지니어들이 소신껏 제 기량을 다 발휘할 수 없게 만드는 이런 규정들은 하루라도 빨리 개선되어야 한다.

정말 딱한 것은, 이처럼 정부 역시 품질이나 안전보다 '돈'을 앞세우는 모습이다. 국민의 세금을 당연히 아껴야 하겠지만, 본말이 전도되어서는 안 된다. 이제는 필요 이상으로 돈 아껴서 저급한 인프라를 만들어내는 것보다 질적으로 우수하고 안전하게 만드는 게 훨씬 더 중요하다.

감리비를 아끼면 총사업비가 줄어들까

감리 비용을 늘리고 검사원과 엔지니어 투입 인원을 국제 수준으로 늘리자는 의견에 대해 예산 낭비라고 생각하는 사람들도 있다. 예전에는 두어 명의 공무원만으로 감독하던 시절이 있었는데, 지금은 그때보다는 발전된 것 아닌가 하고 반문하기도 한다. 감리의 필요성에 대한 근본적인 의문이다. 이 시대는 과거처럼 빨리빨리 물량 위주로 공급하던 시대와는 다르기 때문이다. 우리가 건설하는 건축물이나 공공인프라의 수준이 질적으로도 우수해야 하고 사고 없이 안전하게 살 만들어

아픔을 딛고 안전 사회로

야 한다. 이제는 그게 국민의 바람이고 시대의 요구다.

　시공과정을 엄밀히 감리하는 시스템이 취약하면 설계자들이 보수적으로 설계할 수밖에 없다. 여기서 보수적이라는 의미는 공사 중이나 완공 후 사고로 인해 설계자 본인이 책임지는 일을 회피하기 위해 과다하게 설계하는 것을 말한다. 감리가 엄격하지 않은 상황에서 불량업체나 저급한 근로자들이 대충대충 작업하다 안전사고가 발생할 수도 있는 개연성을 설계자가 설계에 반영하는 것이다. 필요 이상으로 강관이 두꺼워질 수도 있고 철근이 더 들어갈 수도 있다. 더구나 익숙하지 않은 새로운 설계나 공법은 적용하지 않는다. 혁신과는 거리가 멀어진다.

　그런데 이런 행위는 결국 공사비의 증가를 초래하는데, 그 증가분이 총 공사비의 몇 퍼센트를 차지할지 모를 일이다. 예산편성세부지침에 따르면, 공사비 1,000억 원 이상 대형 공사의 공사 중 감독을 위한 건설사업관리는 공사비에 따라 요율이 공사비의 2.62~4.46% 정도인데, 보수적 설계로 인한 공사비 증가율이 이에 버금갈 수도 있다.

　요컨대 감리비를 아껴 시공관리가 부실해지면 쓸데없이 목적물이 커져 공사비용이 많이 들기 때문에, 총사업비 측면에서 별 소득도 없으면서 목적물의 질은 저급하게 되는 우를 범할 수 있다. 기우겠지만, 일부 불량한 시공자들도 어느 정도 부실하게 공사해도 무너지지 않게 설계되어 있다는 사실을 인지하고 무너지지 않을 정도로만 공사하다가 도가 지나쳐서 사고가 나는 건 아닐까 하는 생각이 들 때도 있다.

　필자의 경험으로는 공기업에는 그나마 복잡한 구조계산 프로그램을 사용하거나 구조계산서 해독이 가능한 직원들이 적지 않지만, 도시계획 등 공기업보다 더 다양한 보직으로 순환하면서 근무하는 지방자치단체 공무원 중에는 구조계산서를 해독할 수 있는 직원들이 거의 없다. 따라서 발주청이 직접 설계의 적정성을 걸러내기가 쉽지도 않고, 외부 전문가나 설계에 대한 사업관리용역을 활용한다고 해도, 시공 중의 불확실성이 크다는 점을 알고 있는 전문가들 역시 구태여 설계가 보수적이라고 지적할까 싶다.

이따금 우리나라의 고가구조물이 외국처럼 날렵하고 미적이지 않다는 일반 시민들의 지적을 들을 때가 있는데, 그 원인이 여기에 있지 않나 한다. 아낄 것과 투자해야 할 것을 구분하지 못하는 시스템 탓이다.

글로벌 스탠다드로 세계를 향해

검사원은 작업이 진행되는 현장에 지켜 서서 시방과 도면대로 제대로 시공되는지 엄격히 감독하면서 위반 사항이 적발되면 바로 부적합 보고서를 발행해서 시정하도록 만든다. 위반의 정도가 도를 넘으면 공사중지 명령을 내린다. 같은 종류의 작업에서 다시 그런 일이 발생하지 않도록 시공사가 재발 방지 대책을 수립·제출하도록 하여 꼼꼼하게 챙긴 다음에야 다음 단계의 공사를 할 수 있는데, 이와 같은 검사원 제도는 감리의 요체 중의 하나다. 여전히 건설 분야가 반복되는 부실 공사와 안전사고로 인해 국민의 신뢰를 못 받는 작금의 상황을 타개하기 위해서 가장 먼저 해야 할 일 중의 하나가 감리제도의 혁신이고, 그 중에서도 검사원 제도라고 생각한다.

우리나라의 건설회사는 해외에서 그 탁월한 시공역량을 인정받고 있다. 그리고 최근에는 엔지니어링 분야도 해외 진출을 확대하고 있고 빠르게 성과도 높이고 있다.[135] 이렇듯 세계 시장으로 더욱 뻗어나가기 위해서는 우리의 제도를 로길 룰에 머물러 있는 일본식으로 되돌리는 건 안 된다. 그렇다고 해서 명칭은 국제표준으로 바뀌었지만 운영은 일본의 감독보조에 불과한 국내의 감리방식을 고집하는 것도 타당하지 않다.

우리나라는 이미 많은 분야에서 아시아를 넘어 세계 최고를 달성하였다. 해외 업체에 국내 시장을 일찍 개방한 영화, K-팝 등 문화산업과 세계 최고의 여자골프를 비롯해 이제 축구까지도 유럽에서 그 실력을 인정받고 있다. 전자제품과 자동차도 세계 최고 기업들과 어깨를 겨루고 있다. 이미 시공 분야에서는 건설도 세계에서 그 실력을 인정받고 있지만, 그 시공 실력이 제대로 발휘되는 곳은 국제 수준의 감리시스템이 작동되는 곳이기도 하다. 감리시스템이 잘 되어 있는 싱가포르 등에서는 우리 업체가 안전 분야에서 최우수상을 받기도 하고 무재해로 수상하기도 하는데,[136] 감리시스템이 취약한 나라에서는 같은 회사가 대형 사고를 일으키기도 한다.[137]

건설엔지니어링의 세계진출 확대를 위해서도 그렇고, 국내의 건설공사 수준을 높이기 위해서도 감리제도를 국제표준으로 개선했으면 한다. 최근 국토교통부는 건설사업관리를 다시 'PM(Project Management, 사업관리대행)'과 감리로 구분하고 PM을 확대하는 방향으로 제도를 바꾸려 하고 있다.[138] 외형을 어떻게 바꾸든 꼭 고쳐야 할 요체 중의 하나가 '검사원'제도를 도입하여 정착시키는 일이라고 생각한다. 국내에도 '검측감리'라는 용어를 사용한 적이 있어서 혼선이 있을 수 있다. 그런데 이는 책임감리, 시공감리, 검측감리 등 감리를 계약상 업무 책임으로 구분하는 방법이었을 뿐, 이 책에서 의도하는 국제표준의 검사원 제도와는 다르다. 지금은 '초급' 엔지니어가 수행하고 있는 '검측' 업무를 포함해 현장에서 진행되는 모든 작업을 옆에 지켜 서서 전담으로 검사하는 검사원 제도를 도입하자는 뜻이다. 이와 함께 감리제도 자체를 국제표준에 맞춰 근본적으로 체질 개선을 도모해야 한다.

1994년 성수대교 붕괴사고 이후에, 앞서 말한 가양대교 외 다수의 국내 건설 현장에 외국 감리를 시행했음에도 국내의 감리제도가 아직도 국제 수준에 못 미치는 것은 아쉬운 점이다.[139] 국내의 감리 수준을 높이기 위해 K-팝이나 영화산업, 전자산업처럼 국내외에서 우리 업체들이 외국의 우수 엔지니어링 업체들과 경쟁하게 만드는 것도 방법이다. 외국의 우수한 엔지니어와 검사원을 국내 업체가 채용할 수 있도록 지원하는 방안도 생각해볼 수 있다. 자체적으로 검사원을 양성하는 교육시스템도 만들고, 우수 검사원을 관리하는 시스템도 만들 수 있다. 힘들기는 하겠지만, 경쟁을 통해 선진국들의 감리 기법을 익히고 이를 바탕으로 그들보다 더 나은 기법을 개발하여 그들을 추월하는 것을 목표로 해야 한다. 다른 분야가 다 세계 최고 수준으로 올라서고 있는 마당에 건설 분야가 변화에 뒤져 비난받을 이유가 없다.

건설 분야에도 인공지능(AI), 로보틱스, 드론 등을 활용한 스마트 건설 기술이 빠르게 확대되고 있는데, 감리 검사원이 영상해석 장치를 부착한 AI 로봇과 드론을 보조기구로 활용하는 기술 등을 결합하는 것도 방법일 수 있다.[140]

국제 수준으로 감리를 혁신하기 위해 또 하나 필요한 것은 공무원들의 시야가 더 넓어져야 한다는 것이다. 업무에 쫓기고 순환보직에 따라 수시로 부서가 바뀌는 공무원들이 외국의 선진제도를 조사하거나 경험하기는 쉽지 않다. 기획재정부, 국토교통부, 지방자치단체, 공공기관 등 감리 관련 정책과 예산을 담당하고 실무에서 실제 감리계약을 담당하는 공무원들이 국제표준의 감리제도를 실제 경험하고 체득하는 기회를 많이 가질 수 있도록 정책 당국자들이 배려했으면 한다. 이미 유수의 국내 건실업체들은 해외 시장에서 국제표준의 엄격한 감리 시스템에 대해 충분히 경험했고, 적응력도 키운 상태다.

이제 엔지니어링 분야가 세계로 뛰어나가고 있는데, 공공 분야만 이 시스템에 대한 지식과 경험이 거의 없다. 공공 분야에도 민간 못지않게 우수한 인재가 많다. 이들에게 국제표준을 경험할 수 있는 기회를 많이 부여한다면 반드시 좋은 성과가 있을 것이다. 공공이 먼저 바뀌어야 한다. 그리고 이를 바탕으로 민간 건축물의 감리까지 변화를 확대해나가야 한다.

시공계획서와 시공상세도

보도에 따르면 최근에 발생한 광주 학동 건물철거 중 사고와 광주 아파트 붕괴사고에서 공통으로 나타나는 것이 '철거계획서'또는 '작업계획서'대로 시공하지 않고 무단으로 시공하였다는 것이다. 가양대교 감리에서는 결코 일어날 수 없는 일이다.

공사 중에 작업원들이 자유로를 횡단할 수 있도록 가설 육교를 설치하고 램프 교각 설치를 위해 파일을 시공해야 했다. 우선 시공사에서 가설 육교 설치 작업을 하기 전에 현장에서 실제 측량해서 도면을 제출하지 않고 표준도면과 함께 그에 따른 구조계산서만 제출했다. 시공사는 현장에서 표준도면과 다른 사항이 발견되면, 시공 중에 충분히 보완할 수 있으므로 공사 기간 절감을 위해 먼저 착공할 수 있도록 승인 요청하였다. 감리단은 현장을 실측하여 교량 규격을 정확하게 정한 후 그에 따른 구조계산서를 첨부한 '시공계획서'를 제출하도록 요구하고 계획서가 제출될 때까지 가설 육교 시공을 3개월을 보류하였다. 이 과정에서 처음 구조계산서에 육교 연장이 55m로 계산했는데, 실측 결과 60m인 것으로 확인되었다.

또 하나는 램프 구간에 파일 공사를 할 때의 일이다. 감리단이 시공사가 제출한 시공계획서를 검토하면서, 난지 쓰레기매립장에서 지하로 침출수가 흘러나와 가스가 발생하면 파일을 시공할 때 폭발의 우려가 있다고 지적했다. 그리고 유사 사례에 대한 조사를 통해 기술적 근거를 제시하도록 요구하였다. 시공사가 뒤늦게 침출수로 인한 폭발이 신

아픔을 딛고 안전 사회로

각성을 인지하고 사례 조사를 통해 불꽃이 발생하지 않는 공법으로 변경하여 감리단의 승인을 얻어 시공하였다.

전술한 '검사원'이 매일 진행되는 작업 현장에서 어떻게 공사 진행 상황을 감리하느냐에 관한 문제라면, '시공계획서'는 엔지니어의 역할에 해당한다고 볼 수 있다. 통상 설계사가 제공한 '설계도면'과 '시방서'에 근거해 시공자가 현장 여건을 반영하여 작성한 '시공계획서'와 '시공상세도'를 감리단에 제출하여 승인받아 시공한다. 이 과정에서 설계 도면이나 구조계산 등에 문제가 있는지도 살피고 시공 중에 발생할 수 있는 각종 유해·위험요인도 살펴 안전대책이 제대로 수립되었는지 검토한다.

설계사가 제공한 '설계도면'은 설계 과정에서 현장 여건을 충분히 반영하기 어렵기도 하고, 시공사가 어떤 장비와 시공 기술을 사용해서 작업을 할지 충분히 예측하기 어렵다. 따라서 엄격한 의미에서는 '개념도'[126]라고 할 수 있다. 이 개념도와 시방서에 근거해서 시공자가 직접 작성하는 도면을 시공상세도라고 하고, 이를 속칭 '샵드로잉(shop drawing)'이라고도 한다. 앞에서 양복을 맞춰 입는 것이 도급계약에 해당한다고 했는데, 양복 맞출 때 옷 주인이 대충 이렇게 만들어달라고 스케치해서 '개념도'를 그려주고, 안감은 어떤 소재로 하고 단추는 어떤 재질로 몇 개를 달고 바짓단은 어떤 모양새로 만들어달라고 양복 재단사와 계약하였다면, 그게 '자재'와 '시공'에 대한 '시방(specification)'에 해당한다. 양복 재단사가 이 개념도와 시방에 근거해서 어떻게 양

---

126) 우리나라는 설계 과정에서 자재를 포함한 공사 물량을 모두 산출해 물량별 단가와 공사비 총액을 같이 계약하는 방식이라, 물량 산출 등을 위해 설계 도면이 비교적 자세하게 작성되는 편이기는 하다.

복을 만들 건지 상세하게 다시 도면을 그리는 게 샵드로잉, 즉 시공상세도이고, 그 계획을 서면으로 작성하는 게 시공계획서라고 보면 된다. 이들 도면과 계획서를 양복 주인에게 설명하고 승인받은 후 양복을 만들게 되는데, 전문적인 중대형 건설공사에서는 옷 주인(발주청)을 대신해 감리사를 두어 공사단계별로 세밀하게 살피게 하는 것이다.

시공계획서와 시공상세도는 우리나라 법령에도 규정되어 있다. 건설기술진흥법 제48조 제4항은 건설사업자와 주택건설등록업자는 건설공사의 품질 향상과 정확한 시공 및 안전을 위하여 시공상세도면을 작성하여 감리 또는 공사감독자의 검토·확인을 받은 후 단계별로 시공하도록 규정하고 있다. 동법 시행규칙 제42조 제2항은 발주청은 공사 진행단계별로 작성해야 하는 시공상세도면의 목록을 공사시방서에 명시하고, 시공상세도면 작성 기준을 마련하여 업체가 참고하도록 하고 있다. 과거 건설기술관리법에 근거한 '건설공사 시공상세도 작성 지침(국토해양부, 2010. 10.)'[127]도 마련되어 있다. 특히, 광주 학동 5층 건물철거 중 붕괴사고 이전인 2019년 7월 서울 서초구 잠원동에서도 철거 중이던 건물 일부가 무너지면서 도로를 덮쳐 사망자가 발생하는 사고 등 크고 작은 사고가 잇따르면서 건축물관리법 제30조 제2항에 '해체계

---

127) 건설공사시공상세도 작성 지침 1.1.4 용어의 정의 (1) "설계도면(Engineering Drawing)"이라 함은 시공될 공사의 성격과 범위를 표시하고 설계자의 의사를 KS 및 관련규격에 근거하여 표현한 도면으로서 공사목적물의 내용을 구체적으로 표시해 놓은 도면을 말한다. 즉, 과업계획에 의해 제시된 목적물의 형상과 규격 등을 표현하기 위해 설계자에 의해 작성된 도면으로 물량산출 및 내역산출의 기초가 되며 시공자가 시공도면을 작성할 수 있도록 모든 지침이 표현된 도면을 말한다. (2) "시공상세도(Shop Drawing)"라 함은 현장에 종사하는 시공자가 목적물의 품질확보 또는 안전시공을 할 수 있도록 건설공사의 진행단계별로 보수되는 시공상세도와 순서, 목적물을 시공하기 위하여 임시로 필요한 조립용 자재와 그 상세 등을 설계도면에 근거하여 작성하는 도면으로 감리원의 검토·승인이 요구되며 가시설물의 설치, 변경에 따른 제반도면을 포함한다.

아픔을 딛고 안전 사회로

획서'를 작성해서 허가권자에게 제출하도록 의무화하였다. 건축물관리법은 건설기술진흥법에 따른 '안전관리계획'으로 해체계획서를 대체할 수 있도록 규정하여 해체계획서 작성 과정에서 안전사고 방지에 중점을 두고 있음을 알 수 있다.

「공공건설공사 건설사업관리 업무수행절차서」에도 시공계획서와 시공상세도 검토 및 승인 절차가 상세하게 규정되어 있다. 〈그림 4-18〉은 절차서의 흐름도를 간략하게 다시 정리한 것이다. 시공계획서와 시공상세도면의 검토 및 승인 과정이 따로 규정된 것처럼 보이지만, 시공계획서 제출목록 중에 시공상세도를 포함하여 제출하도록 하고 이에 대한 감리의 검토를 명문화하고 있어 사실상 하나의 절차로 진행된다.

시공계획서는 진행단계별로 해당 공사 시공 30일 전까지 감리에 제출하도록 규정하고, 감리는 7일 이내에 검토·확인하여 승인 여부를 결정한다. 보완이 필요하면 그 내용과 사유를 문서로 통보한다. 시공계획서에는 '본 구조물'과 '가시설'의 시공상세도를 포함해, 현장 조직표, 세부 공정표, 주요 공정의 시공 절차 및 방법, 시공 일정, 주요 장비 동원계획, 주요 자재 및 인력투입계획, 주요 설비 사양 및 반입계획, 품질관리대책, 안전대책 및 환경대책 등, 지장물 처리계획과 교통처리계획 등을 포함하도록 규정되어 있다.

감리의 검토·승인 이후에도 착공 전후로 중요한 변경 상황이 발생하면 변경 시공계획서를 제출토록 하여 다시 절차를 밟아 승인을 얻은 후 시공하도록 하고 있다.

시공상세도는 원칙적으로 해당 사업의 모든 공사를 대상으로 작성하되, 일부 단순 공종에 대해서는 생략하거나 표준도로 대체할 수 있도록 하였다. 시공상세도는 시공계획서에 포함하여 착공 15일 전까지 감리에 제출하도록 하고, 시공상세도는 정확하고, 이해하기 쉽고, 간단명료하면서도 부재별로 깔끔하게 작성하도록 규정하고 있다.

〈그림 4-18〉 시공계획서 및 시공상세도 검토·승인

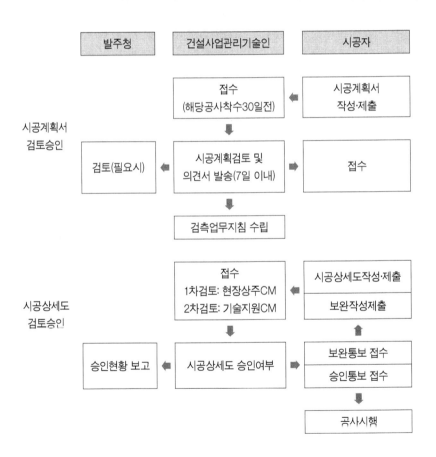

설계 도면과 시방에 따라 작성되어 감리단의 검토·확인을 거쳐 승인 받은 시공계획서와 시공상세도는 시공 중 원도급사, 하도급사의 모든 공사참여 직원과 근로자의 시공 기준의 역할뿐만 아니라 공사품질과 안전조치 등에 대해 감리가 적부를 판단하는 기준이 된다.

이와 같은 국내의 규정은 가양대교 감리단에서 봤던 시공계획서와 시공상세도의 검토·확인 및 승인 과정과 별반 차이가 없다. 앞에서도 사례를 들기는 했지만, 가양대교 현장에서 시공사가 제출한 감리단의 엔지니어들이 시공계획서를 꼼꼼하고 치밀하게 검토해서 시공사에 의견을 주는 것을 보면서 그들의 역량과 성실성에 감탄한 적이 많다. 그들이 보여준 검토 과정이 국내의 규정에도 그대로 반영되어 있다. 그런데 문제는 이 규정이 현장에서 제대로 시행되지 않고 있다는 것이다.

필자가 경험한 바로는 국내의 시공계획서와 시공상세도 작성 수준은 건설사와 감리의 역량에 따라 편차가 심하다. 해외 건설 경험이 많은 대기업은 수준급 이상으로 작성할 수 있는 역량을 갖추고 있다. 최근에 업무상 필요해서 몇몇 건설 현장의 시공계획서를 확보해서 살펴본 적이 있는데, 모 대기업이 시행 중인 건설공사의 경우 가양대교에 조금도 떨어지지 않는 시공계획서와 시공상세도를 작성해서 공사를 관리하고 있었다. 반면에 다른 업체는 다소 형식적인 수준에 머물러 있기도 하였다. 게다가 중소규모 이하의 건설업체는 시공계획서와 시공상세도를 제대로 작성하는 방법을 잘 모르는 경우도 많다. 일부 감리단 소속 엔지니어들도 그렇고 작은 규모의 공사를 담당하는 구청이나 공단의 직원들 또한 잘 모른다.

대부분 건설공사를 낙찰받아 전체공사를 시작하기 전에 요식적 행위로 시공계획서와 일부 시공상세도를 제출하기도 한다. 그런데 말 그대로 요식적 행위에 그쳐서 현장에서 시공이나 감리의 기준으로 활용하기에는 턱없이 부족하고 저급한 경우가 태반이다. 공사 현장에 가서 시공계획서를 챙겨보면 서류가 있기는 한데, 공사관계자들은 전혀 모르는 종이 뭉치에 불과한 때도 적지 않다. 만드는 시공자도 외부 감사에 걸릴까 봐 다른 현장의 서류를 대충 흉내 내서 요식행위로 만들고, 검토·확인하는 감리·감독관도 내용과 그 중요성을 몰라서 생기는 일이다. 이러니 규정은 국제 수준으로 잘 정비되어 있지만, 건물철거 현장이나 대형 공사장에서도 철거계획서나 시공계획서대로 시공하지 않고 임의로 시공하다가 대형 붕괴사고나 산업재해가 발생할 수밖에 없다. 가양대교처럼 감리가 시공계획서와 시공상세도를 꼼꼼히 챙기고 이를 검사원에게 충분히 주지시켜 현장에서 가시설공사를 하면서 안전난간이나 작업 발판 하나라도 도면과 다를 때는 다음 단계 공사를 진척할 수 없다면 근로자가 추락해서 목숨을 잃는 일이 많이 줄어들 것이다. 그리고 크레인이 배치될 곳의 바닥이 견고한지, 크레인의 작업 중량은 적정한지를 시공계획서 작성 과정에서 미리 챙겨서 시공상세도로 작성하고 이를 시공관계자와 감리원이 모두 공유한 상태에서 시공한다면 공사 중에 크레인이 맥없이 자빠져서 사람들이 다치거나 목숨을 잃는 일은 사라질 것으로 믿는다.

시공계획서와 시공상세도와 관련해서는 공사 종류와 규모에 따라 잘 작성되어 현장에서 성공적으로 시공이 완료된 모범 사례를 널리 공유

아픔을 딛고 안전 사회로

하여 알리고, 또 교육도 강화하였으면 한다. 특히 시공사가 작성한 우수 사례, 감리단의 우수 지적 사례 등을 발표하고, 이 중에 잘 된 것들을 선별해 정부에서 회사와 개인을 모두 포상하여 독려하면 어떨까 싶다. 그리고 이를 활용해 공사관계자 교육에도 활용해서 편차를 줄여나 갔으면 좋겠다는 생각이다. 전술한 PSC 오픈이노베이션처럼, 이 분야도 오픈이노베이션 방식으로 지식·지혜·경험과 우수사례를 공개·공유하여 관계자들이 언제든지 열람할 수 있게 만들었으면 좋겠다.

그리고 아직은 소규모 영세 건설업체들이 자체적으로 시공계획서와 시공상세도를 만들 수 있는 역량이 부족하다. 이를 고려해서 초기 단계에는 발주청별로 우수 엔지니어링 업체를 선정해 소규모 업체가 시공계획서와 시공상세도를 작성하는 업무를 이들이 지원하는 방안도 생각해볼 수 있다.

더 큰 문제는 민간 분야다. 보도에 따르면 2012년 1월 10일 서울 강남구 역삼동에서 철거 공사 중 사고 발생 이후, 국토해양부가 5층 이상 건축물 등에 대해 철거계획서 수립을 의무화하고 안전진단 기관이 이를 확인하도록 했다. 더구나 건축물관리법은 해체공사를 허가받지 않거나 '해체계획서'를 기술자의 검토·확인을 받지 않아 인명사고가 발생할 때는 '10년 이하의 징역 또는 1억 원 이하의 벌금'에 처하도록 무거운 처벌 규정을 두고 있다. 그런데도 지금까지 사고가 반복되고 있다.

발주청이 감리를 직접 선정하고 계약하는 공공 분야 건설공사보다도 민간 주체가 감리를 선정하고 계약하는 민간 분야 건설공사는 더 취약하다. 더구나 건축물 해체공사를 비롯한 건축공사의 '감리세부기준'에 따르면 상주가 아닌 '비상주 감리'도 가능하고, 해체공사의 경우 건축주가 공기 단축을 위해 비상주 감리로 유도하는 일도 많다고 한다.[141]

아무리 작은 규모의 공사라도 감독·감리를 비상주로 한다는 것은 타당하지 않다. 건축공사 감리세부기준에 따르면, 비상주 감리의 경우에 깊이 10미터 이상의 토지 굴착공사 또는 높이 5미터 이상의 옹벽 등의 공사에는 건축사보의 자격을 가진 감리원이 감리업무를 수행해야 한다. 터파기 등 주요 공사를 할 때는 현장을 방문하여 공사감리를 수행하여야 한다. 요컨대, 위험이 내포된 공사는 비상주로 감리하더라도 건축사보의 자격을 가진 자가 감리하고, 일부 주요 공정에는 직접 현장을 보도록 한 것이다. 그러나 어떻든 나머지는 그 공사 과정을 시공사에 일임하고 있다는 게 문제다. 건설 현장은 어느 곳에서 언제 사고가 날지 예측하기 힘들기 때문이다.

이와 관련해서 「공공건설공사 사업관리업무 수행지침」에 '중점 품질 관리방안 수립'에 대한 규정이 있는데, 시공자가 수립하고 감리자가 검토한 후 공사 중 시공 방법 및 품질시험계획 등을 관리하도록 규정하고 있다. 이 규정은 가양대교 공사를 할 때도 있었다. 감리단에 이를 보고하도록 요구했더니, 베이스 단장은 "건설공사 중에 어느 부분을 중점 관리하라는 말은 다른 부분은 소홀히 해도 좋다는 뜻으로 들리는데, 도대체 어느 부분을 소홀히 해도 좋은지 먼저 알려달라"라고 답했다.

공사장 어느 한 곳, 어느 가시설 하나 가볍게 여길 수 없고, 모든 공종이 다 시공계획서와 시공상세도를 근거로 엄격하게 관리되어야 한다는 뜻이었다. 그 말을 듣고 민망하였다. 그런데 가양대교 감리단은 정말 단 한 치의 소홀함도 없이 그렇게 일하였다. 필자도 같은 말로 되묻겠다. 도대체 어느 공종이 비상주 감리에 맡겨 감리도 없이 시공사에 일임하고 소홀히 해도 좋은 것인가?

이게 모두 국제표준보다 적은 비용과 적은 인력으로 감리를 수행하려다 보니까 생기는 왜곡 중의 하나라고 생각한다. 공공에서부터 '숭점 품질관리 대상'을 없애고 민간의 비상주 감리도 없애야 한다고 생각한다. 우리 자신과 자손들이 살아가야 할 건축물과 인프라를 만드는 일을 허투루 해서는 안 된다. 공사 중에 근로자가 목숨을 잃는 일도 이를 통해 체계적으로 줄여나가야 한다.

불법하도급과 감리

부실공사와 안전사고의 원인으로 자주 등장하는 게 불법 다단계 하도급이다. 다단계 하도급을 거치면서 중간 업체들이 손 하나 까딱하지도 않고 공사비로 쓸 돈에서 자기 몫만 챙겨가기 때문에 막상 실제 공사비는 원도급사가 발주청으로부터 받는 공사비보다 훨씬 적은 금액으로 시공을 할 수밖에 없다. 부실공사나 안전사고가 발생하기 쉽다.

이 문제는 참 오래된 고질병이다. 성수대교 붕괴사고 직후에도 강교 제작 과정에 불법하도급이 만연한 것으로 밝혀졌었는데, 30년 가까이 지난 최근 일어난 광주 학동 사고에도 불법하도급이 적발되었고 광주 아파트 붕괴사고 역시 불법하도급 의혹이 제기되었다.[142]

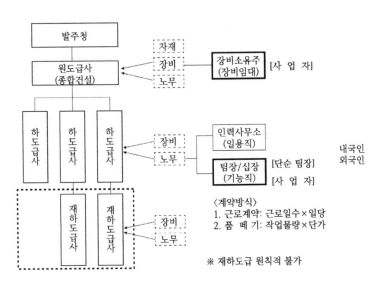

〈그림 4-19〉 건설공사의 노무·장비 공급

건산법에 따라 건설공사를 하려면 업종별로 등록[128]해야 하고, 건설공사의 재하도급은 엄격히 제한된다.[129] 공사의 품질이나 시공 능률을 높이기 위해 발주청(또는 원도급사)의 서면 승낙을 받았을 때 외에는 불

---

128) 건산법 제9조(건설업 등록 등) ① 건설업을 하려는 자는 대통령령으로 정하는 업종별로 국토교통부장관에게 등록을 하여야 한다. 다만, 대통령령으로 정하는 경미한 건설공사를 업으로 하려는 경우에는 등록을 하지 아니하고 건설업을 할 수 있다.

129) 하수급인은 하도급받은 건설공사를 다른 사람에게 다시 하도급할 수 없다. 다만, 다음 각 호의 어느 하나에 해당하는 경우에는 하도급할 수 있다.

아픔을 딛고 안전 사회로

법으로 금지된다. 그런데 불법하도급은 그 수법이 교묘해서 수사권이 없는 감독·감리가 현장에서 이를 적발해내기가 여간 어려운 게 아니다. 업체 간 또는 소속 직원과의 이해관계가 틀어져 제보가 들어오거나 서로 고소·고발을 하지 않는 한 사실상 불가능하다.

건설 현장에 인력의 공급과 관련된 불법하도급도 있다. 〈그림 4-19〉는 건설 현장의 지재·장비·인력 공급시스템을 보여준다. 건설산업은 수주산업으로, 언제 어떤 공사를 수주할지 정확히 알 수 없기 때문에 건설회사에서 공사에 필요한 장비와 기능인력을 상시 보유하거나 고용할 수 없다. 따라서 원도급사나 하도급사 모두 공사를 수주한 이후에 공사 시기에 맞춰 필요한 장비와 인력을 외부로부터 조달받아 공사를 한다. 그중에 노무 부분을 보면, 필요한 현장 인력을 인력사무소를 통해 조달받거나 팀장[130]과 계약을 통해 공급받는다.

대개 인력사무소를 통해 공급받는 인력은 '일용직' 근로자로 공사 현장에서 특별한 기능을 요구하지 않는 단순 작업을 위한 인력이다. 예를 들어 공사 자재를 정리한다든지 청소나 심부름 등의 일을 한다. 이들은 하루 또는 한 달을 기준으로 건설회사와 근로계약을 맺고 근로 일수에 일당을 곱하여 임금을 받는다. 이들 근로자는 새벽 인력시장을 통해 현장을 배치받기도 하는데, 매일 다른 현장에 가서 일하기도 하고 언제 일하게 될지도 모르기 때문에, 고용 문제에 있어 지극히 불안한 상태라고 할 수 있다.

---

130)   십장(什長), 반장, 소장, 오야지, 공사참여자 등 다양한 명칭이 사용된다.

특수한 기능을 필요로 하는 인력은 '팀장'이라고 불리는 노무도급계약을 통해 공급받는다. 팀장이 기능공들을 모아 팀을 꾸려 운영하면서 건설사와 계약을 하는 방식이다. 팀장이 팀원들과 같은 근로자로서 건설사와 계약을 체결하고 단순히 임금만 배분하는 사례도 있고, 사업자로서 건설장비나 사무소 등 물적 설비를 갖추고 팀장이 본인 통장으로 공사대금을 받아 근로자들의 노임과 관련 경비를 지출하고 나머지는 자신의 수입으로 삼는 방식도 있다. 그런데 후자는 건산법에 따라 무등록업체에 재하도급한 것으로 불법하도급에 해당한다. 이들의 계약방식은 매우 교묘해서 감독이나 감리가 실제 사업주로서 역할을 하는 것인지 아닌지 적발해내기가 쉽지 않다.

그런데 실제 문제는 어떤 방식이든 팀장이 건설사와 계약을 맺으면서 실제 근로일수에 일당을 곱하여 공사대금을 받는 방식이 아니라, 공사 물량에 물량별 단가를 곱한 금액으로 계약한다. 속칭 '품떼기' 방식이다. 이 방식의 문제는 근로일수만큼 더 많은 대금을 받는 게 아니라는 데 있다. 대부분은 계약물량의 공사를 완료하는 데 필요한 기능인력의 수와 소요일수를 곱해서 공사대금을 산출하여 물량당 단가를 정한다고 한다. 하지만 어떻든 공사 물량으로 공사대금을 정했기 때문에 정해진 물량에 대해 하루라도 빨리 일을 끝내야 실질 임금이 높아진다. 공사가 예상하지 못했던 이유로 지연되기라도 하면 실질 임금이 떨어지기 때문에, 품질과 안전은 뒷전으로 밀리기 쉽다. 더욱이 공사장에는 동시에 여러 종류의 공사가 진행될 때가 많다. 이럴 때는 서로 다른 팀들이 서로 작업순서를 조율해서 공사해야 한다. 그런데 일을

아픔을 딛고 안전 사회로

빨리 끝내고 다른 현장으로 일정을 맞춰 이동해야 하는 상황이라면 작업팀 간의 자율적 조정이 어려워질 수 있다.

이 때문에 마감 단계에 들어선 건축공사장에서 종종 대형 화재가 발생기도 한다. 인화성 재료로 단열이나 도장 작업을 하고 있는데, 바로 옆에서 용접이나 산소절단 등 불꽃이 튀는 작업을 하면서 벌어지는 어처구니없는 사고다. 이처럼 '품떼기'는 부실과 사고의 주요 원인이다. 이런 면에서 팀장과의 노무도급계약이 불법 재하도급에 해당하는지보다 '품떼기' 계약방식에서 파생되는, 일하는 방식의 잘못이 더 큰 문제일 수 있다. 일을 신속하게 해낼수록 벌이가 좋은 '품떼기' 방식은 일종의 성과급 제도에 해당하여 기능이 뛰어난 근로자일수록 단순 일당 방식보다는 유리하다. 그래서 쉽게 없어지지도 않는다. 다른 한편으로는 건설사를 대신해 공사 현장의 기능인력을 양성하는 역할까지 하고 있어서 없애기도 어렵다. 이와 같은 '품떼기' 방식은 비단 노무계약에만 그치지 않고 장비 임대계약에도 적용되고 있다. 이처럼 근로자나 장비나 모두 품질과 안전보다는 '빨리빨리'에 치중할 수밖에 없는 구조다.

여기에 국내 인력들이 공사 현장을 3D로 꺼리기도 하고 국내 근로자의 임금이 높아서 동남아시아 등 외국인 근로자가 현장에 많아지면서 공사 현장에서 소통이 어려운 것도 사고 위험을 높이는 원인이 되기도 한다.

이런 구조적인 문제를 외면하고 불법하도급만 적발하려는 것은 실효성이 적다. 가뜩이나 인력도 적은데, 수사권도 없이 교묘한 수법으로 작성된 노무도급계약이나 장비 임대계약을 감리가 불법인지 적법한지 찾아내기는 어렵다. 문제가 불거진 후 경찰 등이 수사를 통해 밝혀내 처벌하는 것은 별개의 문제다.

품떼기로 인한 부실공사와 안전사고를 방지하기 위해서는 감리가 시공계획서와 시공상세도를 검토·확인하면서 시공계획서에 적정한 장비와 충분한 작업인력의 반영 여부, 공사 종류별 작업순서, 충분한 작업기간의 반영 여부 등을 꼼꼼히 살펴 만들고, 공사 과정에서 검사원을 통해 이에 따라 공사하도록 엄격하게 감독하면 품떼기는 자연스레 줄어들 것이다. 가양대교처럼 작업 발판 하나라도 시공상세도와 다르게 설치되면 일체 다음 단계의 작업을 진행할 수 없는 감리시스템에서는 품떼기는 무력화될 수밖에 없다. 품질과 안전 요건을 만족시키지 못하면 그 팀 전체의 실질 임금은 크게 떨어지기 때문이다. 현장에서 품질과 안전을 강화하면 품떼기로 공사를 수행하는 팀은 그만큼 실질 임금이 떨어질 위험이 커지고 다른 현장의 일감까지 놓칠 우려가 커진다. 따라서 노무도급계약의 대금이 올라가서 다단계 불법하도급의 실익이 떨어지기 때문에, 다단계 불법하도급을 줄이는 역할도 할 수 있다. 중간에 엉뚱하게 새던 돈을 현장에서 공사품질과 안전을 위해 쓰이게 만든다. 요컨대 엄격한 감리가 품떼기로 인한 부실공사와 안전사고를 없애는 길이다.

아픔을 딛고 안전 사회로

건설공사의 안전을 위해

　지금까지 건설공사의 수준 높은 품질관리와 안전사고를 줄이기 위해 주로 '감리제도'의 개선에 초점을 맞춰 필자의 의견을 제시하였다. 특히 공공 분야 위주로 살펴봤다. 건설 분야의 생산시스템과 관련된 제도상 문제점을 보는 시각은 공공과 민간의 발주자, 설계·감리 등 엔지니어링, 공사를 관리하는 건설회사, 자재·장비 공급자, 현장에서 일하는 근로자의 입장이 서로 다를 수 있다.

　장기계속계약·계속비계약 등 정부 예산 제도에 따른 계약제도, 실적공사비·품셈 등 공사의 예정가격 산출제도, 최저가입찰·최고가치입찰 등 입·낙찰 제도, 인허가제도, 건설기술자자격 및 등급제도, 종합건설·전문건설 등 업역 문제, 자재의 품질인증과 검수 제도, 분양가 상한제, 권력기관의 부정 청탁과 압력 등등 관련된 분야도 다양하다.

그중에 필자는 현장에서 품질과 안전을 챙기는 과정인 '감리'제도의 개선이 가장 시급하고 중요하다고 판단해서 여기에 초점을 맞춰서 의견을 제시하였다. 그동안 건설생산시스템의 선진화를 위해 다양한 정책들이 검토되고 시행되기도 했지만, 하루가 멀다 하고 부실공사와 산업재해가 일상적으로 반복되고 있는 작금의 시스템으로는 국민의 신뢰를 얻을 수 없다는 점을 엄중히 인식하고, 건설생산시스템 그 과정 하나하나를 모두 체계적으로 선진시스템과 비교·분석해서 뼈를 깎는 각오로 고쳐나가야 한다고 생각한다.

　이와 관련 정부, 발주청, 설계·감리사, 건설회사, 자재업체, 근로자 간에 서로 탓을 하고 비난하기보다는 함께 지혜를 모아 올바른 방향을 찾아가야 한다고 생각한다. 그렇지 않으면 건설생산 과정에 참여하는 모든 관계자가 지금보다 더한 곤경에 빠지게 될지도 모르기 때문이다. 이제는 국민 여론 무마용으로 현장을 일제 점검하는 시늉 정도로는 문제를 풀어갈 수는 없다. 시스템 전반을 살펴 제대로 혁신해야 한다.

PART 5

갈 길이 멀지만 힘을 모아야

보호받지 못하고 위로받지 못한 근로자들과 국민의 억울하고 피맺힌 절규에 기업인과 정부 관계자들은 귀를 기울여야 한다. 억울한 주검을 위로하고 우리 자신과 후손들의 안녕을 위해서도 그들을 잊어서는 안 된다.

지켜주지 못한 생명을 추모하고, 재난·사고와 산재 방지를 위한 국가적 의식(儀式)을 만들어, 매년 날을 정해 안전 사회 건설을 위한 이행계획을 공표하도록 의무화하였으면 한다.

인센티브와 처벌의 균형과 조화를 통해 모두가 자발적으로 안전 사회 건설을 위해 노력하는 분위기를 진작하는 게 바람직하다.

1.
그들의 죽음이 헛되지 않게

캐나다 엔지니어의 아이언 링(Iron Ring)

캐나다의 엔지니어들은 오른손이나 왼손 중 주로 사용하는 손의 새끼손가락에 반지를 끼는데, 이런 전통은 1925년에 시작되어 벌써 90년이 넘었다. 반지는 대학 졸업 때 '엔지니어의 소명 의식(The Ritual of the Calling of an Engineer)'이라는 수여식을 통해 전수된다. 반지는 엔지니어라는 직업의 자긍심을 상징한다. 또한 그들에게 늘 겸허함을 잊지 말라는 의미와 함께 높은 기준이 요구되는 엔지니어의 직무상 의무를 상기시키는 역할도 한다. 특히 반지의 면이 각이 지게 세공되어 있는데, 엔지니어들이 도면을 작성하거나 글씨를 쓸 때 반지가 바닥에 긁히면서 그들이 잘못된 선을 그리거나 계산 오류를 저지를 수 있다는 사실을 깨닫게 하고, 그 잘못과 오류가 초래할 참담하고 엄청난 결과를 한시도 잊지 말라는 뜻에서 그렇게 만들었다고 한다. 반지와 수여식이 만들어진 계기는 퀘벡교(Quebec Bridge)의 붕괴사고였다.

퀘벡교 붕괴사고는 1907년과 1916년 공사 중에 잇따라 두 번이나 발생했는데, 1차 사고 때는 작업원 75명이 사망하고 11명이 부상하였다.

1차 사고는 경험 없는 비숙련 엔지니어에 의한 설계 부실이 사고의 주된 원인으로 밝혀졌다. 그리고 공사비 절감을 위한 부적절한 조치들이 설계 부실의 배경으로 지적되었다.

<그림 5-1> 퀘벡교 공사 중 사고 개요

1차	발생일	1907. 8. 29.
	인명피해	75명 사망, 11명 부상
	교량피해	현수경간 및 남측 교량 붕괴
2차	발생일	1916. 9. 11.
	인명피해	13명 사망
	교량피해	현수경간 시공 중 붕괴

퀘벡교는 캐나다 정부가 설립한 '퀘벡교 및 철도회사(QBRC, Quebec Bridge and Railway Company)'가 발주하고 미국 필라델피아의 '픠닉스 교량회사(PBC, Phoenix Bridge Company)'가 건설하였다. 자료에 따르면, QBRC에는 교량 엔지니어가 없어서 영국 엔지니어인 호어(Edward Hoare)를 고용해서 현장 조사, 시방서 작성과 현장 모니터링의 과업을 맡겼다. 호어가 교량 건설 경험이 적어서 용역업체를 운영하고 있던 쿠퍼(Theodore Cooper)를 추가로 고용하였다. 공사입찰 과정에서 공사비를 포함해 입찰서류 검토를 담당한 쿠퍼는 최저가로 입찰한 PBC를 시공사로 선정하였다. 시공사로 선정된 PBC의 임무는 교량의 설계, 제작 및 가설이었는데, 설계를 담당한 것은 뮬레프카(Peter Szlapka)였다. 시

아픔을 딛고 안전 사회로

고 이후 캐나다 왕립위원회(Royal Commission)의 조사 보고서는 전적으로 두 사람의 엔지니어의 판단 착오로 인해 사고가 발생한 것으로 결론짓고 있다.[143]

〈표 5-1〉 퀘벡교 사고 관련 엔지니어

구분	회사명	엔지니어		
발주청	QBRC	자체	내부	Edward Hoare
			현장	Norman McLure
		외부 용역		Theodore Cooper
건설사	PBC	Peter Szlapka		

사고는 설계결함으로 발생했는데, 사하중(死荷重, Dead Load) 또는 고정하중(Fixed Load)이라고 불리는 교량의 무게 계산을 잘못했다. 설계대로 교량이 완공되면 실제 교량 부재에 작용하는 힘(응력, stress)은 설계 시 가정한 값보다 훨씬 커서[131] 시방서에서 허용한 값을 크게 초과하는 것으로 밝혀졌다. 설계를 제대로 못 한 PBC사의 쥴레프카와 잘못된 설계를 승인한 쿠퍼에게 사고의 주된 책임이 있었던 것이다. 왕립위원회의 조사 결과, PBC사에서 교량에 사용한 강재와 가설재는 양질의 재료가 사용되어 시공에는 문제가 없는 것으로 밝혀졌다.[144]

---

131)   교량별 위치에 따라 17.6~30.0% 증가

설계 가정값보다 무겁게 만들어졌기 때문에, 예상보다 더 많이 처질 수밖에 없었다. 처짐(deflection)이 과도하게 발생한 사실이 공사 중에 현장에서 작업원과 감리원에 의해 확인되었다. 교량 부재를 서로 접합하기 위해 설계에 맞춰 미리 뚫어놓은 볼트 구멍이 과도한 처짐 현상 때문에 부재가 들어맞지 않았다. 현장 엔지니어였던 맥루어(Norman McLure)는 이를 쿠퍼에게 보고했는데, 이때가 사고가 발생하기 훨씬 전인 6월 중순이었다. 8월에 시행한 점검에서는 처짐이 더 진행된 것으로 나타났다.

당시에 쿠퍼는 나이가 육십이 넘었고 건강이 안 좋아 현장을 한번도 방문한 적이 없다. 본인이 임명한 맥루어를 통해서만 현장 상황을 파악하고 있었다. 문제를 보고받은 쿠퍼는 맥루어에게 이 문제는 교량을 가설한 이후에 발생한 것이 아니고, 가설 중에 다른 물체에 부딪쳐서 발생했을 가능성이 있다고 주장하였다. 또 일부 엔지니어는 이 문제가 별로 심각하지 않다고 생각했고, 다른 엔지니어들도 가설 후가 아니라 가설 전에 이미 발생한 것이라고 주장하기도 하였다. 제작회사 측에서 부재가 공장에서 반출될 때까지 조금의 변형도 없이 완벽하였다고 보증했지만, 약 2년 전에 부재 야적장에서 부재를 떨어뜨려 변형이 발생해서 보수 후 사용했던 일이 있었다.

이 와중에 현장에서 공사는 계속 진행되었고, 사고 발생 당일 맥루어와 쿠퍼가 뉴욕에서 다시 만나 적절한 검토가 될 때까지 더 이상 교량 공사를 하지 않는 것으로 결정하고, 이를 PBC 사무실로 통보했는데, 공사 현장에 이 지시가 전달되기 전에 붕괴사고가 발생하고 말았

아픔을 딛고 안전 사회로

다.[144] 현장에서 발견된 위험요인에 대한 대처까지 잘못된 것이다.

설계 오류와 현장의 잘못된 대처 외에 비용 절감을 위해 안전과 품질이 뒷전으로 밀려났다는 비판도 제기된다. QBRC는 무엇보다도 싼 가격에 교량을 만들기를 원하였다. 처음에 공사비로 약 400만 달러가 소요될 것으로 추정되었다. 이사회 의장인 도벨(Richard Dobell)이 이에 실망감을 표명하면서, 회사가 "입찰자들에게 무언가 필요 이상으로 과도하게 요구한 게 분명하다"라고 겁을 주기도 하였다. 그런데 1918년에 최종 완공되었을 때의 공사비는 1,300만 달러를 상회하였다.

하물며 비용을 아끼려 QBRC는 교량에 사용될 적절한 시방서를 만들지 않는 치명적인 잘못을 저지르기도 하였다. 쿠퍼 본인도 적절한 시방서가 안전하고 신뢰도가 높은 구조물을 만들기 위해 필수 불가결한 요소라고 늘 주장했다. 그런데도, QBRC는 호어가 통상적인 강철 및 주물 교량의 일반 시방서를 참고해 급하게 만든 시방서를 사용했는데, 당시로서는 첨단 교량이었던 퀘벡교에는 전혀 적합하지 않은 것이었다. 무게가 늘어 리벳에 더 큰 응력이 걸렸음에도 잘못된 시방서 때문에 이를 찾아내지 못했다. 소규모 교량에 사용되는 시방서 내용을 그대로 복사해 퀘벡교에 적용하기도 해서 문제가 되기도 하였다.

건설사도 저렴하게 공사하는 것으로 알려진 PBC사를 최저가 입찰로 선정했지만, 제일 중요한 엔지니어였던 쿠퍼와 호어 역시 저임금을 받아들였다는 이유로 채용했을 정도다. QBRC의 선임 엔지니어였던 호어는 초기에는 매월 고작 150달러를 받았고, 나중에는 500달러까지 오르긴 했지만 사고 이후 재건설할 때 참여했던 경험이 풍부한 엔지니어들

은 매월 1,000달러를 받았다.[143]

1차 사고 이후, 정부가 새 교량의 설계와 시공을 인수하고 재정적 지원도 하였다. 새로운 교량에 1,350만 달러를 들이기로 하고, 폴란드 태생의 미국 엔지니어인 모제스키(Ralph Modjeski)에게 설계를 맡겼다. 두 번째 교량은 처음보다 더 육중하고 튼튼하게 설계되었다. 건설회사도 바뀌어서 몬트리올의 '성 로렌스 교량회사(St. Lawrence Bridge Company)'가 담당하였다. 공사는 1912년에 다시 시작되었는데,[145] 중앙의 현수경간[132]을 육상에서 일체로 제작해서 현장에서 들어올려 가설하는 과정에서 리프팅 장치가 손상되면서 현수경간이 강바닥으로 추락하는 사고가 발생하였다. 사고가 발생한 것은 1차 사고가 발생한 지 불과 9년 만인 1916년이었다.[144]

미국 토목학회지의 엔지니어링 뉴스는 퀘벡교 사고가 "역대 최대의 엔지니어링 참사로 엔지니어링 종사자들에게 엄청난 타격을 가하였다"라고 하면서 "향후 수십 년간 퀘벡교 참사는 엔지니어와 그들의 작업을 신뢰하기 어렵다는 명백한 증거로 인용될 것"이라고 덧붙였다. 그 지적대로 퀘벡교 사고는 아직도 세계에서 발생한 주요 구조물 붕괴사고의 하나로 각인되어 여전히 회자되고 있다.[143]

필자가 백 년도 넘게 지난 교량 붕괴사고를 다시 꺼낸 이유는 사고의 발생 원인이 된 설계 소홀이나, 무작정 건설비를 절감하는 게 좋다는 인식이 아직도 우리 사회에 뿌리 깊게 자리 잡고 있다는 점에서 경

---

132) 성수대교 붕괴사고 때 추락한 상판도 현수경간(suspended span)임

아픔을 딛고 안전 사회로

각심을 가져야 한다는 측면도 있지만, 퀘벡교 붕괴사고 이후에 캐나다 사회가 이 사고를 추모하고 기리는 방식 때문이다.

사고 이후 쿠퍼는 은둔했지만,[145] 쿠퍼와 쥴라프카 둘 다 형사 처벌을 받지는 않았다.[146] 대신에 캐나다 사회는 사고 희생자들을 영원히 잊지 않고 추모하는 묘비명(epitaph) 같은 전통을 만들어냈다.[145] 캐나다 토론토대학의 광산엔지니어링 학과의 하울틴(Herbert Edward Terrick Haultain) 교수가 젊은 의사들의 히포크라테스 선서식과 비슷한 의식을 엔지니어링 사회에 도입하는 아이디어를 갖고, 『정글북』의 저자로 유명한 영국 시인 키플링(Rudyard Kipling)에게 그 의식에 사용할 글을 의뢰하였다. 당시 키플링은 「교량 건설자들(The Bridge Builders)」이라는 글을 쓰는 등 몇몇 작품에서 엔지니어의 업무에 대해 다루어서 엔지니어들이 애호하는 문필가였다. 키플링의 글을 바탕으로 캐나다의 엔지니어 협회는 엔지니어의 소명을 일깨우는 수여식을 만들었다. 대학 졸업식에서 때 '엔지니어의 소명 의식(The Ritual of the Calling of an Engineer)'이라는 수여식을 통해 반지와 함께 틀에 넣은 '엔지니어의 의무(the Obligation)'가 수여되는데, 엔지니어로서의 명예를 지키겠다는 내용이 포함되어 있다. 처음에는 퀘벡교의 1차 사고 때의 잔해로 반지를 만들었다는 얘기도 있는데, 퀘벡교는 강철(steel)이었고 반지는 연철(wrought iron)로 재질이 달라서 이는 사실이 아니라고 한다.

그러나 재질이 무엇이든 퀘벡교의 잔해로 만들어졌다는 이야기와 함께 주로 사용하는 손에 반지를 착용함으로써 엔지니어의 실수 가능성과 그 참혹한 결과를 지속해서 인식할 수 있도록 만드는 역할을 하고 있다. 지금은 대부분 대학에서 스테인리스 재질로 바꾸었다. 그러나 교량 붕괴사고를 계기로 모든 엔지니어가 그 사고를 잊지 않고 직업적으로 높은 윤리의식과 의무를 유지함으로써 자신의 직무와 관련된 시민의 생명과 안전을 지키겠다는 서약의 의미는 그대로다.[147]

말하자면, 이들은 지금도 백 년이 넘게 지난 사고를 매년 기억하는 행사를 대학마다 연다. 그리고 엔지니어들은 매일 손에 반지를 끼고 일을 하는 것이다. 대형 참사 이후 반지 수여식을 통해 엔지니어에게 자긍심을 일깨우고 사회의 안녕을 위해 스스로 잘못과 오류, 부정과 비리를 통제하는 문화와 전통을 만들어낸 것이 적어도 강력한 본보기 처벌에 따른 '위하력'으로 관계자들을 겁박해서 통제하는 것보다는 바람직하다는 생각이다. 미국도 이 제도를 본받아 1970년부터 클리블랜드 주립대학에서 처음 시행하면서 점차 확대되어 거의 모든 주의 대학에서 졸업 때 비슷한 반지(Engineer's Ring) 수여식을 시행하고 있다. 대학 외에도 다수의 엔지니어링 단체에서 수여식을 하기도 한다.

우리의 자부심과 사회적 책무의 '상징'은

우리 사회에서는 남영호 침몰사고(1970년, 319명 사망), 대연각호텔 화재(1971년, 163명 사망), 서해 훼리호 짐몰(1993년, 292명 사망), 삼풍백화점

아픔을 딛고 안전 사회로

붕괴(1995년, 501명 사망), 대구 지하철 공사장 가스 폭발(1995년, 101명 사망), 대구 지하철 화재(2003년, 192명 사망) 등 사망자가 백 명이 넘는 초대형 사고가 계속되었다. 사망자가 수십 명이 넘는 사고는 일일이 다 열거하기도 어려울 만큼, 수많은 참사를 집중적으로 겪으면서도 우리는 고작 위령탑을 세워 희생자의 넋을 위로하는 데 머물렀다. 일부 재난·사고는 피해 유기족들의 긴절한 호소에도 불구하고 아직 위령탑조차 세우지 않았다. 세워진 위령탑조차 그 위치를 알기 어렵고 제대로 관리되지 않고 있는 게 현실이다. 국가 사회적으로 재난·사고를 기억하고 재발을 방지하는 시스템은 없고, 재난·사고는 희생자 가족들만의 아픔으로만 머물고 있다. 세월호 사고 역시 추모공원의 입지와 관련된 담론이 이어지고 있을 뿐 여전히 자리를 못 잡고 있다.[148]

우리는 '키플링의 반지'처럼 참사와 관련된 직무관계자나 전문가 그룹들이 사회적 소명과 의무를 다하겠다는 각성으로 늘 몸과 마음에 지닐 수 있는 상징물을 만들거나, 반지 수여식같이 이를 정례적으로 되새기는 의식(儀式)으로까지 승화시키지 못하였다. 지극히 일부 참사에 대해서만 시민단체와 유가족 위주의 추모행사가 진행되고 있을 뿐이다. 사고와 재해는 크든 작든 시간과 함께 잊히고, 하늘이 저리도록 아팠던 경험까지도 더 나은 제도와 문화로 승화하지 못하고 공중으로 흩어져 흔적도 없이 사라지고 말아 또 다른 사고로 억울한 주검만 이어지고 있다.

현대사회는 독일의 사회학자 울리히 벡(Ulrich Beck)이 저서 『위험사회』에서 주장했듯이 그 위험이 더욱 커지고 있다. 기후변화로 인한 자연재해, COVID-19 같은 감염병의 확산, 설비와 기계장치, 건축물, 그리고 각종 인프라의 노후화, 땅 꺼짐, 초고층 건물과 다중이용시설의 화재, 가스관의 폭발, 방사성 물질의 방출, 자동차·선박·항공기 등 교통 수단의 사고, 대기오염, 수질오염, 유해화학물질에의 노출 등 우리 생활을 위협하는 위험은 다양하고 많다. 이들 위험은 시간이 지나면서 더 커지고 있다.

이렇듯 다양한 위험을 처벌에 의한 '위하력'만으로 대처하기는 어렵다. 따라서, 재난·사고가 발생하면 조사를 통해 벌 받을 행위를 한 사람은 마땅히 처벌하되, 안전 관계자는 그게 누구든 스스로 직업상의 윤리적 기준을 준수하고 이를 통해 우리 사회의 안녕을 보호한다는 자부심과 명예를 갖고 업무에 임할 수 있도록 전통과 문화를 만들어 가는 노력도 병행했으면 한다. 일종의 사회운동으로 전개해나갔으면 좋겠다. 이를 통해 자기가 하는 일의 사회적 중요성에 대해 자각하고, 직업인으로서의 자긍심도 함양할 수 있으면 좋겠다. 그 시작은 캐나다처럼 엔지니어가 될 수도 있다. 또는 나라 살림이나 공사를 관리하는 공무원이 될 수도 있고, 인허가 담당자일 수도 있다. 기관장·국회의원·언론·사정기관처럼 힘 있는 이가 되어도 좋다.

퀘벡교 건설 당시에는 대형 공사 외에 다른 위험들이 많지 않았기 때문에, 엔지니어의 윤리와 역량이 사회의 안전에 미치는 영향이 상대적으로 컸지만, 위험 요소가 다양한 현대사회에서는 꼭 엔지니어에 국한된다고 보기도 어렵다. 캐나다처럼 대학 졸업식을 의식의 장으로 활용할 수도 있고, 미국처럼 대학과 직업 관련 단체가 수도할 수도 있나고

아픔을 딛고 안전 사회로

생각한다. 모든 분야가 사용할 수 있는 상징과 의식절차를 하나로 표준화해도 좋고, 어느 한 분야가 선도해서 먼저 할 수도 있을 것이다. 요컨대 '키플링의 반지'와 같은 상징을 만들고, 자기 직분에 따르는 사회적 의무를 저버리지 않겠다고 다짐하는 의식절차도 마련했으면 한다. 캐나다가 영국의 키플링에게 의뢰했듯이 우리두 우리 사회에서 존경받을 만한 분의 글로 성심껏 만들어 그 공감대를 넓혀갔으면 한다. 익숙하지 않은 문화라 처음에는 쑥스럽기도 하겠지만, 시간이 지나면서 좋아지지 않을까 기대한다.

재난·사고를 잊으면 또다시

재난·사고가 발생하면 이유도 모르고 억울하게 목숨을 잃는 사람이 생긴다. 재난·사고 희생자들의 삶이 정지하면서 가족들의 삶도 같이 무너진다. 이들의 삶은 비록 불의의 사고로 멈추고 말았지만, 이들의 주검은 국가와 사회로부터 존중받아야 하고, 국가는 남겨진 가족들의 무너져내리는 마음을 붙잡고 손잡아 일으켜 세워줘야 한다. 이를 위해 철저한 진상규명과 책임자 처벌과 함께 재발 방지 대책을 수립·시행하고, 이에 더해 위령탑을 세워 이들의 주검을 추모해야 한다. 이는 단지 죽은 이를 추모하는 것에 그치지 않고, 유사한 재난·사고로부터 우리 자신과 후손을 보호하기 위해 해야 할 일이기도 하다.

헌법 전문에도 국가의 안전 의무를 명시하고 있고, '재난 및 안전관리 기본법(이하 재난안전법이라고 한다)'도 각종 재난으로부터 국민의 생명·신체 및 재산 보호를 국가와 지방자치단체의 의무로 규정하고 있다. 여러 이유로 헌법과 법에서 부여한 국민의 생명을 보호하는 임무를 다하지 못하는 일이 부득이 발생하기도 하는데, 국가는 재난·사고 발생 책임을 덮는 일에 급급해서는 안 된다. 원인을 발본하지 않으면 유사한 사고가 반복된다. 전술한 대로 생업에 바쁜 일반 국민은 사고를 잊더라도 적어도 국가의 안전시스템은 늘 경각심을 유지해야 한다.

1970년 12월 14일 제주 성산포에서 부산으로 운항 중 여수 상백도 동쪽 25마일 지역에서 침몰한 남영호는 승객 338명 중 326명이 목숨을 잃었다. 승객도 정원 321명을 초과했고, 화물도 적재정량 130톤의 네 배를 넘었기에 침몰하였다. 침몰하는 남영호에서 타전한 구조신호를 일본 기타큐슈에서도 수신했지만 여수 어업무선국에서는 무시했고, 다른 지방무선국은 신호를 포착하지도 못하였다. 사고 해역에서 가까운 곳에서 훈련 중이던 해군 함정도 신호를 포착하지 못해서 구조가 늦어졌다. 이에 따라 피해가 확대되었다.

침몰사고 후 정부는 1971년 3월 서귀포항에 위령탑을 건설하였지만, 1982년 서귀포항의 관광미항 조성사업에 '혐오감'을 줄 수 있다는 이유로 상효동 돈내코 중산간으로 옮겨진 후 방치해 수풀만 우거져 위치를 찾기도 힘들 정도였다. 안내판도 사람 다닐 길도 없고, 주변 양돈장에서 악취도 나고 석재 공사로 어수선하고 골프장 근처라 골프공만 나뒹굴고, 시청은 위령탑이 어디에 있는지 남낭 부서가 어닌시도 몰랐

아픔을 딛고 안전 사회로

다.[149] 1993년경에 「한라불교신문」에 해당 사실이 최초로 보도되고, 2008년에 다시 「제주불교신문」에 수필이 실리고 난 뒤 문제가 되어 위령탑이 재조명되기 시작했다. 2013년 12월에 유족들을 중심으로 민관 합동 위령제를 지내고 공교롭게도 세월호 참사 발생 이후인 2014년 12월에 동홍동 정방폭포로 이전하였다. 적재량을 초과한 과적과 해상구조 지연 등 세월호 사고와 판박이 사고였던 남영호 사고를 기억 저편으로 밀어내 외면하는 동안 그 피맺히도록 아픈 경험을 사회적 지혜와 자산으로 승화시키지 못하고 또다시 뼈아픈 경험을 겪고 말았다.

불과 20여 년이 지난 1993년 10월 10일, 전북 부안군 위도 파장금 선착장을 출항해서 격포항으로 운항 중이던 서해 훼리호가 침몰했다. 또 292명이 목숨을 잃었다. 파고가 높고 날씨가 흐려 운항에 부적합한 날씨임에도 불구하고, 정원 207명보다 148명이나 많은 승객의 초과 승선과 새우액젓 600통까지 적재한 과적·과승 상태에서 무리하게 운행한 것이 사고의 원인이었다. 남영호의 교훈은 사라지고 고스란히 가슴을 에는 슬픔을 다시 겪어야 하였다. 남영호 사고가 잊히면서 벽지 도서에서 여객선 입출항 통제와 임검을 경찰이 스스로 규제폐지에 포함해 없애버렸는데,[150] 이게 서해 훼리호 과적·과승의 한 원인이 되었다. 사고 접수 후 경찰 헬기가 30분이나 출동이 지연되었고, 해경 구조선은 한 시간이나 지나 도착하면서 희생자가 늘어났다.[151] 희생자 중에는 경제기획원 간부 10명과 육군본부 영관급 장교 10여 명도 포함되었다. 사고 후 정부는 여론 무마를 위해 경찰청과 해운항만청 직원 38명을 징계에 부쳤는데, 중앙징계위원회에서 '책임 없음'으로 판정받기도 하였다.[150] 다른 참사들과 달리 사고 후 2년 만에 위령탑이 건립되어서 부안군청에서 추념 행사를 주관하는데, 그 위치가 많은 사람이 접근하기 어려운 외딴섬인 위도의 한쪽 끝이다.

이렇게 대한민국 역사상 최악의 해상사고를 기억의 뒷전으로 밀어낸 우리는 또다시 304명의 소중한 생명을 눈뜨고 잃어버리는 참담한 사고를 겪고야 만다. 2014년 4월 16일 오전 8시 48분 세월호가 침몰하기 시작해서 4월 18일 오전 11시 50분에 완전히 가라앉을 때까지 TV 화면을 통해 그 참혹한 모습을 통곡 속에 발 동동 구르며 쳐다만 보고 있을 수밖에 없었다. 나라는 무능했고 무기력하였다. 채 피어보지도 못한 250명의 꽃다운 단원고 아이들의 꿈도 '그 자리에서 움직이지도 못하고 멈춘 채' 바닷속으로 가라앉고 말았다. 하늘이 울었다. 사고의 원인은 여전히 밝혀지지 않은 채 남아 있지만, 규제 완화를 틈타 일본의 퇴역 선박이 국내로 들어올 수 있었고, 불법 증개축에 평형수를 빼내고 2~3배에 이르는 화물을 과적하는 등 앞선 두 건의 해상참사를 초래했던 문제들이 사고의 원인으로 드러났다. 재난·사고 기억을 기억 저편으로 밀어낸 후과는 참담했다.

여전히 정리되지 않은 재난 대응 체계

사고 발생 직후 7시간 동안 대통령은 그 행방이 묘연하여 국민의 의

혹과 비난을 받다가 탄핵당하였다. 그 뒤를 이은 대통령은 선거 과정에서 청와대가 직접 국가재난의 사령탑 역할을 하고 이를 위해 청와대 국가위기관리센터를 강화하겠다는 공약을 내놓았다. 그런데 임기가 끝나도록 관련 법은 그대로다. 대규모 재난의 대응·복구 등 총괄·조정 기능은 재난안전법 규정에 따라 여전히 행안부에 설치되는 '중앙재난안전대책본부(이하 중앙대책본부라고 한다)'에 있다.[133) 대규모 재난 발생 시에는 본부상황실을 설치하는데, 행정안전부 장관이 본부장이고, 범정부 차원의 통합 대응이 필요한 경우에는 국무총리가 본부장이다. 반면, '국가위기관리센터'는 청와대 '국가안보실 직제(대통령령 제29077호)' 규정에 따라 국가안보실장 밑에 설치된 기구다.[134) 국가안보에 관한 대통령의 직무보좌를 위해 설치된 국가안보실의 실장은 '국가안전보장회의법령'의 규정에 따른 국가안전보장회의 위원으로 그 사무처를 운영하고 밑에 1·2차장을 두고 있다. 국가안보실 직제 규정에 따르면, 1·2차장 모두 안보·국방, 외교·통일정책을 다룰 뿐 재난을 책임지고 있지 않다.

---

133) 재난 및 안전관리 기본법 제14조(중앙재난안전대책본부 등) ① 대통령령으로 정하는 대규모 재난(이하 "대규모재난"이라 한다)의 대응·복구(이하 "수습"이라 한다) 등에 관한 사항을 총괄·조정하고 필요한 조치를 하기 위하여 행정안전부에 중앙재난안전대책본부(이하 "중앙대책본부"라 한다)를 둔다. ② 중앙대책본부에 본부장과 차장을 둔다. ③ 중앙대책본부의 본부장(이하 "중앙대책본부장"이라 한다)은 행정안전부장관이 되며, 중앙대책본부장은 중앙대책본부의 업무를 총괄하고 필요하다고 인정하면 중앙재난안전대책본부회의를 소집할 수 있다. 다만, 해외재난의 경우에는 외교부장관이, 「원자력시설 등의 방호 및 방사능 방재 대책법」 제2조제1항제8호에 따른 방사능재난의 경우에는 같은 법 제25조에 따른 중앙방사능방재대책본부의 장이 각각 중앙대책본부장의 권한을 행사한다.

134) 국가안보실 직제 제3조(국가안보실장) 국가안보실장은 대통령의 명을 받아 국가안보실의 사무를 처리하고, 소속 공무원을 지휘·감독한다. 제4조(차장) ① 국가안보실에 제1차장 및 제2차장을 두며, 각 차장은 정무직으로 한다. ② 제1차장은 안보국방전략비서관·신기술사이버안보비서관 및 정보융합비서관의 소관 업무에 관하여 국가안보실장을 보좌하고, 제2차장은 평화기획비서관·외교정책비서관 및 통일정책비서관의 소관 업무에 관하여 국가안보실장을 보좌한다. ③ 국가안보실장이 부득이한 사유로 그 직무를 수행할 수 없을 때에는 제1차장, 제2차장의 순으로 그 직무를 대행한다. 제4조의2(국가위기관리센터장) ① 국가위기 관련 상황 관리 및 초기 대응을 위하여 국가안보실장 밑에 국가위기관리센터장 1명을 둔다. ② 국가위기관리센터장은 고위공무원단에 속하는 일반직 또는 별정직공무원으로 보한다.

따라서 국가위기관리센터가 중대 재난을 직접 총괄하려면 재난안전법을 개정하여 중대 재난 발생 시 국가위기관리센터가 중앙대책본부가 된다고 그 권한과 책임을 명확히 하는 게 옳다. 그리고 대상이 되는 중대 재난의 유형과 규모를 하위 대통령령에서 정하면 된다.

세월호 사고 초기에 현장 상황이 급박함에도 중앙재해 대책본부 본부장인 장관은 자리를 비우고 차관이 본부장 대행을 하고 있었다. 더욱이 청와대 관계자가 해경 상황실에 VIP 보고용 동영상을 재촉해대면서 가뜩이나 혼란스러운 상황에 중앙재해대책본부를 무력화시켰다. 재난 대응의 기본법인 재난안전법 체계와 위기관리센터가 이중으로 운영되면 앞으로도 이런 일이 재발하지 않는다고 장담할 수는 없다.

참고로 일본의 시스템과 비교해보자. 일본도 총리관저에 '위기관리센터'가 있다. 재해가 발생하면 관계부처의 국장급으로 구성된 긴급참집팀이 위기관리센터에 모여서 피해 상황을 파악·분석한 후 총리에게 보고한다. 이때 피해 규모에 따라 재해대책본부를 구별하여 설치한다. 피해 규모가 클 때는 총리관저에 '긴급재해대책본부'가 설치되고 총리가 본부장을 맡는다. 작은 규모의 피해에는 내각부에 '비상재해대책본부'를 설치해서 방재 담당 장관이 본부장이 된다. '내각위기관리감'을 두어 긴급사태에 대한 내각의 필요한 조치에 대해 일차적인 판단을 담당하게 하고 있다. 그런데, 내각위기관리감의 소관 업무에서 국방업무는 제외된다. 우리와 달리 대응 체계가 국방과 재해의 대응이 분리되어 있고, 재해 대응은 그 체계가 일원화되어 있음을 알 수 있다.

그동안 긴급재해대책본부가 설치되어 총리가 직접 본부장을 맡아 대응한 재난은 2011년 3월 11일 발생한 동일본대지진[135] 정도뿐이다. 2016년 4월 14일 발생한 구마모토대지진[136] 때도 총리관저 위기관리센터에 관저대책실이 바로 설치되기는 했지만, 지진 발생 10분 만에 총리 지시를 발표한 직후 내각부의 비상재해대책본부를 가동하였다. 아베 총리는 사고 발생 후 9일 만에 피해 지역을 찾아 고령의 피난민들 앞에서 무릎을 꿇었다. 피해자들과 눈을 맞춰가며 손을 잡고 위로하거나 공손하게 의견을 경청했다. 이런 아베의 모습은 국내 언론에도 소개되었다. 재난·사고가 발생해서 피해를 본 국민을 나라가 어떻게 위로하고 손잡아 힘을 북돋아 일으켜 세워야 하는지 보여준 모범 사례 라고 생각한다. 총리실이 재난 초기 상황을 파악하고, 총리가 국민에게 메시지를 내놓은 후 실제 재난 대응은 행정부에 맡기고 총리는 피해당한 국민을 위로하는 모습이다. 세월호 참사 대응 과정에서의 혼선을 잊어버리고, 여전히 재난 대응 체계도 법적으로 일원화하지 못한 우리와 대비된다.

---

135) 규모 9.1의 지진으로 사망자 19,689명, 실종자 2,563명, 부상자 6,233명에 재난피해기 16·25조 엔이 발생한 지진 참사

136) 규모 7.3의 지진으로 사망자 273명, 부상자 2,809명이 발생했다.

노총만의 행사로 그치는 산재희생자 추모

매년 4월 28일은 '산재 노동자의 날'이자 '세계 산재 노동자 추모의 날'이다. 이날이 산재 노동자의 날로 지정된 것도 캐나다에서 비롯되었다. 1984년 캐나다 노총이 온타리오주에서 '노동자 산재보상법'에 대한 의회의 최종 심의가 완료된 날인 4월 28일을 추모의 날로 정하고 산재 노동자를 기리기로 선언했다. 1991년에는 법정 추모일로 정했다. 매년 이날 의회는 산재 사망 노동자를 위한 묵념으로 시작하고, 노동부 장관은 의회에 산재 현황을 보고한다. 1987년에는 미국 노총도 이날을 산재 노동자 추모의 날로 채택하였다.

1993년 5월 10일, '심슨 가족' 봉제 인형을 생산하던 태국의 홍콩 기업 케이더그룹(開達集団)이 운영하던 봉제공장에서 화재가 발생했다. 어린 여공들이 대부분이었는데 188명이 목숨을 잃고, 469명이 다친 대형 참사였다. 여공들이 인형을 훔쳐 갈 수 있다며 공장 주인이 문을 잠그고 작업을 시키는 바람에 피해가 커졌다. 화재경보기와 스프링클러가 작동하지 않았고, 불이 나서 15분 만에 건물이 무너져내렸다. 담배꽁초가 화재 원인으로 밝혀졌는데 담배꽁초를 버린 직원은 10년형을 받았지만, 문을 걸어잠근 공장주인은 벌금형에 그쳤다. 이 사고를 계기로 국제자유노조연맹[137]이 1996년 뉴욕 유엔본부에서 열린 '지속가능발전위원회'에서 태국 인형공장 희생자를 추모하기 위해 촛불을 들었

---

137)   1949년에 설립된 기구(ICFTU, International Confederation of Free Trade Unions)로 1920년에 설립된 세계노동연맹(WCL, World Confederation of Labor)과 2006년 11월 국제노동조합연맹(ITUC, International Trade Union Confederation)으로 합병하였다. 벨기에 브뤼셀에 본부가 있다.

다. 그리고 그해 4월 28일을 '국제 산재 사망 노동자 추모의 날'로 지정하였다.[152]

우리나라는 2000년 7월, '산재희생자위령탑'을 서울 보라매공원에 건립[138]하고, 이듬해부터 매년 4월 28일 한국노총이 이곳에서 추모행사를 열고 있다.[153] 민주노총도 이날을 추모하고, 매년 4월은 노동자 건강권 쟁취 투쟁의 달로 정하여 각종 사업을 하고 있다.[154] 2021년 4월 28일을 국가기념일로 정하는 내용의 산재보상보험법 개정안이 국회에 제출되기도 했다. 노총 위주로 산재희생자를 추모하고 있을 뿐, 정부 차원에서 날을 정해 추모하거나 기념하고 있지는 않고 있다.

그런데 돌아보면, 전술한 '허용된 위험'은 사고의 위험이 존재하지만 그로부터 얻는 사회적 혜택이 너무 커서 부득이 허용될 수밖에 없는 위험을 말한다. 개별 법규에서 정한 일정한 주의 규정이나 기술 요건을 준수하는 한 위험한 행위를 허용한다. 이를 달리 생각하면, 우리 사회가 지금 누리고 있는 다양한 편의와 혜택 뒤에는 산재 현장에서 사고로 목숨을 잃는 근로자들의 주검이 있음을 뜻한다.

더욱이 그동안 우리 사회에서 발생한 산재는 법규와 기술적 요건을 충족한 상태에서 어쩔 수 없이 일어난 사고도 아니다. 많은 사고가 탈법과 편법 속에 일어났다. 우리 사회가 이들의 죽음을 외면해서는 안 된다. 태국 봉제공장 참사 이후에, "선진국 어린이의 꿈에 개발도상국

---

138) 위령탑은 근로복지공단이 산재로 사망한 근로자의 넋을 기리기 위해 조각가 조성묵 씨가 조각상을 세우고 신경림 씨의 헌시를 비문으로 새겨 만들었다. 서울 보라매공원에 건립되어 있는데, 포털지도에서 그 위치가 검색되지 않는다.

노동자의 피와 죽음이 묻어 있다"라는 각성의 목소리가 나왔다. 우리 일상생활의 안녕 뒤에 숨겨진 위험을 방치해서는 안 된다. 적어도 이들의 죽음을 기리고, 국가의 시스템은 경각심을 갖고 그 사고의 원인을 끈질기게 고쳐나가려는 노력을 해야 한다. 그런 면에서 매년 4월 28일 노동부장관이 의회에 참석해서 다 같이 묵념하고 산재를 주제로 논의하는 캐나다의 사례는 곱씹어볼 만하다.

나라와 기업이 잊지 않고 지켜줘야

재난·사고를 기억하고 사고를 통해 얻은 교훈을 제도 개선으로 발전시켜야 하는 이유는 분명하다. 유사한 사고로 또 억울하게 죽어가는 목숨이 없어야 하기 때문이다. 남영호 사고 이전에 229명이 목숨을 잃은 1953년의 창경호 침몰도 역시 과적·과승한 상태에서 악천후와 풍랑 속 무리한 운항이 원인이었고, 140여 명이 사망 또는 실종된 1963년의 연호 또한 그 원인이 크게 다르지 않다. 남영호 사고 후 서해 훼리호 사고까지 걸린 시간이 23년인데, 서해 훼리호 사고 이후 세월호 사고까지 21년이 걸렸다. 대형 참사가 발생하면 잠깐 대책을 마련한다고 수선 떨다가 들끓던 여론이 가라앉으면 사고 경험과 그를 통해 얻었던 지혜들이 흔적도 없이 사라지고 다시 악령처럼 살아난 편법과 위법이 암처럼 번지다 또다시 대형 참사가 발생한다. 같은 일이 반복되고 있나.

아픔을 딛고 안전 사회로

거듭해서 반복되는 사고가 비단 해상사고만이 아니다. 대형 화재만 해도, 최근의 사례부터 살펴봐도 2022년 이천 의류 물류창고 화재, 2021년의 이천 쿠팡 덕평물류센터 화재(1명 사망), 2020년 용인 물류센터 화재(5명 사망), 이천 물류창고 화재(38명 사망), 2019년 대구 사우나 화재(3명 사망), 2018년 밀양 세종병원 화재(46명 사망), 2017년 제천 스포츠센터 화재(29명 사망) 등 비슷한 사고가 반복되고 있다. 건물을 철거하면서 무너지는 사고도, 콘크리트를 치면서 거푸집과 지지대가 주저앉는 사고도 마찬가지다. 그 반복되는 사고 속에 우리는 많은 생명을 잃어버리고 있다.

나라의 발전과 번영도 필요하지만, 안전 사회의 건설은 우리 자신과 우리 아들·딸, 손주들의 번영된 삶을 위해서도 꼭 필요한 일이다. 생명을 존중하지 않고 일상의 안전이 보장되지 않는 불안한 사회는 진정한 번영을 이룰 수도 없고, 번영을 이룬다고 해도 '신기루'에 불과하다. 중대재해처벌법은 이제 더는 억울한 죽음이 없는 안전한 사회를 만들라는 국민의 바람이 응축되어 나타난 결과라고 할 수 있다. 안전한 사회 건설을 위해서라도 더 이상 일상생활 중에 또는 일터에서 죽어간 이들이 '혐오감'을 준다는 이유로 기억 저편으로 밀려나는 일이 없어야 한다. 그리고 적어도 나라와 기업은 시스템적으로 사고의 교훈을 잊지 않고 경각심을 유지하도록 만들어야 한다.

그 하나의 방법으로 수도 서울 어딘가에 주요 재난·사고와 산재로 목숨을 잃은 국민을 위한 위령탑을 만들었으면 한다. 특정 재난·사고에 그치지 않고, 말하자면 대한민국의 재난·사고 위령탑을 만들고, 탑을 중심으로 죽 둘러 1층 또는 지하층에 개별 사고의 내용을 담은 비석을 배치하는 것이다. 혹여 앞으로 발생할 수도 있는 불의의 재난·사고도 추가할 수 있도록 예비공간도 만들어둘 수 있다. 조선시대에는 왕들의 혼을 모시는 '종묘'를 궁궐 안에 두었지만, 민주공화국인 우리나라는 나라가 지키지 못한 국민의 넋을 나라가 잊지 않고 기리는 공간을 한곳에 모아 만들자는 것이다. 정부의 최고 책임자가 매일 볼 수 있는 공간에 만들어도 좋겠다.

위령탑을 추모의 공간으로만 만들자는 뜻은 아니다. 위령탑 근처에 자료실과 크고 작은 회의실도 같이 만들어서, 누구든 재난·사고와 안전에 관심이 있는 기관·단체와 개인이 이곳에서 관련된 모든 정보를 열람하고, 세미나, 컨퍼런스도 열고 전시회도 하는 등 추모의 공간임과 동시에 안전 사회 건설의 산실이었으면 한다.

거듭 얘기하지만, 생업에 바쁜 국민은 재난·사고를 잊더라도 정부 경영책임자를 비롯해 시스템 속에 있는 사람들은 재난·사고를 통해 겪은 피맺힌 아픔과 경험, 그리고 지혜를 망각하는 일이 없도록 해야 한다. 매년 날을 정해 이곳에서 정부와 지방자치단체, 공공기관 책임자들이 재난·사고로 유명을 달리한 국민을 추모하고, 안전 사회 건설을 위한 성과와 계획을 발표했으면 한다. 같은 날, 기관별 세부 재난·사고와 산재 발생 현황과 대책을 국회와 지방의회에서 보고·논의하고, 언론은 이의 이행 여부를 꼼꼼히 따지는 시스템을 만들었으면 한다. 이날을 기해 안전 사회 건설에 이바지한 단체와 기업, 개인을 찾아 포상하고, 다양한 인센티브도 부여하면 좋겠다. 우수 사례는 사회 전체에 공개·공유해서 사회 전체의 역량 증진에 활용할 수 있는 오픈 방식의 플랫폼도 필요하다. 지금도 일부 기념일에 부분적으로 시행하고는 있지만, 나라에서 주관해서 시행하고 포상과 인센티브는 더 확대해도 좋겠다. 대신에 재난·사고와 주요 산업재해를 일으킨 기업은 최고 경영책임자가 같은 장소에서 직접 재발 방지 대책과 안전 사회 건설에 어떻게 이바지할 것인지 계획을 발표하는 것도 방법이다.

참고로 〈표 5-2〉는 여러 '안전의 날'에 대한 것인데 이 중에서 날을 정하거나 새로 정해도 좋겠다. 새로 취임한 장·차관과 공공기관의 장, 당선된 국회의원, 지방의회의원, 그리고 새로 승진한 고위공무원과 간부 등은 반드시 이곳에서 주요 재난·사고 및 안전과 관련된 교육을 의무화했으면 한다. 그래야 직무와 관련해서 안전을 경시하는 일을 줄일 수 있다. 그리고 정권이 바뀌어도 적어도 안전 관련 정책은 가능한 유지·보완·발전할 수 있도록 기존의 계획을 변경하려면 그 사유를 국민에게 명백히 밝히고, 국회 또는 지방의회에 승인받도록 명문화하는 것도 필요하다.

〈표 5-2〉 안전 관련 기념일

일자	구분
4월 16일	국민 안전의 날
4월 28일	세계 안전의 날 / 산재사고 추모일
5월 4일	국제소방관의 날
5월 14일	식품 안전의 날
5월 29일	환자 안전의 날
7월 1일	산업안전보건의 날
12월 27일	원자력 안전 및 진흥의 날
매월 4일	안전점검의 날

이런 국가적 의식과 시스템을 통해 뿌리 깊은 우리 사회의 편법과 불법, 안전 경시 풍조를 꾸준히 개선해나가야 한다. 재난·사고를 사람의 발길이 닿기 어려운 곳이나 외딴곳에 밀어내어 외면하면 또 다른 사고로 이어진다는 것을 우리는 충분히 경험하였다.

우리가 직접 겪은 사고 외에 다른 나라의 재난·사고도 조사해서 우리에게는 비슷한 사고가 일어날 우려가 없는지 또 어떻게 대비하고 있는지도 이곳을 통해 누구에게나 공개·공유했으면 한다. 위험은 아는 만큼 보이고, 보이는 만큼 대비할 수 있다.

추모를 위한 위령탑과 안전 사회 건설을 위한 공간의 필요성과 구체적인 위치 등을 검토하고 정하려면 국민과 전문가의 의견 수렴이 선행되어야 한다. 이에 적지 않은 시간이 소요될 수 있다. 그래서 우선은 메타버스 공간에 먼저 만드는 것도 방법이다. 메타버스 공간에 가상 추모 공간과 자료실을 만들면 좋겠다. 재난·사고와 산재는 비단 우리나라만의 문제가 아니므로 OECD 국가들과의 협력을 통해 만들 수도 있다. 각국의 재난·사고를 공유하는 가상 공간을 만들고 세계 모든 언어로 자료를 공유해서 각국의 관계자들이 다른 나라의 재난·사고와 산재까지 깊이 있게 챙겨볼 수 있는 여건을 만들면 좋겠다.

메타버스 공간은 위령탑 조성사업과 별도로 진행할 수도 있다. 재난·사고가 발생한 그 장소의 가상 공간 위치에 추모 공간을 세울 수도 있고, 세계 각국의 재난·사고를 공유하기도 수월하기 때문이다. 우리의 재난·사고를 챙기기도 바쁘긴 하지만, 생활양식과 기술이 비슷해진 지금은 먼저 산업화·도시화를 이룬 나라들이 어떤 재난·사고를 겪는지

아픔을 딛고 안전 사회로

알아야 한다. 우리에게도 똑같은 재난·사고가 발생할 가능성이 크기 때문이다. 조성비와 운영비는 정부 예산을 기본으로 하되 성금을 모을 수도 있고, 재난·사고를 일으킨 기업들이 자발적으로 기부하는 방법도 가능하다고 생각한다.

우리 자신과 후손의 안녕을 위하여

재난·사고와 산업재해 모두 부끄러운 일이다. 미리 예방하지 못해 많은 이들이 억울하게 목숨을 잃은 것은 부끄러운 일이다. 우리는 그동안 참담한 재난·사고를 수없이 겪었고, 삼풍백화점 붕괴사고나 세월호 침몰사고처럼 세계적으로도 해당 분야 최악의 참사로 꼽히는 사고도 경험했다. 그런데 더 부끄러운 것은 사고를 통해서도 교훈을 얻지 못하고 또다시 같은 사고가 반복된다는 것이다. 모든 이들이 우리가 겪은 재난·사고와 산업재해를 일일이 기억할 수는 없다. 그러나 적어도 나라와 사회의 시스템은 그 아픔을 기억 저편으로 밀어내고 망각 속으로 회피해서는 안 된다. 부끄럽고 감추고 싶은 사고일수록 그 배경과 원인을 똑바로 직시해서 다시는 비슷한 사고가 반복되지 않도록 하는 것이 중요하다. 피맺히도록 아픈 경험을 통해서도 잘못을 고치지 않고 방치하거나 망각한다면 그야말로 정말 부끄러운 일이다. 현재의 위험을 직시하지 않고 회피할수록 우리 자신과 후손들은 더 큰 재난·사고와 산재의 위험에 노출될 수밖에 없다. 누가 다음 차례가 될지 모르는 것이다. 우리와 우리 후손들의 안녕을 위해서라도 지금 우리는 '결기'를 다져야 한다.

2.
안전 사회 건설을 위한 법

중대재해처벌법의 성과와 한계

중대재해처벌법이 시행되면서 그 실효성에 의문이 제기되고 있다. 그러나 중대재해처벌법의 시행 이후에 사회 전체적으로 안전에 관한 관심이 크게 높아진 것만큼은 사실이다. 과거에 이만큼 안전이 사회의 주요 이슈로 관심의 대상이 된 적이 있나 싶다. 최근까지도 크고 작은 재난·사고와 산업재해가 끊이지 않고 발생한 탓도 있지만, 그래도 사회적으로 안전에 관한 관심을 크게 높인 것은 그 공이라고 생각한다.

전술한 대로 법이 예방보다는 처벌에 집중되어 있고, 법의 내용이 모호해서 실제 사회의 안전 역량이 높아지거나 사고를 획기적으로 줄이는 역할을 하지는 못하고 경영책임자의 불안감만 키워서 대형 로펌만 문전성시를 이루는 등 부작용이 커지고 있는 것도 사실이다. 여전히 일부에서는 중대재해처벌법은 처벌보다는 예방을 위한 법이라고 주장한다. 하지만, 우리 사회의 안전 역량을 증진하고 재난·사고와 산재를 예방하기 위한 다양한 처방을 외면하고 오로지 경영책임자를 엄벌하고 그 위하력으로 사고를 예방하겠다는 것이니 아무도 그 말을 믿지 않는다. 아이가 성적 떨어진다고 몽둥이 들어 아이를 겁박하는 것과 같다. 그게 공부시키는 게 목적이라고 한들 아이 스스로 공부하게 만드는 다른 방법은 외면하고 오로지 체벌로만 다스리면 그건 겁박과 폭력일 뿐이다. 중대재해처벌법도 다를 바 없다.

그런데 중대재해처벌법을 두고 우리 사회는 양쪽으로 나뉘어 서로 팽팽하게 자기주장만 하고 있을 뿐이다. 노동계는 사고가 자주 발생하는 5인 이하 기업까지 전면적으로 확대 시행해야 한다고 하고, 경영계는 기업의 경영활동에 부담을 주는 핵심 규제라고 한다.[155] 그런데 전술한 대로 개인사업자나 50인 미만 사업장은 산재가 발생하면 99% 이상이 이미 대표자가 처벌받고 있어서 법 적용이 유예되거나 제외된 것이다.[23] 상황이 바뀐 것도 없는데, 처벌 대상을 확대한다고 해서 효과가 있을 것으로 보기도 어렵다.

이윤추구와 자본의 논리에 근로자와 국민의 안전이 뒷전으로 밀려 재난·사고와 산업재해가 반복되고 있다는 노동계와 국민의 지적에도 경영계는 대안도 없이 규제 완화를 요구하고 있을 뿐이다. 경총은 새 정부 출범과 함께 법 시행 후 뚜렷한 산재 감소 효과도 없이 불명확한 규정으로 현장에 혼란이 심화하고 경영활동이 위축된다는 이유로 시행령 보완과 추후 법 개정을 요구하고 있다. 안전관리책임자(CSO)를 선임할 때는 경영책임자(CEO)의 처벌을 면해달라는 내용도 눈에 띈다. 참으로 얕은 생각이다. CSO를 총알받이로 돈 주고 고용하면 된다는 생각처럼 느껴져 우려스럽다. 돈이면 된다는 뜻인데, CSO도 똑같은 사람 아닌가 싶다. 자칫하면 CSO 소왕을 삭세하고 온진히 경영책임기

　　　　　　　　　　　　　　　　　아픔을 딛고 안전 사회로

만 처벌하라는 목소리로 바뀔 수도 있다. 노동계와 국민의 열망을 외면하고 경영책임자만 처벌에서 벗어나면 된다는 시각은 공감대를 얻기 어렵다. 바로 양대 노총에서 법의 무력화 시도를 중단하라는 강력한 반발에 부딪히고 말았다. 노동계는 "누군가의 희생으로 경제성장을 했던 과거와의 단절이 필요하다"라는 태도를 밝혔다.

정책과 대안을 제시하고 노동계와 경영계의 입장도 조율해야 할 정부는 반복되고 있는 재난·사고와 산재의 판례가 충분히 쌓이고 그 과정에서 불합리한 사례가 나타날 때까지 기다리겠다는 태도를 보이기도 한다.[156] 현장의 혼란과 반복되는 재난·사고와 산업재해를 고려하면 이런 정부의 태도는 안이하다.

필자가 앞서 제시한 기본방향이나 안전 사회 건설을 위한 비전은 하나의 의견에 불과하나. 그 방향과 내용이 옳다고 강변할 생각도 없다. 필자의 경험은 짧고 지식과 지혜는 부족하다. 다만, 안전 사회 건설에 관심을 두고 생활해온 사람으로서 안타까운 마음에 서로 다른 입장의 중간 접점을 찾기 위한 실마리를 제공할 수 있다면 다행이라고 생각한다. 이제라도 한발씩 양보해서 머리를 맞대어 지혜를 모았으면 한다.

안전 사회 건설을 위한 법

중대재해처벌법의 목적은 무거운 처벌에 의한 위하력으로 중대재해를 예방하겠다는 것이다. 어떻게든 중대재해를 줄이겠다는 것이다. 그런데 전술한 대로 처벌만으로는 그 효과를 거두기 어렵다. 그리고 법의 명칭이 '처벌법'이라 '안전 사회 건설'이라는 비전을 담기에는 한계가 있다. 법을 폐기하고 새로 만드느냐, 아니면 현행 처벌법을 그대로 두고 새롭게 만드느냐 하는 것은 필자의 관심 대상이 아니다. 그러나 현행법령 중에서 '안전 사회 건설'이라는 명칭이 들어간 법은 '사회적 참사의 진상규명 및 안전 사회 건설 등을 위한 특별법'외에는 없다. 이 법을 개정하는 것도 방법인데, 2022년 6월 10일까지 한시적인 법이다. 어떻든 안전 사회 건설을 위한 법에 다음과 같은 내용이 담겼으면 좋겠다.

첫째, 근로자의 생명권 존중이다.

산안법의 '작업중지권'을 내실화해서 전술한 '위험작업 거부권'으로 확대했으면 한다. 표현이 과하면 최근 일부에서 사용하는 '위험작업 기피권'으로 해도 좋겠다.[157] 근로자 스스로 규정과 다른 위험 요소가 있는지 살피는 기회를 부여하고, 위험 요소를 사전에 개선하는 절차를 마련하는 게 근로자의 생명을 존중하는 것이다. 불의의 사고가 많이 줄어들 것이라고 믿는다. 특히 초기 단계에서는 권력 거리지수(PDI)나 갑을 관계로 인해 권리를 부여해도 행사에 소극적일 수 있으므로 인센티브를 통해 독려하는 것도 좋겠다.

둘째, 추모 공간 마련에 관한 규정이다.

재난·사고가 발생하면 사고 수습단계에서는 다 해줄 듯이 약속하고, 후에 '혐오감' 등을 이유로 차일피일 미루어 유가족의 마음을 다치게 만드는 일은 없었으면 한다. 전술한 대로, 위닝납과 인진 사회 긴벌을

아픔을 딛고 안전 사회로

위한 공간을 만들고 운영하는 규정이 포함되었으면 한다.

셋째, 기념일 제정과 매년 정책과 이행계획 및 성과를 발표하는 국가적 의식에 관한 내용이다.

넷째, 위험요인 저감과 안전 역량 증진에 기여한 기업과 개인에 대한 포상과 인센티브에 관한 내용이다.

이상과 같은 내용을 담은 법률이 만들어지면 좋겠다는 의견이다. 현행법의 경영책임자 처벌에 관해서는 사회적 논의에 맡기고자 한다. 다만, 필자의 소견은 시설물안전법[139]처럼 수범자의 의무가 구체적으로 제시된 개별법에서 처벌 규정을 담으면 좋겠다는 생각이다. '형법'과 이 '개별법' 규정에 따라 담당자부터 경영책임자까지 그 죄의 경중에 따라 처벌하는 게 맞다는 생각이다. 중대재해처벌법의 처벌조항을 그대로 유지하더라도 '경영책임자'와 '안전·보건 의무'는 분명하고 명확하게 규정되어 경영책임자가 대형 로펌 앞에 줄 서는 대신에 현장에서 안전을 챙길 수 있도록 만들어야 한다.

---

139) 시설물의 안전 및 유지관리에 관한 특별법 제63조(벌칙) ① 다음 각 호의 어느 하나에 해당하는 자는 1년 이상 10년 이하의 징역에 처한다. 1. 제11조제1항에 따른 안전점검, 제12조제1항 및 제2항에 따른 정밀안전진단 또는 제13조제1항에 따른 긴급안전점검을 실시하지 아니하거나 성실하게 실시하지 아니함으로써 시설물에 중대한 손괴를 야기하여 공공의 위험을 발생하게 한 자 2. 제13조제2항 또는 제6항을 위반하여 정당한 사유 없이 긴급안전점검을 실시하지 아니하거나 필요한 조치명령을 이행하지 아니함으로써 시설물에 중대한 손괴를 야기하여 공공의 위험을 발생하게 한 자 3. 제20조제1항을 위반하여 안전점검등의 업무를 성실하게 수행하지 아니함으로써 시설물에 중대한 손괴를 야기하여 공공의 위험을 발생하게 한 자 4. 제23조제1항 또는 제2항을 위반하여 안전조치를 하지 아니하거나 안전조치명령을 이행하지 아니함으로써 시설물에 중대한 손괴를 야기하여 공공의 위험을 발생하게 한 자 5. 제24조제1항 또는 제2항을 위반하여 보수·보강 등 필요한 조치를 하지 아니하거나 필요한 조치의 이행 및 시정 명령을 이행하지 아니함으로써 시설물에 중대한 손괴를 야기하여 공공의 위험을 발생하게 한 지 6. 제42조제1항을 위반하여 유지관리 또는 성능평가를 성실하게 수행하지 아니함으로써 시설물에 중대한 손괴를 야기하여 공공의 위험을 발생하게 한 자 ② 제1항 각 호의 죄를 범하여 사람을 사상(死傷)에 이르게 한 자는 무기 또는 5년 이상의 징역에 처한다.

글을 마치며

　글을 쓰느라고 주요 재난·사고의 기록을 다시 찾아 읽어봤다. 때로는 가슴이 너무 아파서 똑바로 읽을 수가 없었다. 목이 뻑뻑하고 심장이 저렸다. 항공기 추락으로 괌에서 아이들과 함께 세상을 떠난, 친했던 대학 친구의 얼굴도 떠오르고, 나이 들어 생긴 귓속의 이명이 씨랜드 청소년수련원 화재사고로 죽어간 이름 모를 어린아이들의 비명처럼 들리기도 했다. 우면산 산사태로 새벽에 눈앞에서 아들을 토석류에 놓쳐버린 늙은 아비의 힘 없이 처연한 눈빛이 아른거렸다.

　때로는 너무 힘이 들어 접고 싶기도 했다. 모르는 게 너무 많다는 생각도 들었다. 자료를 찾아보다가 손 놓아버리고 바깥으로 돌아다녔다. 의욕도 떨어졌다. 그러다가 젊은 날의 성수대교와 삼풍백화점의 잔영이 다시 컴퓨터 앞으로 이끌었다.

　위험을 줄이고 안전 역량을 높이는 일과는 상관없이 갈등에 빠진 모습이 우려되었다. 경영책임자로 일하기도 했고, 재난·사고와 관련된 사람들의 아픔도 오랫동안 봐왔던 사람으로 고민스러웠다. 갈등 속에 빠진 나 자신을 위해서도 접점을 찾아야 했다. 이 생각들을 사회에 내놓아야 하는가 고민도 했다. 첨예한 갈등 속에 내가 왜 끼어서야 하나

　　　　　　　　　　　　　아픔을 딛고 안전 사회로

싶기도 했다. 옳고 그름을 떠나 어떻든 양쪽으로 갈라진 쟁점에 접점을 찾아보겠다는 노력은 필요하고, 누군가는 얘기해야 사회가 조금이라도 더 안전해진다고 생각했다. 모자람이 많지만, 초석이라도 놓을 수 있다면 의미가 있는 거라고 스스로 독려했다. 그래서 썼다.

세상이 어떻게 바뀌든 이 나라의 기후변화가 갑자기 멈추어 서는 것도 아니고, 설비·장치와 인프라의 노후화가 단번에 해결되는 것도 아니다. 예산은 한정되어 있고, 인력은 늘 부족하다. 우리 모두 앞에 위험은 끊임없이 자라고 있고, 때로는 숨어 있기도 하다. 경영계는 노동계의 절규에 귀를 기울이고, 노동계는 처벌 위주의 정책이 갖는 부작용에 주목했으면 한다. 지혜와 힘을 모아 안전 사회를 위해 나아갔으면 한다. 필자도 최선을 다하겠다고 약속드린다.

부록 ① 서울시설공단의 사고분석 사례

연번	1	유형	감전	업종	건설업	기인물 (원인 등)	자재

재해개요	**낙하물방지망 설치 중 가공선로에 감전**

2016.06.08(수) 인천시 남구 소재 신축공사 현장에서 피재자가 지상 4층(약 11m) 높이의 외부 비계에서 강관 파이프를 이용하여 낙하물방지망 설치용 비계를 설치하던 중, 강관 파이프(6m)가 가공전로(22.9kV 배전선로)의 충전부에 접촉하며 발생한 아크 및 전격에 의해 전신 화상을 당하고 지상 바닥으로 떨어져 사망한 재해임

재해 상황도

재해발생 원인

○ 가공 충전전로와 접촉을 방지하기 위한 조치 미흡
○ 유자격자 아닌 근로자가 가공전로 인근 작업 시 절연용 방호구 장착 소홀

재발 방지대책

○ **충전전로 인근 접근금지 시설물 등 조치 실시**
- 근로자가 충전전로 인근의 높은 곳에서 작업할 때에 근로자의 몸 또는 긴 도전성 물체가 방호되지 않은 경우, 충전 전로에서 대지전압이 50킬로볼트 이하인 경우 3m 이내로 접근 할 수 없도록 조치 시행
○ **가공전로와 접촉을 방지하기 위한 조치 실시**
- 가공전로에 근접하여 비계를 설치하는 경우 가공 전로를 이설하거나 가공전로에 절연용 방호구를 장착하는 등 가공전로와의 접촉을 방지하기 위한 조치 필요

관련 법규정	■ 산업안전보건기준에 관한 규칙 제59조(강관비계 조립 시의 준수사항) ■ 산업안전보건기준에 관한 규칙 제321조(충전전로에서의 전기작업) ■ 산업안전보건기준에 관한 규칙 제323조(절연용 보호구 등의 사용)
착 안 점 (현업적용 등)	○ 사전조사 후 가공전로와의 접촉을 방지하기 위한 절연용 방호구 장착 ○ 한전 배전선로(22.9kV) 근처, 방호되지 않은 경우 최소이격거리 유지

연번	2	유형	깔림	업종	건설업	기인물 (원인 등)	거푸집·동바리

재해개요	벽체 거푸집이 전도되어 협착

2020.01.15.(수) 07:50경 제주시 소재 공동주택 신축공사 현장에서 지상11층 측면부 비계를 설치하기 위해 바닥 정리작업 중 작업구간에 설치되어 있던 벽체 거푸집(약 2.4TON)이 전도 되면서,전도된 거푸집과 적재되어 있던 사재에 재해자가 협착되어 사망한 재해임

재해 상황도

재해발생 원인

○ **거푸집 전도방지조치 불량**

- 벽체거푸집을 설치하는 경우 거푸집이 외력에 견딜 수 있거나 넘어지지 않도록 버팀대 또는 지지대를 설치하고, 미끄럼방지 조치 등을 실시하여야 하나 당 현장에 서는 버팀대의 미끄럼방지 조치를 일부만 실시

○ **중량물취급 작업계획서 미작성**

재발 방지대책

○ **거푸집 전도방지조치 철저**

- 거푸집을 조립하는 경우에는 거푸집이 외력에 견딜 수 있거나 넘어지지 않도록 견고한 구조로의 긴결재, 버팀대 또는 지지대를 설치하는 등 필요한 조치를 하고 작업 실시

○ **중량물의 취급 작업 시 작업계획서 작성**

- 거푸집을 조립 후 인양하여 설치하는 경우에는 거푸집 부재간 결합이 완료되기 전까지 전도 위험이 높으므로 전도 위험을 예방할 수 있는 안전대책(지지대, 당김 줄 등을 설치)을 포함한 작업계획서를 작성하고, 그 내용을 해당 작업자에게 알려 작업계획서를 준수하도록 하는 등 안전한 작업을 실시하도록 하여야 함

관련 법규정	■ 산업안전보건기준에 관한 규칙 제3조(전도의 방지) ■ 산업안전보건기준에 관한 규칙 제38조(사전조사 및 작업계획서의 작성 등)
착 안 점 (현업적용 등)	○ 자재 등의 전도방지 조치를 확실히게 실시 ○ 사전조사, 작업계획서의 작성 및 이행

부록 ② 국내의 주요 재난·사고

연도	주요 재난·사고	
1970	• 와우아파트 붕괴(33명 사망, 39명 부상) • 추풍령 고속버스 추락(25명 사망, 22명 부상) • 모산 수학여행 참사(열차 추돌) 　(46명 사망, 30명 부상) • 원주 수학여행 참사(14명 사망, 59명 부상) • 남영호 부상(326명 사망)	
1971	• 청평호 버스 추락(80명 사망, 14명 부상) • 대연각호텔 화재(163명 사망, 63명 부상)	
1972	• 의암호 버스 추락(25명 사망, 15명 부상) • 서울시민회관 화재(51명 사망, 76명 부상)	
1973	• 영동역 유조열차 탈선(32명 사망, 10명 실종, 9명 부상) • 광진교 버스 추락(17명 사망, 28명 부상)	
1974	• 해군 YTL 예인선 침몰(해군 100명, 해경 50명 사망) • 대왕코너 화재(88명 사망, 35명 부상) 　- 72. 8월 6명 사망, 60명 부상 　- 75. 10월 3명 사망, 1명 부상 　- 96. 2월 롯데백화점 화재	
1976	• 동해 어선 27척 침몰(327명 사망·실종)	
1977	• 남대문시장 화재(1명 사망, 351개 점포 소실) • 이리역 폭발사고(59명 사망, 1,343명 부상)	
1978	• 한강대교 버스 추락(33명 사망, 13명 부상)	
1980	• K항공 015편 착륙사고(15명 사망)	• 중부지방 집중호우(일 최대강수량 217mm)(160명 사망, 재산 1,255억 피해)
1981	• 경산 열사 추돌사고(55명 사망, 233명 부상) • 금정산 버스 추락(33명 사망, 37명 부상)	

아픔을 딛고 안전 사회로

연도	주요 재난·사고	
1982	• 3호선 지하철 공사장 붕괴(11명 사망, 44명 부상) (버스 4대 추락) • 청계산 수송기 추락(53명 전원 사망)	
1984	• 부산 대아호텔 화재(30명 사망, 08명 부상)	• 한강대홍수(태풍 쥰) (서울, 경기, 강원 일대 피해) (일 최대강수량 314mm) (339명 사망, 재산 2,502억 피해)
1985	• 양강표 버스 추락(38명 사망, 1명 부상)	
1986		• 태풍 베라(화천 일 최대강수량 192mm) (34명 사망, 재산 372억 피해)
1987	• 극동호 화재(27명 사망, 8명 실종)	• 태풍 셀마(착륙시 중심기압 970hPa 최대풍속 초당 40m) (345명 사망, 재산 5,965억 피해)
1988	• 천호대교 버스 추락(19명 사망, 35명 부상)	
1989	• K항공 803편 추락(리비아)(72명 사망, 139명 부상) • 모래재 버스 추락(24명 사망, 61명 부상) • 호남고속도로 버스 추돌(16명 사망, 7명 중화상)	
1990	• 섬강교 버스 추락(25명 사망, 4명 실종) • 소양호 버스 추락(21명 사망, 21명 부상)	• 한강 대홍수(집중호우) (한강 본류 유척에 평균 438.6mm) (시간당 강우량 이천 59.0mm) (인명 163명, 재산 5,203억 원 피해)
1991	• 거성관 나이트클럽 화재(16명 사망, 13명 부상)	• 태풍 글래디스(중부지방에 장기간 체류) (인명 103명, 재산 2,603억 원 피해)
1992	• 신행주대교 붕괴(공사 중 붕괴) • 원주 왕국회관 화재(14명 사망, 27명 부상)	

연도	주요 재난·사고	
1993	• 우암상가아파트 붕괴(27명 사망, 48명 부상) • 구포역 열차 전복사고(18명 사망, 198명 부상)	• 태풍 로빈(동해 삼척지구에 피해) (인명 69명, 재산 2,596억 원 피해)
1993	• 논산 정신병원 화재(34명 사망, 2명 부상) • 아시아나 733편 추락(68명 사망, 5명 부상) • 서해 훼리호 침몰(292명 사망) • 연천 예비군 훈련장 폭발사고(20명 사망)	
1994	• K항공 활주로 이탈사고(9명 부상, 항공기 전소) • 성수대교 붕괴(32명 사망, 17명 부상) • 충주 제5호 유람선 화재사고(29명 사망, 1명 실종, 33명 부상) • 아현동 도시가스 폭발(12명 사망, 101명 부상)	

1995	• 대수 상인동 가스 폭발(101명 사망, 202명 부상)
	• 삼풍백화점 붕괴(501명 사망, 937명 부상)
	• 씨프린스호 침몰(1명 실종, 5000톤 원유 유출)
	• 경기여자기술학원 화재(37명 사망, 16명 부상)
	  (인권유린에 따른 학생들 방화)
		• 태풍 재니스(중부지역 전반 피해)
		  (인명 157명, 재산 7,364억 원 피해)

1996	• 양평 남한강 버스 추락(19명 사망, 38명 실종)	• 경기·강원 집중호우(철원 527mm)
		  (연천 수력댐 붕괴)
		  (인명 29명, 재산 4,274억 원 피해)

1997	• K항공 801편 추락(228명 사망, 26명 부상)	

1998	• 부천 LPG 충전소 폭발(1명 사망, 96명 부상)
	• 익산 충전소 가스 폭발(1명 사망, 6명 부상)
	• 부산 범창콜드플라자 화재(27명 사망, 16명 부상)
		• 서울·경기·충청 집중호우
		  (강화 일 최대강수량 481mm)
		  (인명 324명, 재산 12,487억 원 피해)

1999	• 씨랜드 청소년수련원 화재(23명 사망, 5명 부상) • 인현동 호프집 화재(52명 사망, 71명 부상)	• 태풍 올가(경기·강원지역 피해) (인명 67명, 재산 10,855억 원 피해)

아픔을 딛고 안전 사회로

연도	주요 재난·사고	
2000	• 대구 지하철공사장 붕괴(3명 사망, 1명 부상) • 추풍령 고속도로 연쇄추돌(18명 사망, 100여 명 부상) • 88올림픽고속도로 추돌(20명 사망, 7명 부상)	• 태풍 프라피룬(전국적 피해) (인명 35명, 재산 6,295억 원 피해)
2001	• 예지학원 화재(10명 사망, 22명 부상) • 천호대교 버스 추락(19명 사망, 35명 부상)	
2002	• 김해 중국 민항기 주락(128명 사망, 39명 실종)	• 태풍 루사(유례없는 강풍과 집중호우) (강릉 일강우량 870.5mm) (인명 246명, 재산 53,000억 원 피해)
2003	• 대구 지하철 화재(192명 사망, 21명 실종, 151명 부상)	• 태풍 매미(부산·경남지방 큰 피해) (6시간 동안 400mm 폭우 집중) (인명 132명, 재산 47,000억 원 피해)
2004		• 태풍 민들레(동남해안과 울릉포 피해) (인명 6명 피해)
2005	• 상주 콘서트 압사사고(11명 사망, 70여 명 부상) • 대구 서문시장 화재(재산 1,000여억 원 피해)	• 태풍 나비(경기·강원지역 피해) (인명 67명, 재산 10,855억 원 피해)
2006	• 서해대교 29중 연쇄추돌(12명 사망, 50명 부상)	
2007	• 여수 출입국관리사무소 화재(10명 사망, 17명 부상)(강제 퇴거조치 외국인 피해) • 태안 원유 유출 사고(크레인부선 예인선이 유조선 충돌로원유 12,547리터 유출)	
2008	• 이천 냉동창고 화재(40명 사망, 9명 부상)	• 태풍 갈매기(전면의 장마전선 활성화) (청주 222.0mm) (태풍이 중국으로 향해 피해 저감)
2009	• 부산 실내사격장 화재(11명 사망, 6명 부상)	
2010	• 인천대교 버스 추락(14명 사망, 10명 부상) • 포항 요양원 화재(10명 사망, 17명 부상)	• 태풍 덴무(제주 최대강수량 456mm) (인명 5명 피해) • 추석 연휴 집중호우(수도권 시간당 100mm 이상의 폭우, 일강우량 259.2mm)

연도	주요 재난·사고	
2011		• 우면산 산사태(관악구 시간당 110.5㎜ 폭우, 서울 3일 연속 536㎜ 기록) (인명 18명 피해) • 춘천 펜션 산사태(인하대 학생 등 인명 13명 피해)
2012	• 부산 노래방 화재(9명 사망, 25명 부상) • 구미 가스 누출사고(5명 사망, 18명 부상)	• 태풍 산바(14·15·16호 등 3개 태풍) (인명 2명 피해)
2013	• 포항 산불(1명 사망, 14명 부상) • 상도동 여관건물 붕괴(67년 건축된 노후 건물) • 태안 사설 해병대캠프 실종 사고(5명 사망) • 대구 대명동 가스 폭발사고(2명 사망, 11명 부상)	
2014	• 경주 오션리조트 붕괴(10명 사망, 100여 명 부상) • 세월호 침몰(299명 사망, 5명 실종) • 태백선 열차 충돌(2명 사망, 90여 명 부상) • 정전선 열차 충돌(40여 명 부상) • 판교 공연장 환풍구 붕괴(16명 사망, 11명 부상) • 장성 요양병원 화재(21명 사망, 8명 부상)	
2015	• 영종대교 106중 추돌(2명 사망, 65명 부상) • 강화 캠핑장 화재(5명 사망, 2명 부상) • 메르스 사태(32명 사망)	
2016	• 경부고속도로 관광버스 사고(10명 사망, 7명 부상) • 진주시 장대동 건물 붕괴(리모델링으로 벽체 칠거 중 붕괴) • 동아대 주차장 토류벽 붕괴 (인근 의대건물 손상 붕괴 위험) • 정릉천고가 외부텐던 파단(20개소 중 1개소 파단)(내부순환도로 양방향 폐쇄) • 울산 군부대 폭발사고(병사 28명 부상)	• 경주 지진(규모 5.8)(23명 부상, 재산피해 5,120건)

연도	주요 재난·사고	
2017	• 인천 낚싯배 전복(15명 사망, 7명 부상) • 제천 스포츠센터 화재(29명 사망, 37명 부상)	• 포항 지진(규모 5.4) (대학수학능력시험 연기, 한동대 외벽 붕괴 등 피해)
2018	• 밀양 세종병원 화재(46명 사망, 141명 부상) • 한화 대전공장 폭발사고(2명 사망, 7명 부상) • 용산 4층 건물 붕괴(2명 사망, 7명 부상)	• 포항 지진(규모 4.6)
2018	• 상도유치원 부분 붕괴(인근 다세대주택 흙막이 부실) • 고양시 저유소 폭발(약 40억 원의 재산 손실) • 삼성동 대종빌딩 폐쇄(강남구 E급 판정) • KTX 강릉선 탈선(16명 부상)	
2019	• 한화 대전공장 폭발사고(3명 사망) • 대구 사우나 화재(3명 사망, 70여 명 부상) • 부산 달집태우기 폭발(2명 부상)	• 포항해역 지진(규모 4.1)
2020	• 이천 물류센터 화재(38명 사망, 4명 실종, 10명 부상) • 부산 지하차도 침수(3명 사망) • 용인 물류센터 화재(5명 사망, 8명 부상)	• COVID-19 팬데믹(진행 중) • 역대급 8월 장마 (섬진강·낙동강 제방 붕괴) (산사태 1,548건, 곡성 5명 사망)
2021	• 광주 건물철거 중 붕괴(버스 매몰 9명 사망, 8명 부상) • 고양 건물기둥 파열 대피(도로 옆 땅꺼짐 발생)	• COVID-19 팬데믹(진행 중)
2022	• 광주 공사 중 아파트 붕괴(근로자 6명 사망) • 두성산업 급성 중독(근로자 16명 중독) • 여수산단 여천NCC 폭발사고(근로자 4명 사망)	• COVID-19 팬데믹(진행 중)

참고문헌

[1] 보건복지부 질병관리본부 폐손상조사위원회, 「가습기 살균제 건강피해 사건 백서 - 사건 인지부터 피해 1차 판정까지」, 보건복지부, 2014. 12.

[2] 이은지, "사참위 '가습기살균제, 최초 출시 당시 안전성 검증 가능했다'", CBS 노컷뉴스, 2020. 11. 18.

[3] 장관석, "[단독] 정화조 청소약품으로 가습기 살균제… 국가도 기업도 눈감아", 동아일보, 2016. 3. 29.

[4] 강진아, "[종합]'가습기 살균제' 신현우 등 15명 무더기 유죄… 존리는 무죄", 뉴시스, 2022. 6. 7.

[5] 김기범, "'가습기살균제 안전성평가 조작' 서울대 교수 무죄에 피해자들 '면죄부… 사법부 존재 이유 뭐냐'", 경향신문, 2021. 4. 29.

[6] 이미호, "가습기살균제 '죄' 판단에… 법조계 '쥐 실험결과로 인체피해 단정은 무리'", 조선비즈, 2021. 1. 12.

[7] 김기범, "가습기살균제 무죄는 사회 경제질서 무너뜨리는 판결", 경향신문, 2021. 2. 17.

[8] 임형섭, 서혜림, "완노위 '가습기살균세법' 통과… 옥시에 분담금

아픔을 딛고 안전 사회로

500억 이상(종합)", 연합뉴스, 2016. 12. 29.

[9] 대법원, [대법원 2015. 11. 12., 선고, 2015도6809, 전원합의체 판결]

[10] 손현규, "검찰 숨진 유병언 공소권 없음... 장남 대균씨 구속기소", 연합뉴스, 2014. 8. 12.

[11] 황해윤, "한국판 '기업살인법' 입법 발의", 광주드림, 2017. 4. 12.

[12] 오동희, "OECD 산재사망 한국이 1위?... 부실통계가 '오명' 불렀다", 머니투데이, 2021. 2. 7.

[13] 유선의, "피켓 들었던 '컵라면 청년'... 서울메트로 앞 시위, 왜?", JTBC, 2016. 5. 31.

[14] 내 손안에 서울, "[기자회견전문] 시민 안전을 위협하는 '특권'과 '관행' 뿌리 뽑겠습니다", 서울특별시, 2016. 6. 7.

[15] 권재현, "[사회] 정규직 안 돼도 좋으니 죽지만 않게 해주세요!", 주간동아, 2018. 12. 21.

[16] 관계부처·민간합동 「발전산업 안전강화 방안 이행점검보고서」, 2021. 12. 9.

[17] 신문웅, "김용균특조위 권고만 지켰어도 태안화력 사망사고 없었다", 오마이뉴스, 2020. 9. 11.

[18] 장재완, "윤석열 대통령 취임한 날, 김용균 어머니의 호소", 오마이뉴스, 2022. 5. 10.

[19] 중대재해기업처벌법 제정 운동본부, "[보도자료] 중대재해기업처벌법 제정 운동본부 발족식", 2020. 5. 27.

[20] 국회사무처, "중대재해에 대한 기업 및 책임자 처벌 등에 관한 법률안(강은미 의원 대표발의)", 2020. 6. 11.

[21] 박상기, "김태년 '중대재해법, 野가 거부'… 김용균母 '야당 없이 다 했지 않나'", 조선일보, 2020. 12. 24.

[22] 국회사무처, "법제사법위원회회의록(법안심사제1소위원회) 제5호", 2021. 1. 6.

[23] 국회사무처, "법제사법위원회회의록(법안심사제1소위원회)", 2020. 12. 24.

[24] 고용노동부, 「중대재해처벌법 해설 – 중대산업재해」, 2021.

[25] Cambridge Dictionary

[26] Britannica Dictionary, "homicide"https://www.britannica.com/topic/homicide

[27] HSE, "About corporate manslaughter"https://www.hse.gov.uk/corpmanslaughter/about.htm

[28] Wikipedia "Corporate Manslaughter and Corporate Homicide Act 2007", 2022. 4. 13.

[29] 이기범, "'막연한' 중대재해처벌법에 '막막한' 중소기업", 노컷뉴스, 2022. 1. 24.

[30] 정진우, "(월요객석) '유전무죄 무전유죄' 중대재해법", 전기신문, 2022. 3. 28.

[31] 서거석, 송문호, 「신 형법총론」, 전북대학교출판문화원, 2017. 2. 28.

[32] Wikipedia, "Tenerife airport disaster", 2022. 5. 23.

[33] 한국항공진흥협회연구보고서, 「항공사고사례연구 2005」, 한국항 공협회, 2005.

[34] Wikipedia, "Alitalia Flight 404", 2022. 4. 30.

[35] FTEP, 「Final Report of the Federal Aircraft Accidents Inquiry Borad concerning the Accident of the aircraft DC-9-32, ALITALIA, Flight No AZ404, I-ATJA on the Stadlerberg, Weiach/ZH, of 14 November 1990」, Federal Transport and Energy Department, 1993. 1. 27.

[36] 노태우, 박재찬, "우리나라 국적항공사의 항공사고사례분석과 항공안전 개선전략에 관한 탐색적 연구 - 대한항공과 아시아나항공을 중심으로", 한국항공경영학회지, vol. 12, no. 4, pp. 95-124, 2014.

[37] 국토교통부, 「조종사 표준교재 계기비행」, 2018. 4. 1.

[38] NTSB, 「Cockpit Voice Recorder 12 - Group Chairman's Factual Report」, National Transportation Safety Board, 1998. 3. 1.

[39] ALPA, 「Aircraft Accident Report」, Air Line Pilots Association.

[40] A.C. Merritt, "National culture and work attitudes in commercial aviation: A cross-cultural investigation", The University of Texas at Austin, 1996.

[41] Malcolm Gladwell, 「아웃라이어: 성공의 기회를 발견한 사람들」, 김영사, 2020.

[42] 강현수, 박범, "지게차 사망재해의 인적오류에 대한 대안", 대한안전경영과학회지, vol. 18, no. 1, pp. 75-82., 2016.

[43] R.E. Melchers and A.T. Beck, 「Structural Reliability Analysis and Prediction」, John Wiley&Sons Ltd, 3rd edition, 2018.

[44] A. Pugsley, 「The Safety of Structures」, Edward Arnold, 1966.

[45] 임성훈, "'붕괴참사' 제노바 다리에 마피아 연관설", 글로벌이코노믹, 2018. 8. 24.

[46] 기술혁신센터, 「PSC 교량 홍보 동영상」, 서울시설공단. 2021.

[47] 김영진, 「PSC 박스거더교 내부텐던 유지관리 개선 용역(현장 조사 중간결과)」, 한국건설기술연구원, FREYSSINET KOREA, COWI KOREA, 2022.

[48] 宮川豊章, "既設ポストテンション橋のPCグラウト問題への対応", 道路構造物ジャーナルNET, 2015. 1. 1.https://www.kozobutsu-hozen-journal.net

[49] 박성훈, "'평택湖 수문위 도로 보수' 책임 떠넘기기가 사망사고 불렀다", 문화일보, 2018. 6. 28.

[50] 국토교통부, 「중대재해처벌법 해설 - 중대시민재해(시설물·공중교통수단) 관련」, 2021.

[51] E. Bascome, "Pothole damage? Here's how to get reimbursed by the city", Silive.com, 2019. 9. 6.

[52] D.E. Allen, "Discussion of Turkstra, C.J., Choice of failure probabilities", J.Sructural Division, ASCE, no. 94, pp. 2169-2173, 1968.

[53] CIRIA, 「Rationalization of Safety and Serviceability Factors in Structural Codes」, Construction Industry Research and Information Association, vol. 63, 1977.

[54] H.J. Otway, M.E. Battat, R.K. Lohrding, R.D. Turner and R.L. Cubitt, "No title", Risk analysis of Omega West Reactor, Los Alamos Scientific Lab.

[55] 최한석, "중대산업재해, 났던 사업장에서 또 났다", 경남도민일보, 2022. 4. 4.

[56] 김현중, 권승희, 박영석, "중소 노후교량의 장수명화를 위한 실증기반 실험검증", 콘크리트학회지, vol. 30, no. 4, pp. 14-20, 2018.

[57] 国土交通省, 「道路橋の維持管理に関する最近の話題」, 2015. 7. 1.

[58] ASCE, 「2021 Report Card for America's Infrastructure」, American Society of Civil Engineers, 2021.

[59] 임근용, 「노후 인프라에 대한 민간투자사업 활성화 방안 모색」, 한국건설산업연구원, 2021. 5. 13.

[60] 장혜원, "바이든, 7100조대 예산안 발표... '더 나은 재건' 관련 예

산은 빠져", 아주경제, 2022. 3. 29.

[61] Wikipedia, "Inspector America"

[62] 国土交通省, 「橋梁、トンネル等の点検実施状況」, 第2回「沖縄県道路メンテナンス会議(協議会・幹事会)」, 2019. 12. 4.

[63] 国土交通省, 「国土交通省所管分野における社会資本の将来の維持管理・更新費の推計」, 社会資本の老朽化対策情報ポータルサイト, 2018.
      https://www.mlit.go.jp/sogoseisaku/maintenance/02research/02_01_01.html

[64] NHK 테크노파워 프로젝트, 「거대도시 재생의 조건」, 하늘출판사, 세계의 거대건설, 1994.

[65] 東京都, 「経営計画2021」, 東京都下水道局, 2021. 3. 1.

[66] 東京都, 「下水道100％普及達成年次表」, 東京都下水道局,
      https://www.gesui.metro.tokyo.lg.jp/living/a2/spread/tas-seinennzi/

[67] 서울시청, 「서울시, '도로함몰' 원인조사·특별관리 대책 발표」, 서울특별시 도시안전실, 2014. 8. 29.

[68] 서울시청, 「PSC교량 안전대책 추진경과 및 향후계획」, 서울특별시 도시안전실, 2016. 10. 27.

[69] 정부, 「지속가능한 기반시설 안전강화 종합대책」, 관계부처 합동, 2019. 6. 1.

[70] 국토교통부, 「제1차 기반시설관리 기본계획」, 2020. 5. 12.

　　　　　　　　　　　　　　　　　아픔을 딛고 안전 사회로

[71] 정부, 「기반시설관리 실행력 제고 방안」, 관계부처 합동, 2021. 12. 21.

[72] 안전처, 「서울시설공단 재해 예방 대응방안」, 서울시설공단, 2021. 10. 13.

[73] 고용노동부, 「2022년도 예산 및 기금운용계획 사업설명자료」, 2022. 1.

[74] 국회사무처, "법제사법위원회회의록(법안심사제1소위원회) 제6호", pp. 5, 2021. 1. 7.

[75] 강경래, "[생생확대경]중대재해법이 불러온 나비효과", 이데일리, 2022. 4. 18.

[76] 여정현, "중대재해법' 시행에도 잇단 노후산단 폭발사고... 최근 6년 사상자 226명", 뉴스1, 2022. 6. 2.

[77] 배종대, 「형법총론」, 홍문사, 제15판, 2021.

[78] 진계호, 이존걸, 「刑法総論」, 대왕사, 제8판, 2007.

[79] 정웅석, 백승민, 「형법강의: 최신이론·사례·판례」, 대명출판사, 전정4판, 2014.

[80] 김재윤, "행정형법에 있어 기술발전과 허용된 위험", 형사정책, vol. 24, no. 2, pp. 83-105, 2012.

[81] SBS, "중대재해처벌법 1호 송치... 윤 당선인은 '고쳐야 한다'", 2022. 4. 14.https://news.sbs.co.kr/news/endPage.do?news_id=N1006709777

[82] 홍준표, "[검찰 '중대재해처벌법 벌칙해설서' 집중분석 ①] 중대재

해 처벌 대상 도급인? '실질적 지배'가 가른다", 매일노동뉴스, 2022. 4. 14.

[83] 위문희, "[분수대] 중대재해법 1호", 중앙일보, 2022. 4. 14.

[84] 김진성, "[취재수첩] 현실화한 중대재해법發 '로펌 호황'", hank-yung.com, 2022. 4. 14.

[85] 최민영, "중대재해법 대비 전담팀 꾸려 'CEO 보호' 방패 세우는 로펌들", 한겨레, 2022. 1. 14.

[86] 김진성, "'거인의 진격'… 김앤장, 중대재해 자문 줄줄이 수임", hankyung.com, 2022. 4. 14.

[87] 김진규, "'중대재해법 쇼크' 덮쳤다… 건설업 생산, 7년 만에 최대폭 감소", hankyung.com, 2022. 4. 14.

[88] 박종홍, "중대재해법 시행 한달 건설사 '발목'잡고 사망자 '여전'… '실효성 없다'", 뉴스1, 2022. 4. 14.

[89] 박은희, "[기획] 언제 닥칠지… 건설업계 중대재해 '멘붕'", 디지털타임스, 2022. 4. 14.

[90] 나광국, "중대재해법 처벌 1호될라… 설연휴 공사 중단하는 건설사들", 매일일보, 2022. 4. 14.

[91] 도현정, "370억 투자해도 중처법 못 피해… 연이은 사고에 중소기업들 '패닉'", 헤럴드경제, 2022. 4. 14.

[92] 나지운, "중대재해법 시행… 물량 줄고 규제 늘고 '전기공사업계 어쩌나'", 전기신문, 2022. 4 .14.

[93] 이재영, "예방효과 낮고 사법 리스크만 키운 중대재해처벌법", 매일

아픔을 딛고 안전 사회로

일보, 2022. 4. 14.

[94] 최환석, "중대산업재해, 났던 사업장에서 또 났다", 경남도민일보, 2022. 4. 14.

[95] 국토교통부, "HDC 아파트 붕괴사고 주요원인은 '무단 구조변경'", 2022. 3. 14.

[96] 서울특별시, "서울시, '광주학동 붕괴사고' HDC현산에 추가 8개월 영업정지", 2022. 4. 13.

[97] 서울특별시, "서울시, 학동 철거건물 붕괴사고, 현대산업개발(주)에 8개월 영업정지", 2022. 3. 30.

[98] 국토교통부, "국토부, '22.1월 아파트 붕괴사고 재발 방지를 위한 '부실시공 근절 방안' 발표", 2022. 3. 28.

[99] 조계원, "HDC현산 8개월 영업정지 처분 '중지'... 가처분 인용", 쿠키뉴스, 2022. 4. 18.

[100] 서울특별시, "'서울시, 학동 참사 HDC 현산에 영업정지 대신 4억대 과징금 부과' 관련", 2022. 4. 22.

[101] 한은화, "HDC현산 건설업 등록 말소되나... 국토부 '엄중 처벌'요청", 중앙일보, 2022. 5. 31.

[102] 이영완, "뇌는 꿈꾸면서 나쁜 감정 없앤다 [사이언스샷]", 조선일보, 2022. 5. 15.

[103] 기획재정부, 「주요 시설의 안전실태 전수조사등 공공기관 안전관리 강화 추진 -제53회 국무회의 결과-」, 2018. 12. 18.

[104] 기획재정부, "제1차 '공공기관 안전관리 강화 회의' 개최", 2018.

12. 21.

[105] JTBC, "건축사 9명이 700개 건물 점검… '훑어볼 수밖에 없었다'", 2022. 4. 19.

[106] 국가통계포털, "용도별 건축물 현황", 2022. 4. 19.

[107] 국토안전관리원, "시설물통합정보관리시스템(FMS)", 2022. 4. 19.

[108] LH, 「기후변화 적응을 위한 LH건설 토목구조물의 설계기준 검토 및 개정방안 연구(I)」, 2013.

[109] 소방방재청, 「지역별 방재성능목표 설정기준」, 2012. 8. 31.

[110] 서울시설공단, 「2021년도 경영실적보고서」, 2022. 3. 1.

[111] 서울시설공단, 「2022년 안전보건관리계획」, 2021. 12. 1.

[112] 서울시설공단, "서울월드컵경기장 가설무대, 바람에도 안전하도록 '행사 중 경고단계' 수립", 2021. 1. 16.

[113] 서울시설공단, 「서울시설공단 발전방향 보고」, 2019. 10. 1.

[114] 서울특별시, 「서울시 위기관리 커뮤니케이션 가이드라인」, 2014. 12. 1.

[115] PRBCM team, "10 Key Characteristics of Great Crisis Leaders"

[116] 법제처, "산업안전보건법 제정·개정 이유", 2019. 1. 15.

[117] Fabian Sch, "The security features of the Mont Blanc Tunnel", 2015. 7. 17.https://www.dw.com/en/the-security-features-of-the-mont-blanc-tunnel/a-18591388

[118] 권승현, "서울시설公, '위험작업 서부권' 노입… 노소 악용 우려", 문

화일보, 2021. 12. 1.

[119] H. Wenzel, "Experience with the Management of Cable Stayed Bridges in Korea", Bridge Management Ⅰ, pp. 339-348, 1990.

[120] 서울시설공단, 「청담1교 손상 조사 및 보수 진행상황」, 서울시설공단 오픈이노베이션, 2021. 5. 30.

[121] 송상영, 차범진, 이주헌, 김상아, "PSC오픈이노베이션 운영성과 및 향후 추진 방향", 도로교통, no. 166, pp. 46-53, 2022.

[122] 서울시설공단, "국내최초, 도로인프라 노후화 대응연합 출범", 2021. 11. 27.

[123] 이상호, 「코리안 스탠다드에서 글로벌 스탠다드로」, 한미파슨스 공저, 2006. 1. 31.

[124] 한국건설기술연구원, "건설감리제도의 성과분석 및 발전방안 연구", 한국건설관리협회, 2011. 5. 1.

[125] 国土交通省, "建設業法に基づく適正な施工体制についてQ&A", 2019. 4. 1.

[126] 석광현, "FIDIC 표준계약조건과 국내 민간건설공사 표준도급계약 일반조건의 비교", 국제거래법연구, 제25집 제1호, pp. 31-89, 2016. 7. 17.

[127] 매일경제, "가양대교 건설 감리 외국인회사에 의뢰", 1994. 12. 27.

[128] 김동민, "가양대교 시공감리용역 외국업체제한... 국내업체 반발", hankyung.com, 1995. 5. 9.

[129] A.C. Twort and J.G. Rees, 「Civil Engineering: Supervision and Management」, Springer Science & Business Media, 2012.

[130] 기획재정부, 「2022년도 예산안 편성 및 기금운용계획안 작성 세부지침」, 2021. 5. 1.

[131] 조영준, 성용모, "건설사업관리업무 효율화를 위한 대가 산출기준 개선방향", 한국건설관리학회, 제20권 제2호, 2019. 3. 1.

[132] 한재구, 김영현, 진경호, "예산편성지침의 건설사업관리 대가산정 기준에 관한 설문조사", 2021.

[133] 방준호, 송충한, 김우상, 김남현, 조현, "싱가포르 도심지하철 2단계 921공구 프로젝트(DTL2 C921)", 자연, 터널 그리고 지하공간, Vol.13, N0.4, pp. 25-41, 2011.

[134] 서울특별시, 「공공시설물 품질·안전관리시스템 개혁방안 추진과제 보고」, 2015. 4. 7.

[135] 최남영, "건설엔지니어링社, 해외 마수걸이 수주 속속 '달성'", 이코노믹리뷰, 2022. 1. 12.

[136] 이소현, "삼성물산, 지난해 해외건설 분야 '최다 수상'", 신아일보, 2020. 2. 5.

[137] 김문성, "삼성물산 베트남 공사장 붕괴사고 13명 사망·29명 부상 (종합3보)", 연합뉴스, 2015. 3. 26.

[138] 최남영, "국토부 "PM, 건설ENG 새 먹거리로 다시 집중", 이코노믹리뷰, 2022. 5. 2.

아픔을 딛고 안전 사회로

[139] 김민구, "외국 감리업체 몰려온다", 매일경제, 1998. 2. 10.

[140] 지선호, "건설현장에 나타난 로봇개... 중흥건설, 중대재해처벌법 대응 체계 구축", TV조선, 2022. 3. 25.

[141] 박관희, "해체공사 상주·비상주 감리 업무 법적 근거 필요", 대한건축사협회 건축사신문, 2021. 6. 15.

[142] 함영원, "건설업 '고질병' 고쳐질까... 당국, 부실공사 원인 '하도급 관행' 손본다", 스트레이트뉴스, 2022. 4. 4.

[143] E. Kranakis, "Fixing the Blame: Organizational Culture and the Quebec Bridge Collapse", Technology and Culture, vol. 45, no. 3, pp. 487-518, 2004.

[144] P. Cynthia and D. Norbert, "Collapse of the Quebec Bridge, 1907", Journal of Performance of Constructed Facilities, vol. 20, no. 1, pp. 84-91, 2006.

[145] S. Goldenberg, "When the Bridge Fell", Beaver, Vol. 86 Issue 2, pp. 16-20, 2006. 4. 1.

[146] Wikipedia, "Quebec Bridge"

[147] H. Petroski, "Engineering: The Iron Ring", American Scientist, vol. 83, no. 3, pp. 229-232, 1995.

[148] D. Kim, "A Study on the Directions of Sewol Ferry Tragedy Memorial Park Based on the Analysis on Social Discourse and Recognition Evaluation", Journal of the Korean Institute of Landscape Architecture, vol. 48, no. 6, pp. 25-38,

2020.

[149] 4.16세월호참사 작가기록단 재난참사기억프로젝트팀, 「재난을 묻다, 반복된 참사 꺼내온 기억, 대한민국 재난연대기」, 2017.

[150] 김종길, "해운계의 숨은 이야기들 (47): 여객선 서해훼리호 전복사건", 해양한국, no. 6, pp. 116-119, 2004.

[151] 김미주, "[기획점검] 우리나라 역대 대형 선박사고: 창경호, 남영호, 서해훼리호, 세월호... 대형 참사 '닮은 꼴' 되풀이되는 해난사고, 과적, 정원초과 등 안전불감증이 주범 올해 부산, 여수서 운항과실 기름유출사고 잇따라 발생", 해양한국, no. 6, pp. 72-75, 2014.

[152] 이진우, "[오늘보다] 심슨 인형공장이 불타던 날", 오늘보다http://todayboda.net/article/6981

[153] 제정남, "산재노동자의 날 국가기념일로 정하자", 매일노동뉴스, 2022. 4. 29.

[154] 전국민주노동조합총연맹, "[보도자료] 4·28 산재사망 추모, 죽지 않고 일할 권리 쟁취 민주노총 투쟁 결의대회", 2019. 4. 17.

[155] 김상윤, "재계 '규제개혁 갈길 멀다... 중대재해처벌법 개선해야'", 이데일리, 2022. 5. 9.

[156] 곽용희, "총선 후 중대재해법 개정?... '안전보건 관계법령 개정안 국회 제출'", hankyung.com, 2022. 5. 11.

[157] 금준경, "올해만 KT 노동자 4명이 사망했다", 미디어오늘, 2018. 11. 13.

아픔을 딛고 안전 사회로